阿井 / 著

刹那之恋

CFP 中国电影出版社

图书在版编目（CIP）数据

刹那之恋 / 阿井著.—北京：中国电影出版社，
2015.2

ISBN 978-7-106-04100-7

Ⅰ.①刹… Ⅱ.①阿… Ⅲ.①长篇小说—中国—当代
Ⅳ.①I247.5

中国版本图书馆CIP数据核字（2015）第037293号

责任编辑：贾　伟
封面设计：中尚图
版式设计：中尚图
责任印制：庞敬峰

刹那之恋

阿井　著

出版发行	中国电影出版社（北京北三环东路22号）邮编100029
	电话：64296664（总编室）　64216278（发行部）
	64296742（读者服务部）　E-mail:cfpygb@126.com
经　销	新华书店
印　刷	北京墨阁印刷有限公司
版　次	2015年3月第1版　2015年3月第1次印刷
规　格	开本/710×1000毫米　1/16
	印张/21.5　字数/352千字
书　号	ISBN 978-7-106-04100-7 / I·0987
定　价	38.00元

第1章

一九八九年元宵节。

快下班时，我卷着半张报纸跑进厕所，正弓着腰低着头双手扶墙壁撒尿的老独头如触电般猛然抬起头，两眼闪闪发亮地问道：

"晚上有节目吗？"

我像痨病患者般发出一阵撕心裂肺的咳嗽后，咯出一口浓痰，狠狠地吐到尿池里。妈的，每月进账只有九十七元四角六分，就这么低的工资还愣是被拖欠了半年。柴米油盐酱醋茶，草纸牙膏肥皂洗头水，样样都折腾得我茶饭不思夜不能寐；风烛残年的老母亲日夜哆哆嗦嗦地掰着手指数着我发薪日子的眼神更令我揪心得几近心肌梗塞……这数米而炊的日子，我容易吗？

下班后，除了回家跟老婆弄个豆腐炒青菜或青菜炒豆腐胡乱填饱肚子外，我还敢奢望安排什么节目？节目，对富人来说兴许可以天天像节日一样目无法纪地铺陈，可对穷人压根儿就意味着节约项目开支。唉……诚然，若耐不住长夜漫漫，倒不妨跟通宵达旦反刍磨牙——对晚餐怀有深仇大恨似的老婆狠狠地爽上一把，可是……干这活儿得充分考虑双方的兴致与气力，否则，弄个阳萎早泄马上风什么的，岂不落个卖力不讨好伤了身子不欢而散的下场。

老独头麻利地扎上裤带向我凑了过来，眼神诡异而狐媚，压低嗓子道：

"运去黄金也失色，时来白铁也生光，老弟，你时来运转了。据透露……组织部正着手考察提拔你任教育局副局长，但这是差额考察，二选一，你得抓紧活动活动，可别大意失荆州……切记，当了大官拉我一把，朝中有人好做官哪……"

"这种八竿子都打不着的事你也好意思替我想出来？"不等他讲完，我就一把推开他。

"千真万确。"老独头一脸严肃，"别的你可以不信，这事你得信我！这样吧，晚上到酒楼来我们再详谈。"

老独头真实姓名叫李布衣，自从在县城开了一家名为"最独一处"的酒楼后，人们都叫他"老独头"。

门外传来脚步声，老独头赶紧岔开话题，亮起嗓子高声嚷道：

"我嘴里都淡出个鸟来了，晚上喝两盅怎么样？"

"这话我爱听！"我抖着裤裆，高声附和。

老独头和我都是青翠坡县那鸟乡人。老独头那个村子叫那鸡村，我那个村子叫那鸭村，两村相隔不足十里路。一条从不干涸的小河从两个村子前流过，蜿蜒数百里后汇入流经县城的清水江，小河有一个很民族很世界的名字——鸡鸭河。那鸡村在河的上头，那鸭村在河的下头，我母亲是从那鸡村嫁过来的，跟我同龄的那鸡人都叫我表兄或表弟。老独头大我十多岁，理应称我外甥，但平时他和我常常以兄弟相称。在酒桌上，若有人问及我们两人究竟是什么关系时，老独头十有八九答道：

"我住鸡鸭河头，君住鸡鸭河尾，餐餐喝酒不见醉，共饮鸡鸭河水。"

老独头的最独一处酒楼位于县城东南隅县委县府招待所正对面。在这幢临江而建的五层楼房里依窗伫立，环城而过的清水江尽收眼底。酒楼的前身原是辉煌过二十多年的青翠坡县国营旅社，近年来县城里各种各样私营酒店旅馆如雨后春笋般冒出来，这些酒店旅馆不仅价廉，服务也周到。这国营旅社日渐门前冷落鞍马稀，到后来，连门卫的工钱都无法开支。山穷水尽之际，只好向社会公开招租。老独头倾其所有，又四处举债，将其承租后装修为酒楼。

酒楼名义上由他的老婆阮小氏打理。阮小氏原是越南人，在越南没读过一天书，她连母语里花蛇般大的字母也不认得一个，更不用说作为外语的汉语了。不过，在中越两国"同志加兄弟"的年代，两国边民走动频繁，不少边民还相互通婚，嫁给老独头后，阮小氏耳濡目染也渐渐会说一口半生不熟的普通话。不难想象，像阮小氏这样来自异国他乡语言又不太顺畅的女人，自然谈不上有什么高超娴熟的酒楼经营管理艺术。因此，酒楼的经营实际上全靠老独头一肩挑。老独头白天在单位公干之余，忙里偷闲用电话联系客人，下班后亲自下酒楼打理，陪客人喝酒划拳。

"最独一处"这名称是老独头一人冥思苦想出来的。本意是"最清静最宜独处最宜反省最无外界干扰最……之处"。酒楼的装修全都按老独头的意思来弄，连酒楼大门两边的对联也是老独头自己绞尽脑汁想出来的。老独头小学没毕业，自然想不出寓意深刻富有哲理令人启迪的对联，但读起来也实实在在：

去去去，去将豆腐青菜鸡鸭鱼肉端下去
来来来，来把毒蛇王八山珍海味捧上来

横批也通俗易懂：吃香喝辣

青翠坡山高皇帝远，物质文明和精神文明在这片盐碱地里连年歉收，喝酒划拳行令掀酒桌撒泼耍酒疯是官场一道独特的风景线。就算喝个上吐下泻当街撒尿，只要不追打行人，大抵也无人理睬。各单位每年进人面试时，考官往往忙里插针笑容可掬地提出一道"能喝多少"或"会划拳吗"之类的简答题。酒量是交际场上的一条绿色通道，沉甸甸的大红印鉴往往在酒过三巡酒气盖脸后舞得虎虎生风。

据说，老独头这副对联确实让不少来此公款消费的官们倍感亲切。

平心而论，老独头开发出来的菜肴上不了大场面，色香味也勉强。但他非常看重"生猛"二字。有一道菜是在一个狭长的碟子里，用白切狗肉摆成一匹小马驹的形状，用四只狗爪做成腾空而起的马蹄，用几缕芫荽摆成马尾巴和迎风飘扬的马鬃，又在旁边摆一条生蒸白切牛鞭，老独头给这道菜取名为"快马加鞭"。还有，用成年黑公狗两个大睾丸生蒸白切后摆成一颗心的形状，再在四周摆上一圈剥了壳的王八蛋，这菜叫"肝胆相照"。尽管所谓的"肝"是用狗睾丸做的，但狗睾丸比狗肝更具壮阳功效，因此，客人一般也不计较老独头这种"挂狗肝卖狗卵"的勾当。老独头的菜式，不客气地说，很黄很壮阳。

老独头觉悟还算高，逢人总是谦卑地表态：自己没读过几天书，是泥腿子大老粗，开店不图赚钱，只图热闹，给各位领导提供吃喝玩乐的地方，在自己有生之年为公仆们服务，发些光热而已。

由于菜肴生猛，服务周到。酒楼开张不久，门前车水马龙，很快就把县委县府招待所的生意全抢了过来。一时间，最独一处声名鹊起，平头百姓因孩子入学或招工招干找人疏通关系时，一般也多选这个地方请客。但街头巷尾一些花了血本请客结果却没有办成事的平头百姓一提起这酒楼，无不咬牙切齿骂是"最毒一处"。

今晚过节，店里没一个客人，就连服务员和厨子都放假回家了，老独头亲自下厨掌勺。阮小氏把我领到二楼包房，给我倒了一杯茶后，就小跑着下楼去端菜，几个来回，菜就全上齐了——一盘干笋焖狗肠，一盘木耳炒狗肝，一碟白切狗肉，一盆青菜狗汤，酒是一塑料桶当地酿造的单蒸米酒。

"嫂子，今晚过节，一起吃吧！"

阮小氏似乎没听到我的话，笑着跑下楼，我追到楼下时，她正从墙上取下围裙，反剪着双手在背后系裙带，走到洗碗池边又忙开了。见我追下来，她决绝而凛然地说："吃过了，不吃了，弟弟你别管我，上楼吧。"不好勉强，我也就不再坚持了。

入座后，老独头边倒酒边笑呵呵地说："跟你说多少回了，你偏不听，来我这里还客气什么？她一来不喝酒，二来讲的话半生不熟的，你叫她来作陪，不是让她受罪吗？"

老独头有三个儿子，大的叫李彬，在县民政局坐办公室，今晚在外头有应酬。其他两个小的正在本县那鸟乡职业中学读书，前几天刚刚开学返校。

酒过三巡，老独头把杯子一放，正色道：

"组织部这次要在你和何小彬两人中二选一，你是正宗科班出身，资历能力也明摆着，但何小彬的来头你是知道的，他是你的顶头上司陈成三的小舅子，你切切不可大意。"

"服从组织安排！"我虽然斩钉截铁，但心里却是无限渴望组织上能做出对我有利的安排。这种想法虽然只是一闪而过，心头那份痒痒的甜甜的感觉居然周身溢漾开来。

"俗话说，知人善任。你自己得赶紧活动活动，想方设法向组织靠拢。再说，谋事在人，成事在天，可不能这样听之任之呀。说白了，这节骨眼上，局内人都感到山雨欲来风满楼了，你可千万不能守株待兔啊！你不活动，陈成三何小彬他俩可不是省油的灯，他们可不会闲着。在这个节骨眼上，兵贵神速，你得抓紧活动活动，否则，过了这个村就没那个店了。"

大学毕业八年了。刚工作那几年，每次看到组织人事部门有关人事任职文件，我都不太挂在心上，可近几年来，我越来越在乎了。我的许多同龄人，他们当年中考或高考名落孙山后，通过各种关系，以工代干或以工代教，转成正式干部，最后都莫名其妙地鱼贯进入了组织部的红头文件里面。最令我难堪与不安的是我的初中同学陈成三，高中毕业后，他先是在那鸟乡集市上看管单车，在我大一那年，先转工，后转干，七转八拐，到我大学毕业第二年，竟调入我们单位跟我平起平坐了。要命的是，前年冬天，这个浑球儿竟然又冷不丁坐上了局长这把交椅直接对我发号施令起来，想想真憋屈。

仕途上的持续低迷改变了我对这个世界的看法，也改变了这个世界对我的看法，不明就里的人，以为我不是有政治问题，就必定是生活作风出了问题。

说句掏心窝子的话，要我屈尊在不学无术不思上进不务正业的"三不"局长陈成三手底下委实需要莫大的耐心、勇气与毅力。一想到可能一辈子都要在这个专注于溜须拍马削尖脑袋往上爬的混账面前忍声吞气委曲求全地坐穿办公椅，我的脑子里就会闪过一个人——亲尝吴王夫差大便的越王勾践，并萌生出一种"同是天涯沦落人"的高尚情怀。这些年来，县里干部一过三十五就不提拔了。过了四十就知官场的天命了。

唉，急呀！我喝了一杯酒，捧着脑瓜子胡思乱想。

"我知道你的心事，临渊羡鱼，不如退而结网，你这次要好好运作运作。"老独头这双对所有人都充满暧昧的眼睛确实老到，一边斟酒，一边给我敲边鼓。

我端起酒杯，又是一杯下肚，愤愤道："矮檐之下出头难，是该活动活动了。"

"对，知道尿床就不睡觉了……你打算怎么活动？"

老独头这一问，竟然把我问住了。怎么活动？靠山关系钱财全没有。不说我家祖宗十八代了，就是我那一千多号人的那鸭村，自民国以来，居然从没有哪个乡亲在外头有一官半职的。乡亲们平日所津津乐道引以为荣的所谓在"外头做事"的乡党，十有八九不是教书匠，就是伙房掌勺，若遇上什么涉官的麻烦事，几乎全都赔着笑脸拎几斤猪肉来求我帮忙摆平，我能找谁活动去？

走动走动？不跑不送，原地不动，这个道理我不是不明白。送些钱物给书记或县长或组织部长，或请他们到最独一处坐坐？唉，风烛残年的老母亲终日睁着一双婆娑的泪眼苦苦盯着墙上的日历，盼我每月十五日领薪后给她抓药止痛呢！升官固然重要，可母亲的老命也不能说不要就不要，几十年的养育之恩，也不是说要忘记就能忘记的。鸟有反哺之义羊有跪乳之恩，我读了十多年的书难道还禽兽不如吗？要我卖祖屋卖地去活动？……

"唉，不行！这绝对不行……"我狠狠地撂下酒杯，歇斯底里吼道。

"十年逢一闰，机不可失，时不再来，老弟呀，看开点……钱这东西，小钱不去，大钱不来，到银行贷个三五万，做了局长，还愁返不了本？帮乡镇教师往县城调，一个少说也收两三千。水往低处流，人往高处走，这年头，手里攥着钞票、急得像热锅上的蚂蚁团团转着找门路调动的教师街头巷尾多的是，随便在哪个旮旯撒泡尿少说也撞见三五个哩，这一本万利的投资比你倒腾邮票比我开酒楼都划算哪！"老独头喝了一杯，附着我的耳朵，喷出一股狗膘味。

前段时间，我炒过邮票。刚开始时，挣了一些小钱；后来收了一版假猴票，不仅赔了老本，还倒贴了近三个月的工资。这事传到我母亲耳朵里，我那可怜的老娘哎，就像被炸弹轰倒的木桩子，"扑通"一声，来了一个高难度的倒地动作，要不是邻居及时掐人中捶胸灌姜汤，早就一命呜呼了。

"饱汉不知饿汉饥！万一贷来的款子送出去后都成了打狗的肉包子，那……我每月工资才九十七元四角六分，就算不吃不喝出门要饭，十年也还不清啊！再说，这年头，银行的利息就如高利贷，利滚利的，你就是抓我去劳教我也赔不起呀！"

"官场如赌场。舍不得孩子套不住狼，舍不得钱财套不住官！"老独头捋起袖子把桌子拍得山响。

"就算贷款，可……家徒四壁叫我拿什么抵押？"大前年冬天，我父亲在田头撒播绿肥籽时，耐不住阵阵寒风细雨沁骨，在一阵打着旋涡的冷风中突然两眼翻白中风昏倒，母亲赶紧哭哭啼啼央求邻居把父亲送到乡卫生院。卫生院的人摸了一下脉，悠然自得地抽烟闲聊等钱，说是钱不到不治疗，父亲就这样撒手人寰了。

"老弟呀……"酒这东西是好，几杯落肚，仇人都能称兄道弟。"人哪，命里都有那么一两次，但不会很多，下一次还不知猴年马月呢！"老独头唾沫四溅，"你在陈成三手下过的日子就跟陆军炊事员一样——整天背黑锅戴绿帽，可打炮又没你的份！哥哥我替你不值呀！"

"看你越说越离谱了，他凭什么……"

"凭什么？他高兴他乐意就成！人对弱者都有同情心，对强过自己的人都有戒心。你强过他，就是他升官发财的拦路虎绊脚石，他就整你……你呀你，你不考虑你自己，也得考虑考虑子孙后代呀！子孙们的读书工作总不能不管吧？对子孙后代多积点阴德，要不，过年过节，子孙们有谁肯给你这种鸟人烧香磕头啊……你死后也是个失意的饿鬼！"

"陈成三他要帮他小舅子何小彬，老子就是拦也拦不住啊。天要下雨，娘要嫁人，由他去吧……"

"你真是人穷志短马瘦毛长，唉，哀莫大于心死。你堂堂名牌大学新闻专业正宗科班出身，《西河日报》都发你的文章，怎么就没提拔你，就连我这种下三烂都看不过眼了！"老独头拍案而起。

老独头的话很受用，说得我心里亮堂堂的，还别说，眼前的老独头哥哥还真有那么点侠客风范，要不怎么会请我来商量对策？我心里这么想，但我没有说出来。

"哥哥，你见过大世面，你说说，除了送礼送钱这条路子外，你总该还有其他路子吧？你指条路给我走吧。"

"领导说你行，你不行也行，领导说你不行，你行也不行。知道不？要说路子吧，肯定有，只是全都在领导那里，可这些人不见兔子不撒鹰，你不花点血本，谁会平白无故帮你？"

又默默喝了几杯，老独头长长地叹了口气，满腹惆怅的神情颇得屈原杜甫忧国忧民之遗风。"家家都有本难念的经。我们家老二老三读的是职中，上大学恐怕是没什么指望了。美不美，山中水；亲不亲，故乡人。毕竟，我住鸡鸭河头，你住鸡鸭河尾，我俩同饮鸡鸭河水。我俩沾亲带故的，你快快升官吧，将来我们一家老小吃喝拉撒有什么问题的话，你得关照关照。再说，你帮了我，我也不会忘记你，滴水之恩，当涌泉相报……"原来这老小子有自己的算盘。

"我要是能帮上你，甭说涌泉了，江潮海啸我都受得起。可我现在的事八字还没一撇呢！有官当，我还客气干吗？"

又是一段无奈的沉默，两人低着头喝闷酒。半晌，为了活跃一下气氛，我伸出五指来，说："别想了，命中当有终须有，命中没有莫强求。来，我们响两码！"

两人猜拳，心不在焉频频出错，结果连输带罚，每人又喝了十多杯，快十二点时，老独头又一次出错拳，喝下罚酒后，突然圆睁牛眼，倒竖虎须，拍案而起，怒吼道：

"不喝了！回去想办法，总不能这样束手待毙！要不，我俩都不是男人！"老独头泪光闪烁，话语哽咽。

翌日上午刚上班，单位支部书记老贾过来讨茶叶，泡好茶后，拉一把椅子在我面前坐了下来。他呷着茶无比滋润地聊起了前几天在古玩市场的收获。

老贾今年四十出头，肥敦憨厚，长着一副面瓜脸，还不是什么好面瓜，像是先遭霜雪打过后来不幸又被人踩过的那种。由于过于肥胖，讲到激动处，总是气喘吁吁的。老贾原先在县国营理发店做理发员，函授大专毕业后，在县报当了几年记者，前几年调到我们局。老贾数十年来养成一个鉴宝的爱好，随身携带着放大镜小锤子钳子药瓶之类的鉴宝工具，一有时间就逛古玩市场，偶尔也有人带古玩上门请他鉴定。老贾好为人师，给人鉴宝从不收费且乐此不疲。

老贾说上周日逛古玩店时得了一块玉石，这块玉石质地极好，就是内中渗有一些疵点，现正想办法将其剔除，成了就会价值连城，败了将会因为玉石碎裂而分文不值。

老贾唠唠叨叨了半天，见我只是微微颔首附和三五句，脸上就有点不太挂得住。捧起茶杯呷了一口润了润唇，压低声音："听说，组织部正准备考察提拔你？"

我"嗯"了一声未置可否，老贾放下茶杯，神色严肃而凝重，像一个领袖教诲他的子民："……在国家、地区或单位的长期发展变革的潮流中，个人的力量是微不足道的，顶多算是发展变革潮流中的一块木板。顺应时代而制定的各种法律纪律才是左右人们的巨大力量。中国之所以是几千年的礼仪之邦，重要的一点就是我们中国人几千年来都把纲常视作生命。我们现在不提纲常，而是法律纪律。因此，作为公职人员，必须把法纪视作生命。万万不能有'顺我者生，逆我者亡'这种心态。而应该铭记'顺法纪者生，逆法纪者亡'这一教训。许多贪官落马，走上不归之路，就是对法纪毫无敬畏，最终被金钱美色的诱惑带到了死亡的深渊。还是孔子说得好，生于忧患，死于安乐。因此，为官做人都应该低调一点，要有一点'战战兢兢，如履薄冰'的危机感哪……"

老贾讲了半天，捧起茶杯呷了一大口后，突然，咧开肥嘟嘟的嘴唇，满脸憨厚笑容地说："总而言之，要顺其自然，端正态度，接受组织挑选。"

老贾的意思说得很明白——不能跑官要官。还别说，这话很对我扮清高的路子。我伏案沉思良久，下定决心，纵然老独头说得江河倒流咸鱼翻生，我也不能为了捞个绿豆芝麻大的官而低声下气地请客送礼，我决不为了求官而突破为人做官的底线。

那一刻，我为自己的一身正气感动得差点落泪。

初春的一场大雨把天空涤荡得明净而深邃。入夜，皓月当空，繁星散布，有点朗朗乾坤的味道。

阮小氏站在灶前双手捧着一大碗咸菜泡饭，见我进来，客客气气地跟我打了招呼。我蹑手蹑脚爬上二楼，大厅里灯火明亮，桌椅归置得整整齐齐却不见一个客人。

老独头凝重极了，好似指挥千军万马的将军，双手抱在胸前，在阳台与房间这么一泡尿的射程里踱来踱去。

我假装景仰地等了半晌，老独头还是没注意到，我终于忍不住轻轻咳了一声，老独头寻声望来，对我点了点头，指了指门边摆着碗筷茶水的桌子，示意我坐下喝茶后，又踱到楼下四处转悠。

我以为他找服务员多弄几个菜，但阮小氏不断送上来的菜已足以彰显出主人的盛情了。等了半天，老独头又上了楼，我正要起身招呼，他却以一个一挥千钧的手势制止了我后，又径自上了三楼。我不知他闷葫芦里装的是什么药，自行倒了半杯米酒，搛了几截狗肠，端起杯子就喝。

约半支烟工夫后，老独头从楼上下来，脸上露出一丝奸笑。我责备他说："你今天发什么神经，跑上跑下的，少了好几杯了，补上还是怎么着？"

老独头坐下后，脸上仍然挂着笑容，听说要补喝几杯，也不含糊，用一只小玻璃杯从酒壶里一连量出五小杯，全倒进一个大玻璃杯里，端起大玻璃杯"咕噜咕噜"着一饮而尽。

"我楼上楼下仔细看了几遍，初步估算了一下，这间酒楼的档次外加卡拉 OK 电视机餐具桌椅电冰箱，一次性转租出去，转手费最少五万元。"

"做得好好的，转租干吗？是不是找到别的财路了？"

老独头拉了一下椅子，嘴巴抵到我耳根说："我把这酒楼转租出去给你凑一笔活动经费。"

"开什么国际玩笑？"

"都什么时候了，谁还有心情开玩笑？时间紧，任务急，明天我就把招租广告贴出去。这事我已经琢磨不下三百遍了，想通了。你想想，我这几年夹着尾巴开店图个什么？还不就是想结识一些官员，拉拉关系，给我两个孩子将来找工作什么的打打基础。人生一世，草木一秋，男人不搏一搏就不是男人。我比不得你，你年轻，又有文化，前途无量，可蛇有蛇路，鼠有鼠窟，为了一个共同的目标，我们要走在一起……"要不是我定睛看清了老独头那熟悉的暧昧眼神，我还真的以为是穿越时空在聆听一位伟人的教诲。

"你把酒楼转租了，嫂子干什么呢？"

"这个你别管。大不了回乡下种她的一亩三分地。"

"那你不吃亏吗？"

"傻！我亏到哪里？告诉你吧，我大儿子能到县民政局做干部，你当真以为是他的本事？他在越南长大，九岁才回国，虽说是农中毕业，可你以为双语教学出来的都是精英啊？呸，他能有今天，还不是靠我用钱开路？"

老独头的大儿子李彬，当年中考时六科总分仅考了一百零八分，老独头找到我，塞给我三百元钱和三条红塔山牌香烟让我出面请县教育局长变通变通。钱礼到位，关系真的通了。从县农中毕业后，李彬先是回老家那鸡村接受了半年"土地改造"，后来又到老独头最独一处酒楼帮忙。两年后，他通过考干"考"入了县民政局当干部，现在县民政局坐办公室，常带一拨一拨的人来"最独一处"消费，方便时也常约我出来划几拳。

"不是说你在对越自卫还击战中救过省里某位领导的命，领导报恩安排你和你儿子当干部吗？"

老独头脸上掠过一丝不被轻易觉察的悲戚，像是劫后余生的人不堪回首过往的浩劫。他双眼怔怔地望着窗外马路，似乎触到什么伤心的往事，眼圈都有点红。良久，默默对我摇了摇手，说："这件事，以后有机会的话，我会慢慢告诉你的……"

"转租出去把钱借给我……"半晌，我耐不住沉默，喝了一杯酒，问道。

"不是借，是给……"老独头还未待我说完，突然抹了一把泪，用手拍打着桌子吼道。

"莫非世界到了末日，老天下起了馅饼雨？"

"组织部即将对你们进行考察，县委大院看似风平浪静，内里早已是山雨欲来风满楼了。有钱有势的人纷纷活动，为能捞一官半职就差卖老婆孩子了。你一介穷书生，祖上十八代以无可挑剔的出身还了你一个根正苗红，没关系没靠山你拿什么赌啊？"老独头转身环顾四周："帮人就是帮自己，不过，丑话说在先，你做了局长，可千万别干过河拆桥卸磨杀驴的事……"

"损人是不是……"酒肉下肚，血气上行，说这句话的时候我想自己一定是一脸的无辜和凛然。

"你当了局长，我老二老三将来毕业出来找工作，你得挂在心上……"

"好商量！只是……如果送出去的钱全都成了打狗的肉包子，泡都没冒一个怎么办？你让我来还吗？"

要真是那样的话，我肯定会立刻去死，死前我会告诉身边的每一个人：交友不慎害死人哪。

"炮弹导弹比不上银弹哪！你记住，认准了目标就钱财开路，我就不相信还有什么搞不定的……"老独头说这话时那种毋庸置疑的神态确实可爱极了。

"万一真的有去无回……"

"真他妈的有这个万一，那你不用还，我愿赌服输。我就不信，你一个堂堂名牌大学生，又发表过那么多文章，不提你提谁……"

"哥哥，你要是组织部长就好了。"当然，我希望他既是组织部长又是我的亲哥哥。

"当断不断，必受其乱，我明天就把招租广告贴出去。钱这玩意儿，生不带来，死不带去，再说你我毕竟还同饮鸡鸭河水，沾亲带故的……"老独头好像认定了这宗赌局，真想不到我还真有点投资价值。

"万一给纪委查出来怎么办？"

"这年头,他妈的撑死胆大的饿死胆小的。纪委不也是人吗？人为财死，鸟为食亡，有什么办不了的事？"我怀疑老独头前世是一个哲人，说起话来一套一套的，逻辑性很强。

我起身到卫生间撒了一泡憋得黄澄澄的尿液，回到饭桌时，想到为了当个副局长，就以老独头的最独一处酒楼为代价，心里头便如十五个吊桶七上八下的。

"这样吧，你再给我几天时间，容我再考虑考虑。"我双手捧着汗水淋漓的脑瓜子，声泪俱下地恳求道。

夜深人静时，我好几次从梦中惊醒过来，发觉自己总是浑身大汗淋漓。周素菊见状抚摸着我额头，关切地询问我到底怎么回事。我把老独头的盘算如实告诉了她。不知怎的，这几天夜里我老是梦见老独头一边咬着烟斗一口接着一口地吞云吐雾，一边用两只三角眼滴溜溜地盯着我，他的赌局成了我的包袱。

"这个老独头，他现在肯借钱给你去走关系，就是赌你将来会官升一级。你要是如他所愿升官了，他不一定要你还钱。你要是升不了官，他绝对叫你还钱。看他那贼溜溜转的三角眼，就知道他没安什么好心，他是想放长线钓大鱼。"

周素菊这一骂让我抖了个激灵，老独头的前世今生又在我眼前过起了电影。

据老独头说，他祖上家底不算殷实。他父亲当家那阵子，家有五亩水田二亩旱地半边鱼塘。若按土改政策给他家划成分，冒顶算"下中农"，但老独头他们家后来却被划入"地富反坏右"之列。

老独头常抱怨说，这真他妈的是阴差阳错。

一九五○年冬，势如破竹的解放大军沿着公路追击逃往十万大山的国民党白崇禧第十兵团残部。大军过后，那鸟乡境内的公路上时常出现大批溃败返乡的国民党残兵败将。为抵御数九寒天，残兵败将们用树叶禾草编成草衣草裤胡乱缠在身上取暖，每每遇到生人，隔着八丈远就哆哆嗦嗦举起双手求饶。乡里不少人趁乱到公路边敲诈勒索。遇上返乡的"国军"，他们就把枪栓拉得"哗啦哗啦"响。"国军"们全都哭丧着脸，或高举双手，或跪在地上求饶。乡民们便冲上去搜腰包，掠走衣裤鞋帽。

有一天，老独头父亲带领几个弟兄到公路上勒索。运气不好，等了半天不见一个"国军"的踪影，正想打道回府时，公路尽头突然有一彪人马疾驰而来。一位睡眼惺忪的仁兄误以为发财机会来了，端起鸟铳就迫不及待地开枪。骑兵们训练有素，几排短枪响过，老独头父亲身旁倒下了几位弟兄。老独头父亲见势不妙，赶紧抱头鼠窜逃回村里，慌慌张张地撞响了村头大榕树下的吊钟，不到一袋烟工夫，十多个村丁便操着家伙集合在老独头父亲面前。

是夜，气急败坏的老独头父亲拉起自己的一干人马围攻驻扎在街头的那小队骑兵。现如今，我总算弄明白了这么一个道理，为什么我一想到浑水摸鱼就双眼饱含着泪水？因为我的一些不识时务的乡亲还来不及深沉地热爱新中国的土地就付出了生命的代价。村丁们操着鸟铳围攻的那队骑兵不是一般的部队，而是解放军的一个小分队。解放军不愧是正规军，而老独头父亲一伙也不愧是乌合之众。双方一驳上火，解放军长枪短炮异常勇猛，几排手榴弹扔过来，老独头父亲一伙人被炸得屁滚尿流，老独头父亲和幸存的弟兄们全当了俘虏。解放军把他们捆得结结实实首尾相连如同一串蚂蚱一样动弹不得，拂晓时分，用一辆卡车将他们解押到县城。

以后每逢圩集日，解放军就从县城拉回一两个囚犯，在乡集西边坡地上召开万人公判大会。随后，就把他们押到坡沿正法。

终于有一天，老独头父亲也被押回来了。不用说，武装对抗新政权想活命比登月还难。公判人在罗列了老独头父亲一串串的罪行后，如往常一样发出了一个新生力量特有的洪亮声音："立即押赴刑场，执行枪决！"

老独头不止一次地提起，他那素未谋面的父亲被枪决的那一天，他已在他母亲肚子里生活了近九个月。那一天，公判人一声怒吼，在母亲肚里的老独头好像也知道威风凛凛的父亲就要黄泉路近了，吓得浑身哆嗦乱蹬乱踢。他母亲号啕大哭，寻死觅活。

公判大会上，老独头父亲目光呆滞，面无血色，身体不厌其烦地重复着筛糠的动作，要不是站在两边的战士把他架起来他早就瘫成一摊稀泥了。但快押到坡沿时，老独头父亲奋力地抬起一直被摁到怀里的汗淋淋的脑瓜子，"叽里咕噜"着冲主席台嚷道："报告政府！我欠有血债！罪有应得！死有余辜！但求政府成全成全……"

"成全什么？……如果为了成全你而触怒劳苦大众，那办不到！"

"……内人已身怀六甲，只求行刑时靠近心口一两枪崩死利索点，方便内人收尸……"

对于老独头父亲的这个请求，政府倒是很人性很配合，行刑的长枪被换成短枪。两声枪响过后，老独头父亲以一种灰色的临终关怀告别了这个世界。子弹全打在心窝上，尸体并没有爆出血盆大口。跟那些被用长枪打得浑身血淋淋如个烂西瓜的人相比，这家伙显然捡了个大便宜。

老独头的母亲名叫陈草芥，给丈夫收尸时，陈草芥确确实实省却了许多麻烦。可就是苦了老独头，在那个唯成分论血统论甚嚣尘上的年代，老独头是带着阶级敌人后代的帽子降临到这个世界上的。老独头小学没毕业就被逐出校门，估计我们的灵魂工程师们已经丧失了改造异己黑五类的耐心。走到哪里都有人命令他下跪认罪，有时即使是别人的孩子无故欺负了他，对方的家长也不问青红皂白地冲过来将他摁倒在地，再踏上一脚，厉声喝道："你还敢翻天？"

"文革"开始那一年冬天，老独头母子俩被造反派车轮般轮番游街串村批斗。造反派用板凳、枪托轮番击打老独头。在奄奄一息之际，老独头清醒地意识到，若再不想法子逃跑，肯定被活生生捣成肉浆。一个月黑风高的夜里，趁看守不备，老独头踩上老妈子的肩膀越墙逃跑。老独头跑到公路边跳上一辆正向南边疾驰的货车，消失在茫茫的夜色中。三天后，老独头发觉自己来到了中越边境一个名叫水口的地方。在大山里隐蔽了半个月后，又同样是借着夜色的掩护，在一个暴雨倾盆的晚上，他逃过边防军的追捕，强行泅渡边境界河；翻过越南北部的崇山峻岭，逃窜到了越南北部高平省附近一个叫渠道的村子，并在村头的破庙里住了下来。

偷渡到越南后，老独头为了活命，有时给别人打砖坯，有时帮人家舂泥墙，有时给别人补屋漏，谁家死人了，也主动去帮忙。越南北部方言与青翠坡方言虽不尽相同，但交流时双方用各自方言辅之手势也能勉强相互沟通。当时正值北越人民军同侵越美军及南越傀儡政权的军队进行艰苦卓绝的军事斗争，老独头虽是偷渡入境但无人理睬。又过了两年，一个偶然的机会，他认识了村里老裁缝的小女儿阮小氏。阮家有女初长成，回眸一笑也是百媚生。阮小氏年方十八，身材窈窕，温良贤淑，秀发如瀑布一般在胸前背后飞扬激荡，搅得四乡八邻的后生们方寸大乱。

那年月，越南全国兵荒马乱。有女儿的人家，一俟女儿长到十四五岁，就四处求媒人张罗着找婆家，赶紧将女儿嫁出去以免夜长梦多。阮小氏十八岁了，也成了老裁缝一桩心事，无奈战事连年不断，打着灯笼也难找到模样和品行过得去的男子。上门说亲的媒人虽也络绎不绝，但所推崇的男子不是两条獠牙暴如山猪野象，就是缺胳膊少腿，再不，就是嫖赌盗骗之徒。

此时，老独头虽然举目无亲不名一文，但一米八的个头，清秀的外表加上吃苦耐劳的秉性，对花季少女还是很有杀伤力的，按照现在的标准也算是体健貌端了。两人相识半个月后，在一个连蛙鸣都带着几分春情的午夜，阮小氏在全家人的鼓励和祈祷下以百米冲刺的速度跑进了村头破庙，把圣洁的初夜毫无保留地奉献给了老独头。

婚后，老独头夫妇俩先后生养了三个儿子。一九七五年，越南全国解放，老独头正儿八经加入了越南籍。在阮小氏家人的帮助下，夫妇俩在破庙旁建了一间三进泥砖屋，一家五口过起了像模像样的日子。但好景不长，一九七八年，随着越南黎笋集团反华排华不断升级，老独头一家老少被越南当局驱逐回中国，后来被地方政府安置到青翠坡县国营棉纺厂。

待一切安顿好后，老独头便星夜兼程赶回老家看望分别了多年的母亲。不料，天响炸雷，物是人非，老母亲两年前就已经过了世。

村里人每每向老独头提到他母亲的死，都常常含泪叹息："唉，都是牛惹的祸……"

时间回到一九七六年，在史无前例的十年浩劫接近尾声的时候，唐山发生了一场史无前例的大地震，唐山地震后不久的一个夜晚，距离唐山两千多公里的那鸡村又发生了一场建村以来史无前例的政治大地震，这一夜，村里出现了一个"现行反革命分子"。

那年头村里没有电话，收音机信号也不好，电视机嘛，村里人更不知何物，邮差每隔十天半月才来大队一次，如果村里有来信或报纸，那也得等到在大队完小读书的学生们星期六傍晚回家时才顺便带回生产队办公室。总之，唐山发生大地震后半个月时间里，那鸡村没有一个人知道中国大地发生了这么大一件事。

村里气氛陡然骤变是在公社放映队来了之后，在现代革命京剧《沂蒙颂》之前先放映了一个黑白短片《新闻简报》。银幕上是一个个地震后残垣断壁惨不忍睹的场面，画外音独白："地震是怎么回事呢？这首先让我们来看看地壳的构造……"银幕上出现一个悬浮着不断旋转的地球。

放映队回去后，公社和大队干部分组连夜来到村里，在生产队打谷场上召开紧急会议，惨白的汽灯下，大队支书沉痛地描述地震的恐怖场面：

"地震有三种：一种是地底下强烈抖动，就像筛子筛米一样抖动，地表上所有的房子纷纷倒塌，里面的人来不及跑出来，肯定就没了；第二种是整个地面平白无故突然陷了一个大坑，地表上人畜什么的全陷入十八层地底；第三种呢，最为可怕了，就是地翻。整个地皮就像一个锅子，突然冷不防来个底朝天反扣过来，地面上一个活口都不留……"

"呜呜呜……造孽呀！……"几位老妇人哀号不止，在稻草堆里东奔西跑的小孩们也目瞪口呆。

接下来，村里的民兵在夜里频繁地搞防震演习。演习时，凄厉的口哨声此起彼伏，响彻云霄。背着新式步枪的民兵吆喝着社员们携老带幼争先恐后向打谷场跑去。好几户人家在演习时因为来不及撤离被民兵排长劈头盖脸饱骂了一顿。

老独头母亲陈草芥因为出身不好，整天只知低头干活，极少开口说话。由于长年坚持不懈地配合批斗，鞠躬尽瘁，她身体垮了，四时八节总把捣烂的各种各样草药敷在身上，弄得整个身子青红绿蓝紫一大片。孩子们常常跟在她身后起哄：

"妖魔鬼怪！"

"牛鬼蛇神！"

……

地震演习期间的一天夜里，陈草芥从大队参加义务修路回到家里已是鸡啼二遍时分。她喝了两碗头天晚上剩下来的稀粥后，拖着疲惫的身躯端着装满脏衣服的铜盆磕磕绊绊来到村前的鸡鸭河边。陈草芥是四类分子，没有购买证，一年四季都买不到肥皂，洗衣时都用一条碗口粗的捣衣棒拍打。洗完衣服后，陈草芥气喘吁吁地低着头向村里走去。从河边通往村里是一条狭窄的小路，路的一边是鱼塘，另一边是仓库，仅容两三人通过。快到村口时，一群水牛突然从天而降，四蹄生风迎面撞来，陈草芥避让不及，被其中一头公牛轻盈地挑落池塘，群牛继续高歌猛进浩浩荡荡地向村外奔去。

陈草芥挣扎着爬到岸上，刚才挨的那一撞势大力沉，她好一阵子还是天旋地转眼冒金星。不过陈草芥虽是一介妇人，但毕竟接受过无数次专业批斗的洗礼，见过大场面的人通常有几分定力。她定了定神，想起这段时间民兵们搞地震演习时反复告诫的"牲畜反常，地震先兆"。莫非要地震了？陈草芥被这个念头吓了一跳。要是在地震前通知不知情的村民应该算是立大功了，如果是这样，那自己一家人岂不是要从"黑五类"一步跨进"红五类"的阵营？一步登天……陈草芥立刻被自己的这个推断兴奋起来，于是强忍着疼痛拎起铜盆，举起碗口粗的捣衣棒拼尽吃奶的力气狂抽铜盆：

"地震了！地震了！地震了……"

铜盆声和着陈草芥破锣似的绝望吼叫响彻全村的夜空，巡村民兵报警的口哨声此起彼伏。村里立时鸡飞狗跳，人仰马翻，妇人儿童哭成一片，第一时间赶到现场的两名民兵唯恐尖厉的口哨声不足以惊醒沉浸在梦乡的乡亲们，当机立断举枪向夜空连连开了数十枪，吓得栖息在村头大榕树上的几只乌鸦扑棱棱地飞向夜空。

多少年过去了，那两名民兵每每提起此事，还无不捂着嘴窃笑，说：

"那次夜半开枪，真他妈的过够了半辈子的枪瘾！"

事后证实，这是彻头彻尾的一场虚惊。民兵们追查起来，原来是村里一头发情母牛惹的祸。当时，出于保护生产队耕牛生命安全的考虑，所有牛圈夜里都敞开着门，这样，万一发生地震，耕牛可以在极短时间内撤离危险地带。但这样一来，那发情的母牛……不过，话也不能说得那么绝对……总之，不知是发情的母牛夜深人静时经受不住春情煎熬，公然毫无廉耻地外出勾引众公牛，还是耐不住寂寞的公牛们因为白天得到了母牛的秋波暗示，就胆敢在夜幕的掩护下争先恐后地闯入母牛的家……唉，两性之间的事，谁说得清楚……但不管怎么说，那天半夜生产队十多头成年公牛风驰电掣争先恐后地追赶着一头母牛冲出村口，导致了错误的警报，则是陈草芥供认不讳的事实。

第二天天亮，公社革委会主任一声令下，陈草芥被民兵们五花大绑押到公社。此后，每逢公社或大队召开各种大小群众大会，陈草芥就被民兵押上台去进行批斗。每次批斗陈草芥时，台上总有人领头振臂怒吼：

"万恶的四类分子陈草芥，怀着对新社会的刻骨仇恨，亡我之心不死，唯恐天下不乱，半夜时分谎报震情，是彻头彻尾的现行反革命分子……"

"打倒现行反革命分子陈草芥！"

"牢记阶级苦！不忘血泪仇！"

"千万不要忘记阶级斗争！"

……

台下一呼百应，口号声震耳欲聋，煞是壮观。

乡亲们告诉老独头说，阳历十月九日午夜，即十年浩劫即将结束的最后那个最黑暗的前夜，陈草芥白天又被押到公社万人大会上批斗，傍晚时人被全副武装的民兵押回家里后，不吃不喝，不言不语，在屋檐下呆若木鸡地坐着。

直到夜幕降临，见邻居二婶家敞开着门，陈草芥才站起来，又开五指理了理被剪得狗啃一样的阴阳头，怯怯地踱到二婶家门槛前，红着脸跟二婶借半块肥皂。二婶当时正用烧火棍拨弄着一堆半明半灭用于驱蚊子的苦艾草，听说陈草芥要借肥皂，不免有些纳闷和疑惑，但最后还是把家里仅剩的半块肥皂借给了她。陈草芥拿了肥皂，又转回家里拎上一个桶，低头向村前的鸡鸭河走去。

天亮时，有人发现陈草芥僵硬地躺在河堤上……

那一夜，陈草芥用尽了邻居二婶家那半块红卫牌肥皂，把自己的身体从头发到脚趾洗涤得干干净净，大概是在子夜时分，即天地最黑暗的时辰，她含泪喝下了半瓶敌敌畏农药，永远告别了令她不解、令她困惑、令她恐惧的人世。

多年来，老独头每每酒后提起他那死去的母亲时，无不呼天抢地号啕大哭："牛发情何罪之有！我母亲临终前，不必耗尽二婶家那半块红卫牌肥皂洗涤身子，我母亲的身子从来都是干干净净的，要说该洗心革面的，倒应该是那些心灵肮脏丧尽天良的鸟人……"

"哥哥，这几天我翻来覆去地想你提出的办法，我总觉得不妥，你也知道，我好歹也受组织教育多年，祖宗十八代代代都是清清白白做人，我要是拿了你的钱去搞权钱交易，弟弟我干不出来呀。再说，我心里也不踏实，夜里总是噩梦不断鬼蜮缠身……"过了几天的一天晚上，我悄悄跑到最独一处酒楼，语无伦次声音哆嗦地对老独头说。

"你、你……你真不是个男人……"老独头一副恨铁不成钢的样子，拍着桌子骂道，"你呀你！说句难听的话，简直就是茅坑里的石头，又臭又硬，一点都不开窍。我跟你说，陈成三要是有你这文凭，早就做县长了！"说到这里，老独头摸出一支烟来，咬在嘴里，由于太激动，打火机打了好几次都没有打着。我见状忙接过打火机替他点上。

老独头狠狠地吸了口烟，吐出几个圆圆的烟圈，道："陈成三仅仅是高中毕业，可是他把精力时间金钱全部投入到为升官铺路上去，人家走的是捷径啊！你呢，只会埋头拉车，根本就不会抬头看路，有个屁用啊？你要学到陈成三的十分之一早就是处级以上了，哪来今天跟别人争副科级这种麻烦？"老独头语气渐渐平和了下来，劝了我一杯，语重心长道："说到人格吗？人格值多少钱？那都是面子上的屁事，越王勾践卧薪尝胆还有什么人格可言？可灭了吴国重新夺回了江山，还不照样被后人传颂百世？告诉你吧，你今天肯低声下气，对官们有求必应，放下臭架子心甘情愿给官们端尿倒屎，这准没错，这叫雪中送炭。将来你做了大官，还不照样有一大帮下属众星捧月般捧着你，那时候，你还不一样可以驱奴使婢，还不一样八面威风？所以呢，你今天肯委屈做人实在算不了什么吃亏，有部电影叫什么来着？对了，《从奴隶到将军》……"我再次坚信老独头肯定是个转世灵童。

老独头训斥我一番后，站起来背着手在我面前走过去，又走过来。反反复复不下十次。我默默站起来，呆呆地站在门边，不禁想起了高中时读过的伏契克《绞刑架下的报告》里面的两句话：

从门口到窗户七步，从窗户到门口七步。这我知道。

"这样吧，这事我一定要争取，要投入整个身心去做……但是，我还是凭我的真本事，多写几篇文章，扩大影响。再说，你也知道，我在《西河日报》上发表过好多文章，在青翠坡这个小地方，像我这样擅长摇笔杆子的还真不多。这段时间，我摸清方向，在《西河日报》弄出一两个有分量的专题报道，来个一鸣惊人，到那时候，酒香不怕巷子深。常委们都认得我这个人，说不定在讨论提拔时，也是个筹码哩。总之，不管陈成三何小彬他们怎么弄，我还是要相信组织，相信组织在用人上会公开公平公正的，会任人唯贤的。你知道，我这性格做不了陈成三何小彬他们那种事……"

老独头听完，面色变得苍白起来，无奈说道："你没钱没势，又不敢接受我的资助，又不肯屈膝学陈成三，看来也只有把注压在你的烂笔头上了。唉，就算死马当作活马医吧。"

老独头说罢，端起酒杯一饮而尽后，斜靠在椅子上低头不语，半晌，微微睁开三角眼，不以为然道："只知道读死书，整天就会咬文嚼字摇笔头，文不能安邦，武不能定国，有什么用啊！"

"我现在是巧妇难为无米之炊，只要找到一鸣惊人的题材，我保证……"我喝了一杯酒，双手捧着头喃喃自语。

过了几天，郁郁不乐的老独头突然出现在我的办公室，低低地说："我替你找到一鸣惊人的题材了……"

我听罢，大笑不止，心想你个土鳖知道什么是好的新闻材料啊？不料，老独头却一本正经地在我面前坐了下来，掏出烟斗，一边往烟斗里塞焦黄的烟丝，一边认真说："……我倒有个想法……自从广西都安县假酒事件出了三十多条人命后，省里有关部门立下军令状，要出狠招，哪个地方假货不绝，就摘地方官的乌纱帽。眼下，我们县的制假势头有增无减，县领导为此寝食不安，他们深感责任重大，任务艰巨，书记县长多次在大会小会上扬言要将全县假货坚决彻底铲除干净，还青翠坡一个清白。我想，你不妨往这方面考虑。若能助书记县长做成这事，书记县长出政绩，你肯定也跟着沾光。"

老独头说到这里，用打火机点着烟丝，歪着嘴"咝咝"地吸了几口，站起来走到门边把门闩上，回座后小声说："我从各种渠道打探到，近年来，被县里树为富裕村典型的那牛乡那猪村是一个不折不扣的造假大村，我敢以身家性命打赌——那猪村每年农忙季节大批量出售给附近几家农场的农家肥百分之百是假冒伪劣产品。你带上录音机、照相机，找个借口深入到那猪村来个明察暗访，写份图文并茂的长篇通讯，投往地区、全省和全国各大媒体。到时，电视台记者来了，你与他们合作，在全国人民面前露露面，现身说法介绍你如何孤身入村，破获本世纪以来最罕见、最离奇古怪的农家肥造假案。这事若是成了，不说在全县了，我保你在全西河，不，在全国都轰动。你想不出名都不成，常委们不提拔你更不成，哈哈哈哈……"老独头笑得花枝乱颤，眼里充满了无限憧憬。

在青翠坡一带的方言中，"那"字意为"水田"。绝无汉语中指示代词或连词的意思。这里四乡八邻不少奇怪得令人捧腹的村庄名称都有其特定的含义。如"那猪村"，即是"满田都是猪的村庄"，推而广之，"那鸡村"，就是"满田都是鸡的村庄"，"那鸭村"，就是"满田都是鸭子的村庄"等等，不一而足。许多村民普遍认为，取家畜家禽为村名，祖祖辈辈那个能吃上荤腥的梦想终归可以实现。从青翠坡一带村庄的取名方式看来，物质绝对是第一位的，意识只不过是关于物质的主观愿望在精神世界的一个反映。伟大的哲学论断在青翠坡得到了朴素的印证。

那猪村位于县城东南方，地处青翠坡、黄翠坡、绿翠坡三县交界，离县城九十多公里，属于青翠坡县那牛乡的一个自然村。全村人口不足一千人。该村地处三县交界，是鸡鸣三县之地，按说，做起商品贸易来理应财达三江，但情况恰得其反。这一带的地表不是高耸云天的大山，就是像被野狼啃光了肉的动物肋骨一样的石灰岩。用"地无三分平"来形容那猪村尚欠贴切，四乡八邻都称那猪村的田是"蚂拐田"。"蚂拐"是指一种类似青蛙的水生动物，但不像青蛙那样肥胖鼓圆，而是头尖脚长，因此跳得比青蛙高一些，远一些。若某人身材消瘦腰细腿长得出奇，人们常戏说是"蚂拐佬"。这里说的"蚂拐田"，指的是那猪村平地极少，开垦出来的水田面积很小，在田里栖息觅食的蚂拐用力一跃，即能跃过三五块田地。

20世纪30年代初土地革命战争时期，红七军一位名叫韦擎天的同志，奉命前往那猪村策动农民暴动。韦擎天出发前有些顾虑，硬着头皮对首长说："我对那猪村的情况不了解，人生地不熟，语言不通，只怕还没把革命道理说清楚就见马克思去了。"韦擎天请求能否另派高明，可首长没给他半点商量的余地："不要跟我讲过程，我要的是结果！三个月后的今天，如果那猪村农民暴动的枪炮声还没有打响，那你就提脑袋来见我！"说罢，首长当即交给韦擎天六十块袁大头，派人将他送上停靠在广西百色码头的客轮。

揣着六十块大洋，从百色出发沿江而下，到南宁上岸后昼夜兼程向西河省的青翠坡方向赶去，一路跋山涉水，终于来到那猪村。

到了那猪村，韦擎天就在村头一株十人合围不过枝叶盘根错节的大榕树的树洞里住了下来。虽时间紧迫，但韦擎天在农友面前，却闭口不提一句革命大道理。他日夜在树根下的青石板上与村人谈古论今。终于，在离首长要求举行暴动的最后期限的前三天，与村人渐渐熟络了的韦擎天从怀里掏出六十块大洋请村人到山外买回六头大肥猪，招呼农友们在榕树下架锅磨刀，摆了几十桌，全村男女老少人人有份。

那猪人饱含深情地啖食着以前只在梦中才吃到的又香又肥的猪肉，吃到杯盘狼藉才想起这个韦擎天与我们非亲非故为何要请吃猪肉？

韦擎天并不正面回答，他右手横握着一个油光闪亮的猪肘，站到高处的土坡上，举起猪肘在空中狠狠地画了一个圈，大声吼道：

"农友们，我是专门干革命的！我韦某人就是专门革地主老财土豪劣绅大肚皮的命！"

"革地主老财土豪劣绅大肚皮的命？"众乡亲吓了一跳，人人瞠目结舌。

"对，就是革地主老财土豪劣绅大肚皮的命！"韦擎天唯恐农友们不明白他的话，又一次高高举起弯曲得像镰刀的猪肘，在半空中停顿了半天，突然一仰脖子，用猪肘作刀状洒脱地抹了一下自己的脖子。

"……杀人要偿命啊，凭什么要革他们的命？莫非他们犯了王法？……"

对农友们七嘴八舌的询问，韦擎天用雷吼一样的语气反问农友们：

"……为什么苛捐杂税多如牛毛？为什么我们世世代代牛马不如地劳作可还是衣不蔽体、食不果腹？甚至卖儿卖女卖妻？为什么四海无闲田犹有饿死的农夫？……为什么我们一家人累死累活做牛做马可一年到头只能同穿一条破破烂烂的裤子？为什么我们祖祖辈辈只有在梦中才吃上猪肉？为什么地主老财土豪劣绅大肚皮们不用劳作却住着高楼大厦，吃着山珍海味？……"

村民们虽然还来不及消化那么多的为什么，但是凭直觉，能一口气说出那么多为什么的人来头一定不简单。

韦擎天神情激昂得脖子上青筋暴涨，他咬牙切齿，振臂高呼：

"农友们，我们要拿起枪杆子来革地主老财土豪劣绅大肚皮们的狗命！"

"那、那……你倒给我们说说，革他们的命后又有什么用？"众农友们抹了抹亮晶晶的嘴角，怯怯地问道。

"枪杆子里面出好日子。革命成功后，我们子孙后代们就能够过上好日子！"

"那、那……你倒给我们说说，怎么样的日子才叫好日子呀？"

"好日子就是……就是想吃猪肉就能吃上猪肉，想吃多少就吃多少，就像今天这样敞开肚皮吃个够！这就是革命成功后的好日子！"

"啊？……革命真有这么厉害呀？"众人如梦方醒顿生相见恨晚之感。

有了物质食粮垫底，被精神食粮武装起来的那猪村全村八百九十二人，除了一位六十三岁瞎眼老婆婆和一位年轻时到河边炸鱼被炸飞双臂的六十七岁老翁以及八个嗷嗷待哺的婴儿行动不便外，其余八百八十二人连夜聚集在村头大榕树下。长矛大刀，土炮鸟铳，再戴上"赤卫队"袖章，乍一看，真是英姿飒爽。举行简短的誓师大会后，众人浩浩荡荡向山外杀去。沿途村寨农友们听说那猪村人这次起事是专革地主老财富豪劣绅大肚皮富人贪官的命，尤其是听说革命成功后子孙后代就能过上天天有猪肉吃的好日子，皆是云集响应，纷纷拿起梭镖鸟铳土炮加入暴动队伍。第三天后半夜，快杀到青翠坡县府时，队伍已超过五千多人。

经过几昼夜的激战，第四天凌晨鸡啼三遍时分，暴动队伍杀进了县府，县府的官吏十之八九被戴上高帽游行示众，事后或被当场砍头，或被装进猪笼抛入清水江中。县府衙门也被起义军一把火烧光，县长在七八个保镖掩护下，用梯子翻过县府城墙，慌慌张张逃窜到清水江边抢了一艘民船，可刚开船，就被尾追其后的起义军一发土炮轰中船身，船舱很快燃起熊熊大火。七八个保镖使出浑身解数边划桨边阻击起义军。行到江中，适遇老天突降大雨，保镖们借助大雨，很快扑灭了大火，可船舱底下已被土炮炸开一个缺口，保镖们轮流用身体堵塞漏洞，轮流用水桶舀水。几经周折，县长最后勉强逃到了江边，辗转回到乡下老家。命是捡回来了，人却患上了乡下人俗称为"疯狗病"的病症，每每见水或听到水声，即口吐白沫，面如死灰，倒在地上翻滚嚎叫："救命啊！救命啊！水覆舟了！水覆舟了！救命啊！救命啊……"一年半载后，被折腾得身心俱疲的家属终于忍无可忍，心一横，把他扔到深山老林让野狼打了牙祭。

后来的结局不像开篇那么气势磅礴，韦擎天同志发动的那一次农民武装暴动在国民党西河保安团围剿半年后失败了。还好，那猪人及时撤退到村边高耸云天的萝卜山上，损失还不大。

老独头以前经常到那猪村收购烂铜废铁牙膏壳鸡毛鸭毛,对这段历史颇为熟稔。一次喝酒后,老独头又一次向我提起了这段历史,见我笑而不言,老独头一字一板道:"你若怀疑那猪村那段革命历史的真实性,可直接到我们县地方志编纂委员会办公室查看《青翠坡县志》中的《青翠坡县革命史》那一章。"

20世纪80年代中期,改革开放的春风虽吹绿了青翠坡的村村寨寨,全县不少村寨借这股东风驶上了致富的快车道,但那猪村因其穷山恶水的地理环境注定其祖先抛头颅洒热血为之奋斗的"吃上猪肉"的伟大理想难以在短期内实现。事实上,那猪人非但没有吃上猪肉,就连基本的温饱问题也尚未解决。

从80年代中期起,那猪人就接二连三到有关部门上访,有的甚至进京上访。上访的原因嘛,各级信访办各有各的版本,有说是革命年代抚恤金补发问题,有说是各种收费摊派太离谱,有说是人畜饮水问题,有说是道路交通问题,林林总总,不一而足。

老独头说,那猪村一百头猪仔意外坠入村旁的弄浪河致死,是造成那猪人近年来不断上访告状的另一个重要原因。

三年前,县里响应上级号召,大力推进创建卫生文明乡村的工作。地区明确把此项工作作为考核县、乡镇干部政绩以及考核提拔使用的主要依据,做得好的,不仅升官,还有大笔奖金;做得不好的,不仅摘乌纱帽,还从工资中扣除若干保证金。

于是乎,县乡两级政府投入大量人力物力积极开展创建卫生文明乡村活动。可由于那猪村地处偏僻,村里群山环抱,村人自古以来就在村子四周各自设有天然厕所,加上穷山恶水出刁民,在这么短的时间内,用这么少的资金在那猪村开展创卫活动,可谓困难重重。县乡两级政府经研究决定,为确保将有限的资金和人力投入到那些交通便利和上级检查团最有可能光顾的村屯,不在那猪村开展此项活动。

天有不测风云。创卫迎检阶段,由地区环保、卫生、文明办等多个部门有关人员组成的检查组来到县里检查,对县城一带检查团十分满意。团长却毫不松懈,扔下了两句掷地有声的话:

"城市形象在繁忙的大马路,乡镇工作在偏僻的小乡村。"随后,检查团分成若干小组,深入到全县各村检查,检查小组不允许本地干部带路。

检查小组每到一个乡镇，就到街上随便逮住几个专走村串巷收破烂的，对他们说，只要能带检查小组到卫生环境"脏乱差"的村子，就有报酬，如果能带到越脏越乱越差的村子，报酬就越高。

这招确实有点损，也着实吓坏了那牛乡政府领导，因为那猪村有一口臭气熏天的大池塘，作为全村唯一饮用水源，乡上收破烂的谁人不知哪个不晓？眼下，除非动用公检法将全乡收破烂的提前逮捕关押起来，否则，检查团的人必定会看到那猪村的那口池塘，全乡半年来花在创卫工作上的所有努力十有八九付诸东流。但这样做岂不是此地无银三百两？

检查小组快到那牛乡时，乡领导急得如热锅上的蚂蚁团团转。时间紧，任务重，对那猪村来个临时整改，显然已经来不及，正束手无策间，晴空几个炸雷，大雨如注，真是一场及时雨啊，不但及时，还足量，下了一整天带一整宿也没有停歇。快到天亮时，乡长拍着脑门说："天救我也！"

根据常识和经验判断，这场罕见的大雨必将导致那猪村一带山洪暴发。不出意外的话，洪水将会把那猪村通往外界的唯一通道——即那座横跨弄浪河上的木桥冲毁，每次木桥被冲毁后，非要乡政府出面组织才能将桥修好。这一次，乡政府就故意不急于出面修桥，待检查小组走人后再作计议。这样，打算要到那猪村去检查的检查组，也只能望河兴叹。

乡长将自己的想法向书记汇报，书记马上竖起拇指，连连赞叹："高！高！实在是高！"

谋事在人，成事在天，此话不假，这一次乡长失算了。持续了几天的滂沱大雨引发了几十年一遇的山洪居然没把那猪村村头的那座小木桥冲毁，消息传到乡长那儿，乡长的耳边又响起了几个炸雷，炸得乡长团团转。眼看检查组要下来了，乡长一不做二不休，夜里偷偷派人拎着钢钎工具赶到那猪村弄浪河旁边，硬是在夜幕和大雨的掩护下把小木桥拆毁了。

大雨持续了三天，全县境内多处山洪暴发，桥梁道路冲毁无数。检查组来到那牛乡后，为安全起见，在乡政府会议室听取了乡政府主要领导汇报，当天就返回县城，第二天下午，从县城回了地区。

在上天的帮助下成功阻击了检查组的乡长与书记马上组织大批人员奔往那猪村，大张旗鼓拉开为民做好事的阵势迅速修好了木桥。

智者千虑，必有一失。乡长派人毁坏小木桥闯下了大祸。

原来，看到邻近各村纷纷走上了致富道路的那猪村委，发誓要实现祖祖辈辈吃上猪肉的梦想。他们广泛动员村民有钱出钱，有力出力，全力以赴发展全村养猪业。经多方筹措，村委募集到了购买一百头猪花的款子，就在山洪暴发前一周，村委派三名年轻人携款前往远近闻名的良种猪产地——广西陆川县购买了一百头猪花，长途车到乡里下车时，正赶上山洪暴发，村长赶紧派村里的三部马车前往集上车站接应。回村的路上，三位赶车人对小桥被拆一无所知，深一脚浅一脚地回到了村前的弄浪河边。为避免被洪水卷入河里，他们把三辆马车前后绑在一起，并相约不管什么情况，谁都不得松开缰绳。走在最前面的人丝毫没有察觉到木桥已被"冲毁"，凭着记忆中木桥的位置，牵着马摸索着向对岸走去，可刚迈出几步，脚下突然踩了空，连人带车瞬间被卷入了急流。人和马都会水性，猪花们虽也会水性，但全都装在笼子里，连扑腾挣扎一下的机会都没有，活生生祭了河。七天后，在县城最独一处酒店前的沙滩上，横七竖八躺着许多发胀发臭的小猪尸体。

那猪人本来并不知这事的前因后果，所以也没有怪罪到乡政府。可世上没有不透风的墙，乡政府换届前后，乡里主要领导自己来了个窝里斗，有人暗中捅了马蜂窝。那猪人恼了，拿起了上访的武器捍卫自己的权利。那猪人不仅四处上访告状，有时还聚众闹事，有点唯恐天下不乱的意思。那猪人的信条就是"不闹无人理，闹得越大越有大官理"。可怜天不遂人愿。县政府换届了，铁腕县长走马上任的第一天立刻召开全县公检法大会：

"那猪村多年的上访问题一定要彻底解决，为全县经济建设创造一个良好的软环境，像那猪村这样的上访村，穷山恶水出刁民，恶人须用恶人管，要充分动用公检法，要坚决采取强硬措施予以平息，本届政府不是专为解决历史遗留问题而成立的，更不是慈善机构……"

到底是重量级的人物，吐口唾沫都能砸出个坑。新官上任就拿那猪村这个刺头开刀立威。县里有关部门采取了一系列强硬措施，将该村上访分子，抓了一批，判了几个，不够格的，也在公安干警威严的监管下到乡里罚做三个月义务劳动，那猪村的上访活动终于偃旗息鼓了。

又过了两年，在县里几乎销声匿迹的那猪村突然在一夜之间名声大噪，从有名的穷村上访村刁民村一跃成为全县有名的"富裕村"，村里原先的破茅房烂泥屋几乎全换成了青砖绿瓦房。如此蜕变确实令人匪夷所思，那猪村如何走上富裕道路？据说是该村一位复员军人回村当村长带领村民干出来的。

自从那位复员军人回村当村长后，那猪村再也没有一人外出打工，就连原先在广东打工的也先后纷纷回来建设家乡。致富的门路千万条，那猪村致富的路子与十里八乡迥然不同，可谓前无古人，即便是有后来者也只能是望其项背。

　　世上本没有卖猪粪发财的路子，干的人多了，产量上去了，也就成了一条财路。猪粪便肥田，羊粪便能治鱼的钩虫病。于是，那猪人源源不断地向邻近三县的十多家农场提供猪羊粪便，而且是要多少有多少，如此，不富都很难。

　　老独头早就对那猪村的农家肥产量提出质疑。通过一番周详的调查研究并经过科学严谨的论证，老独头得出一个结论——此事必定有假。因为邻近三个县的兽医站、兽医店销往那猪村的药品少得可怜，这跟那猪村一年到头都出售大量的猪羊粪便不成比例。

　　老独头这样分析："这么多年来，那猪村人基本的温饱问题尚未解决，村人一年四季干稀结合才勉强将日子对付过去。以前从未听说过有人养过猪，该村祖祖辈辈一直都以吃不上猪肉为心病，也就是说基本不可能有什么防治猪羊疾病的祖传妙方，此为其一；近年来，也没见他们引进什么农学院或农业学校的高才生，不可能有这方面的能人，而带领全村做这项事业的村长是个复员军人，也不可能掌握什么科学养猪养羊的知识，此为其二；那猪村既没有大量采购良种猪苗，也不见他们把老母猪赶出来配种，不经过交配就能下崽儿的在现在的技术领域中还是个需要填补的空白项目，此为其三。所以，我敢断定其中必定有诈。"

　　老独头现在的地位委实有些屈才了，除了高山仰止，我真的找不出什么更贴切的词汇来表达我此刻的恭敬。

　　老独头显然有些得意了，点上一根烟继续说："问题就是当官的不肯像我这样做深入仔细调查。他们只吃过猪肉，没见过猪跑路。我因收狗收蛇收蛤蚧，常常在附近几个县跑，东边人说，那猪村所需的兽药主要是从西边购买的，西边人又说，那猪村所需的兽药主要是从南边购买的。一些人说是东边，一些人说是西边，一些人又说是南边，一些人又说是北边，众说纷纭，莫衷一是。我可不这样，我要打破砂锅问到底，东南西北，凡是有可能与那猪人发生关系的地方我都去过，结果是每一个集市上的人都说，听说过这事，可还真没见那猪人在他们那里买过什么兽药哩。"

　　青翠坡在解放后的几十年里，百姓的生活倒是风平浪静没出什么大事。

人民公社时期，青翠坡的人们虽穷，但却穷得本本分分。改革春风吹进门，全国人民都精神。几乎是一夜之间，青翠坡名声大噪。假冒伪劣产品"忽如一夜春风来，千树万树梨花开"。假烟假酒假草纸假烧鸡烧鸭假避孕套等等四面开花，大有扎根本地红杏出墙的架势。

据说，县委办有一位常年患"妻管严"的干部买了一条草纸做的裤带。一天，他带一位女同事下村检查工作，村干部热情款待。酒足饭饱后，两人一边往乡里车站走，一边争论着一个横跨生理学、伦理学、社会学、辩证法等几大领域卓绝千古的伟大命题——男人女人谁才是真正的主人。本来，如果没有意外，这个课题有可能继无数次填补国内外学术空白后又一次出现重大突破，尤其是在社会主义仅仅还是初级阶段的中国的南部边陲小县城得到率先破解，想起来是多么的令人振奋哪！可惜，那只是一个假设，奈何天不佑我啊。正当男同志据理力争慷慨陈词之际，腰间的那条草纸做成的裤带很不争气地"劈劈啪啪"断裂成了数截，男干部吓得面如土色，那个划时代的探索也就戛然而止了。形势从男人占上风变成了女人占上风，任凭女同事将男人说得一无是处体无完肤，男干部也只能低着头红着老脸诚惶诚恐地提着裤子一声不吭。于是这个命题再一次无奈地回到了原始的混沌状态。

回到家后，老婆知道了这事。老婆是一个现实主义者，她把原来的命题大大地缩小了讨论范围——你到底有没有对着女同事耍流氓？因为老婆听到的版本跟实际版本有些出入，结局也是一样的裤带断开，过程却是自己的丈夫跟那位女同事据理力争辞穷理屈之际，为证实自己是真正的男子汉，一气之下，竟慷慨激昂地当着女同事的面"哗啦"一声抹下裤子，欲让那位女同事领教领教什么是真正的男人。

那位男干部在老婆面前生性就沉默寡言不善辩解，所举证词因得不到有力的事实依据支持皆不被采信，这个罪名就算是跳进黄河也洗不清了。与老婆舌战数十个回合败下阵来，最后被老婆逐出家门，活生生地被逼疯街头。由此可见，做一件事情动机和证据是多么重要啊！而多年以后喊出的那句惊天地泣鬼神的"千村万店无假货"又是多么的英明啊！

假商品见多了，不过靠专做假猪粪、假羊粪走上致富道路此类骇人听闻的事情，确确实实是前所未闻。

"正因为闻所未闻，才叫你去写，这样才能产生轰动效应。你们写新闻的人不是常说狗咬人不是新闻，人咬狗才是新闻吗？"

老独头的话很在理。组织部要考察我，我得拿出看家本领给他们看看。如果那猪人造假农家肥果真有其事，这倒不失为一件吸引公众眼球的重大新闻事件。

"你祖宗十八代都是清一色的泥腿子，家贫如洗，走起路来如马帮进村一样叮当响。你又自作清高，不愿走我铺就的阳光道，那只有走这条独木桥了。"老独头嘟哝着。

"依你高见，如果去什么时候动身为好？"我喝了一口茶，笑问老独头。

"时间就是乌纱帽。你现在是时间紧，任务急，你必须赶在农历三月三前深入那猪村，将该村造假农家肥的来龙去脉弄个水落石出，写出长篇通讯报道，投往地区报和省报及中央有关报刊电台。"

老独头之所以建议我选择农历三月三前到那猪村去，除了时间紧任务急这一因素外，主要考虑到那猪村道路交通不便，那猪人不外出参加农历三月三前后四乡八邻在山外举办的"歌坡"。农历三月三那天，那猪村男女老幼聚集在村前的大榕树下自成"歌坡"。在那猪村"歌坡"活动前，村中小伙子姑娘们往往先操练几天几夜。我以县广播电视局新闻报道股干部的身份前往村中采访歌坡，确实是再好不过的借口，应该不会轻易引起怀疑。

第 2 章

    农历三月三的前三天，求官心切的我借口母亲病重，向单位请了两天假。太阳西斜时分，我背上了装有照相机和微型录音机的马桶袋，独自一人悄悄溜进县长途汽车站，坐上了开往那牛乡的班车。

    在乡车站下了车，我在集市粉摊吃了一碗生榨米粉，然后又到乡供销社小旅馆住了下来。第二天鸡啼三遍时，我借着星光，磕磕碰碰地向那猪村方向摸去。经过近三个小时翻山越岭，天亮时分，我来到一条数丈宽横亘东西绵延如羊肠的河边，估计这就是传说中的那猪村与那牛乡政府为之恩怨情仇的弄浪河。只见两岸灌木乔木青翠欲滴，鸟儿啼啭，河水清澈见底，水中鱼儿追逐，晨风过处，水面荡起孩儿笑靥般的涟漪。

    据老独头说，这小河平时河面上浪花朵朵开，一路欢歌一路笑语地奔向清水江，因河面弥眼都是浪花，好像河里有万千个河童在舞弄着白色的花朵，故名"弄浪河"。

    我默默站在河边，不知怎的，脑海里突然冒了一个奇怪的念头：这么美丽可人的小河，怎么会夺走寄寓着那猪人吃猪肉之梦的一百头小猪的性命？不！肯定不是的，弄浪河呀，你肯定比窦娥姑娘还冤！

    河边的渡口横着一条用几十根碗口粗的松木拼成的木桥。我摇摇晃晃地过了木桥，踏上了那猪村这片充满传奇色彩的土地。万丈晨曦中，远远看到一座横亘东西连绵高耸的大山，半山腰上密密麻麻长着高大的木棉树，树上还未长出一片绿叶，枝丫上却挂满了迎风怒放灿若云霞的花朵，远远看去，就像一片火海。显而易见，这座大山肯定就是老独头常跟我提到的萝卜山。

    漫山遍野的英雄花牵引着我，我忘却了疲惫，加快了脚步。走着走着，萝卜山上突然传来"噗"一声闷响。寻声望去，只见山顶上云雾缭绕处，一群小鸟惊叫着射向蓝天。听声音，好像也不是猎人的枪声，再仔细看看，山顶上，刚才隐隐约约一字排开的三株挂满花朵的木棉树，已有一株消失得无踪无影。我不由暗想，萝卜山真是气象险恶，一棵高耸云天的大树一大早就无端端地消失得无踪无影！

又走了半个小时，远远望见坐落在群山环抱中的那猪村。晨雾缭绕中，密密麻麻的青砖瓦房的轮廓时隐时现，再走一会儿，只见家家户户炊烟袅袅，鸡犬相闻，一派日出而作日落而息的田园景象。

正当我边走边揣测这次暗访将会发生的种种情形时，不知不觉已来到村头一棵高入云天的木棉树下，树上灿若云霞的鲜花迎风怒放。

"站住！"

薄雾升腾的灌木丛旁，一道岩石缝中，三枝寒光闪闪的红缨枪直指着我的胸膛。未待我弄明白怎么回事，三个十岁左右的男童持着红缨枪从三个方向包抄过来。

"请出示路条！"为首的一个男童紧握红缨枪厉声喝道。

我丈二和尚摸不着头脑，时光倒流了吗？自己什么时候成了抗战时期进村刺探情报偷挖地雷的汉奸？

孩子们瞪眼竖眉，紧握着红缨枪步步逼来。我只好赔着笑脸，掏出县广播电视局的工作证给小队长看，小队长一甩头，迅速往肩膀上擦了一下嘴唇上两条欲滴不能的黄色粉条似的鼻涕，喝道：

"呸，这个算什么路条？走！"

"带我去哪里？"

"村公所！"

到村公所最好，免得与小孩说不清。朗朗乾坤，村公所的人总不至于将县广播电视局的干部怎么着。

到了村公所，一名穿着灰布唐装蓝土布裤子、头缠白手帕、精悍如电影武工队队员般的中年男子接待了我。他自称是村长，看了我的工作证和身份证，又问明来因后，满面堆笑，一个劲道歉："石同志呀，实在对不住！实在对不住！现在治安不好，村里四时八节发生失窃，治安统筹费少得可怜，请不起保安员，唯有动员村中孩子们星期日做做好事，在村口巡逻放哨，村童不懂礼节，多有冒犯，还望多多包涵。至于采访歌坡，真是对不住，今年开春以来，老天一直没下过一滴雨，这几天，突然下了几场透雨，这十天半月正是大伙抢季节的大忙时节，节气催人，看来今年三月三前夕我们村的歌坡演练就免了，大伙白天晚上两头见星星，回到家浑身骨头都快散架了，不说头一靠枕头就昏睡过去，就是走在路上，瞌睡虫也咬得人睁不开眼，你说，这情形，谁还有兴致演练歌坡？"

村长见我满脸为难，摸了摸下巴，又安慰我："虽然看不到歌坡演练的场面，不过，既然你石同志大老远不辞劳苦跋山涉水来到我们村了，我就安排村中一位资格最老的歌手唱给你听听，听一听我们那猪村原汁原味的山歌到底是个什么样子。"

村长说罢，转身向屋后大声嚷道："八婶，你好了没有？怎么撒泡尿半天也不出来？快快出来，县领导视察工作来了。"

话音未落，一中年妇女一边用双手系着腰际的裤绳，一边应声从屋子后门冲进屋里，当堂穿过正屋，直奔到前门，径直来到我面前。村长转身向我介绍说："这位是我们村的会计，大伙都叫八婶。"我瞄了一眼八婶，三十五六岁左右，四肢粗壮，手脚敏捷，身板结实丰满，一副乡村打狗劝架阉猪阉鸡的悍妇模样，按体格类型划分应该属于孔武有力的那一类。八婶见我打量她，脸上突然绽出笑容，伸出两手往前襟迅速抹了抹，之后向我伸来，紧握着我的双手，一边如荡秋千晃个不停，一边打着哈哈说：

"石同志，辛苦你了，我们这里山高皇帝远，平时难有外地人来，县领导来检查指导更是十年逢一闰，难得！难得呀！"

村长吩咐八婶到村里通知歌手，然后招呼我一起沿着村公所前边的池塘堤坝走去，边走边有一搭没一搭地闲聊着。

两人转到池塘东边，看到村口屹立着一株苍老败落的大榕树，由于年代久远，大榕树的枝干藤蔓已被沧桑的岁月所腐蚀，如一位睡意昏沉的老人在那里晒太阳。山风偶尔从萝卜山上吹来，便有各种被虫子吞噬得不成形的叶子纷纷飘落下来，似乎向人们诉说着曾经的伟岸与挺拔。

不用村长介绍，我一眼就看出这就是亲眼见证了当年韦擎天策动武装暴动的大榕树。走到树下的青石板旁边，我不由得肃然起敬。

村长低头用手掌在青石板上扫了扫，把上面的残枝败叶扫落，请我坐下等候八婶。约莫半个小时后，就见八婶手牵一位背驼得如倒扣一口大铁锅、头发苍白凌乱目光呆滞衣衫褴褛的老妪磕磕绊绊地向我们走来。我再次产生了一种历史的错觉，莫非这就是武装暴动的见证人？良久，我才想起此行的目的。显然，这就是村长所说的那猪村资格最老的歌手。我下意识地扶了扶眼镜，老妪约莫八十多岁，一手拄着一根两头如裂枣般的拐杖，一手拎着一个刻着累累刀痕的小板凳，来到离我与村长大概五尺远的地方，哆哆嗦嗦地向我鞠了一躬，就规规矩矩地站着。

八婶迎上前来，问我什么时候可以开始。我示意八婶请她老人家坐下。八婶甩头转过身去，两个大板脚生风似的"笃笃笃"跑到老妪跟前，一手夺过老妪紧紧揽在腰际的小板凳，一手如老鹰抓小鸡般抓住老妪的手，三步并做两步，连推带搡把老妪推到我正对面一块平整的地方，低头弯腰往地面放下小板凳后，直起来伸手拉过老妪，当确认老妪的屁股准确无误对准小板凳了，一抬手将老妪按在小板凳上。

老妪坐直后，八婶又跑到我面前，问我什么时候可以开始。

"看这位老人家方便吧。"

八婶得令跑到老歌手面前站定，气沉丹田运气，慢慢向前平伸出双臂，煞有介事地喊着："预——备——"

又过了令人窒息的五秒钟，八婶停在空中的手突然闪电一般划了一道优美的弧线："起！"

坐在小板凳上缩成一团，头低得嘴巴鼻子几乎碰到了肚脐眼的老妪吓了一跳，哆哆嗦嗦地开了声。

老歌手唱的是当地的土话。按说，我虽自幼在讲当地土话的农村长大，对家乡的土话倍感亲切，只是这一带村与村的土话就有差别，乡与乡之间的差别就更大。那猪村与我老家那鸡村分属两个不同的乡，加之那猪村跟外界交流极少，外边的语言极难同化那猪村的土话，比起邻县的土话来，更难以明白。

我坐在青石板上，一边装出饶有兴趣欣赏的样子，一边从马桶袋里取出照相机录音机来摆放在青石板上。八婶又一阵风似的跑到老歌手面前，一边凑在她的耳畔大声呵斥，一边手把手教她坐姿要端正一些，眼睛要睁大一些，脸上要露出笑容，双手要随着山歌的节奏打着拍子。

我拿着照相机，围着老歌手转了半天，在离老歌手正对面五六尺远的地方半跪着，好不容易选好了角度，可老歌手还是如尼姑闭目念经一样，始终不太配合。等了半天，我失去了耐心，举起照相机来，对准老歌手的眼睛，胡乱地连连按了几下快门。事情就坏在镁光灯上。老歌手见灯光闪闪迎面劈来，倏地站起身子哭丧着向村头的萝卜山跑去：

"救命啊！救命啊……"

老歌手苍老无助的呼救声令人毛骨悚然。

我觉得有些好笑。我来不及招呼村长或八婶，就尾追老歌手而去，想给她解释一番。想不到老歌手见状更是逃命般向萝卜山脚下的灌木丛跑去，一直钻到萝卜山脚下藤蔓灌木交错的石缝里。

见我一脸惊骇，村长便支使身旁看热闹的小队长去追老歌手回来，可去了半天，却只见小队长回来，不见老歌手踪影。

村长问小队长，小队长对村长激动地叫嚷着什么，不时用手比比画画，嚷了半天，我只听懂"叭喳嘿"这三个字，村长却早已笑得前俯后仰。

我很想知道究竟小队长对村长说了些什么。

"实在对不住！对不住石同志呀！我们这里交通不便，山高皇帝远的，像个围城，村里的人想出又出不去，外面的人想进又进不来！"

村长说到这里，伸手拉着我到榕树底下的青石板上坐下，强迫自己止住了笑："石同志呀石同志，这不怪你，不怪你，只怪这老太太没见过什么世面，刚才你对她按闪光灯，她以为又要大祸临头了……"

"这、这……照相还会大祸临头？莫非她以前受过什么刺激？……"

村长叫来小队长，吩咐他到八婶家去，让八婶再找几位歌手来，我本想说不必了，可又担心露出马脚，只好皮笑肉不笑地点头称谢。

小队长走开后，围观的孩子们也渐渐四处散开了，在青石板上跟我面对面坐着的村长，笑着向我说起了那个曾经让老歌手亡命萝卜山的"叭喳嘿"的故事。

大前年冬天，县委宣传部和县文化局联合组织文艺宣传队破天荒到那猪村演出，特意请了地区和省报刊电台记者随行采访报道。为了搞好这场演出，乡政府提早两个月派工作队进驻那猪村狠抓各项工作的贯彻落实，诸如让家家户户拆下门板搭一个像样的舞台。为确保正式演出时全村男女老少人人到场，且要穿戴整齐梳洗干净面带笑容讲话文明，工作队一连半个月，每天晚上都召集全村男女老少进行演练。嘿，那阵势，要多热闹就有多热闹。

盼星星，盼月亮，终于盼来了正式演出的那一天。

夜里，天寒地冻，呼啸的山风把临时挂起的帷幕刮得"哗啦哗啦"响，送饭队伍快到十点才姗姗来到。演职员们吃完饭，又着手化妆。太阳落山时就规规矩矩坐在大榕树底下静候开演的全村男女老少，已冻得手脚僵硬。几位咳嗽不止的老妪，终于忍不住跑到屋檐下的柴堆，抱来木柴生火取暖，哪知火焰刚刚升起，乡干部就如临大敌冲过去将火扑灭，并训斥说，烟火影响录像，录不了像就完不成政治任务。

刚开始，全场还叽叽喳喳，大人聊天，小孩相互追逐打闹，但等了半夜，只剩下牙齿打架和吸鼻涕咳嗽声了。鸡叫一遍时分，终于开演了，因时间关系，节目一减再减，最后，只剩几个节目。演出全是普通话，村人没读过什么书，跟听天书没什么二样。但这是政治任务，听不懂看不懂也得听也得看，并且按上级要求，人人脸上要认真地装出一副饶有兴致的表情。

那天夜里，压轴戏是歌舞节目《在北京的金山上》，一个后生仔拿着话筒饱含深情反反复复唱着：

"嘿，叭喳嘿！"

"嘿，叭喳嘿！"

……

伴舞的四个女孩一听到"叭喳嘿"，便跟着节奏齐齐叉开两股，两手同时向前一摊，齐声尖叫道：

"叭喳嘿！"

如此反反复复不下十次。每一次，村人都"呼"的大笑不止。

演出结束后，县乡两级带队领导征求观众意见。村人或手拿或肩扛着椅子凳子站着只笑不说。任凭乡长磨破嘴皮，村人还是无动于衷。

时间已是半夜，乡长终于忍无可忍，气急败坏骂道：

"你们都哑了？瞎了？聋了？看人家演了半夜的戏了，一点感想都没有吗？你们都不说，那就不要回去睡觉了！"

一位老妪终于忍不住嚅动着只有半颗门牙的嘴，怯怯地问道："同志，是要我们……说实话吗？"

随团来的记者见终于有人开口，纷纷围拢过来将镜头对准她，一时间，照相机的闪光灯闪闪发光，如道道霹雳裂空而来。

"对，心里咋想就咋说。我们就是要听听群众的心声。"乡长鼓励着。

"全是骗人蒙人的！"

"对，全是骗人蒙人的！"

"对，全是蒙骗我们乡下人没文化……"

众人见有人带头，便附和着七嘴八舌地议论起来。

"哎，你们咋这么不负责任哪？"面对电台报社记者，乡长怒不可遏，"你们、你们……你们倒给我们说说看，我们到底在哪儿骗你们了？我们到底在哪儿蒙你们了？"

老妪也不示弱，"啪！"的一声摔下小板凳，双手往腰间一叉，拿出当年翻身诉苦的劲头，声泪俱下道：

"又不是只有我一个人看见的，你问问大伙吧，大伙的眼睛是亮堂堂的。哼，别以为我们乡下人没有文化就可以骗我们蒙我们了！告诉你们吧，我们可是勾着手指头，数过来又数过去，数过去又数过来，台上明明只有四个妹仔围着一个男仔团团转，你们当官的倒说说，哪来的八只嘿了，莫非城里的妹仔就长有两个嘿不成！…"

笑翻了，领导到群众由衷地打成一片，全都笑翻在地了。

乡长急了："白辛苦了一夜，全是对牛弹琴，对狗吹箫！这个那猪村……真是穷山恶水出刁民……穷死了……活该！"

原来，当地方言跟广东话相近。女性生殖器读作"嘿"，村人把"叽喳嘿"听作"八只嘿"，以为是八个女人。

第二天，那位老妪被派出所的人带回乡里关了几天，回来后人背驼如弓，目光呆滞，与以前判若两人。据说，被派出所的人打骂了好几顿。

村长说到这里，我已捧腹大笑得几近断气。好不容易停下来，村长才对我说，那位说"八只嘿"的老妪即是刚才逃跑的老歌手。

原来如此。我赶紧战战兢兢地将照相机塞进马桶袋里。

快到中午时，八婶来叫我们回去吃饭，我从马桶袋里拿出一袋面包，以时间紧任务重为由婉言谢绝了八婶的邀请。半个时辰后，八婶又找来三位歌手，也还都是史诗般的年纪。在八婶的指挥下，三位歌手哆哆嗦嗦一字排开站在我前面。

村长反复对我解释："现在歌坡的歌也不是正宗的山歌，多是流行歌曲，石同志你大老远来，我绝不会让你在穷乡僻壤听流行歌曲，我们特意请这几位上了年纪的老歌手来就是要确保石同志你能听到原汁原味的山歌。"

我边摆弄着小录音机，边连声说"好好好"。

我吸取上午老歌手大呼救命的教训，把装有照相机的马桶袋塞进榕树根的树洞里，并且发誓，即便有精彩得能上新闻联播的场面出现也绝不照相添乱。

日当中天，太阳透过大榕树枝叶缝隙，向青石板上洒下斑斑驳驳的亮点。三位老妪听说是县里来的官要听她们唱山歌，都有些拘束。村长越是强调这是政治任务绝对来不得半点马虎，歌手越是放不开。动员开导了半天，终于开唱了，可却全都变了调，凄凄惨惨的，让人忍俊不禁。

"石同志，你就好好听罢，我就不便在此打扰。"

村长起身对围观的村童说了几句什么，围观的村童遂如树倒猢狲散般四处逃开，转眼间，偌大的榕树下只剩下我和三位老妪。

人多的时候老妪们还都犹抱琵琶半掩面。人散了，好像渐渐找回了感觉，不再拘束，越唱越投入。唱了七八首后，已然进入了"大珠小珠落玉盘"的境界。至于唱些什么，除了反反复复的开头几句能听明白外，其他一概令我一头雾水。那开头反复的几句是这样：

> 江呀水哎汪汪乌呀诺耶松……
>
> 青呀山哎茫茫乌呀诺耶松……
>
> 官呀府哎乌呀诺耶松……
>
> 催税催捐哎又催粮乌呀诺耶松……
>
> 江水青山哎年年岁岁不老哎乌呀诺耶松……
>
> 农人哎种地种田呀得靠天哎啊乌呀诺耶松……

她们越唱越投入。我很想找个借口让她们停下，又不好搅了她们的兴致。这样唱着唱着，三个多小时过去了，三位老妪唱得满脸悲戚，涕泪横流，几近昏厥。

我开始紧张起来了，再唱可别闹出人命来。可左盼右顾，却不见村长的影子。刚才围观追逐看热闹的村童也不知身藏何处。想想晚上还得在村中用餐住宿，也不好独自走开，只好耐着性子干坐着。

"真是越老越糊涂！人家石同志是县里来的领导，谁叫你们唱乌呀诺耶松这些老掉牙的歌呀……"

村长不知什么时候突然出现在我身边，他一边向老妪们挥手叫停，一边厉声吼道：

"真是成事不足败事有余！算了算了，政治任务总算勉强完成了，快快回去喂鸡喂猪做晚饭吧！"

老妪们走后，村长对我露出一脸歉意，摊着双手说："石同志啊，这可不是一般问题啊，这几个老婆婆，也不看看皇历，聚在一起不唱则已，一唱就乱唱一通，差点唱出政治问题来！唉，虽说她们斗大的字不识一个，但也千不该万不该在你县领导面前，扯破嗓子唱那些数落咒骂官吏腐败的山歌啊！含沙射影，这是政治问题，回头我得让她们作深刻检讨……"

要不大家都说年轻人还是应该到部队的大熔炉里锻炼一下，看看人家村长，当回人民子弟兵，出来就是不一样，政治觉悟高，说话滴水不漏。

我看时间不早了，还想着早点到村中走走，寻机打探一下制造假农家肥的蛛丝马迹，便顺水推舟：

"唱得好！唱得好！只要是官吏腐败，不管新旧社会都应该咒骂，她们骂得好，骂得好，千万别责备她们……听说那猪村近年来经济突飞猛进，远近闻名，难有机会来此，能否到农户家中走走，参观参观乡村企业。"

"徒有虚名！徒有虚名！承石同志厚爱，作为一村之长，我深感荣幸之极，我当亲自带路指引。"

残阳如血，暮色苍茫。

走在青石板铺成的乡间小路上，偶尔听到一两声犬吠外，家家户户铜锁把关，不见一个人影。快到村中心一户人家门前时，终于远远看见一位老者呆坐在门槛边，我精神为之一振，加快脚步迎上前去，孰料此老者并非常人——门牙脱落，目光呆滞，头歪嘴斜，嘴角涎水如丝，手脚抽筋乱晃乱摇。任凭我如何赔着笑脸跟他打招呼，他都毫不理会。

村长迎上来，脸上露出歉意，说："这位老伯患了老年痴呆症，又聋又哑，还有间歇性神经错乱，发作起来，常用石头木棍追打人，我们还是快走吧。"听村长这么说，我赶紧随村长快步离开。

"我们村穷山恶水，人多地少，家家户户的生计全靠等天的蚂拐田，唯有大力养猪才有出路……"

言谈间，两人来到一农户门前。村长举手正欲叩门，里边却传来了一妇人"喽喽喽喽"的唤猪声。叩了几下门，一位三十多岁的妇人推门而出，抬头见是村长，便朗声笑道："是村长呀，吃了没有？"

当得知村长是专程带县领导来参观猪场时，主人堆出满脸笑容，也不顾我是否愿意，突然伸出双手，一把抓住我的双手，使劲摇了摇，说：

"欢迎领导指导！欢迎领导指导！"

我必须承认我对劳苦大众的阶级感情不够深厚，因为摊开手时我发现一坨臭烘烘的猪屎粘在手上，我本应该毫不顾忌地继续和主人说笑，可我确实心生厌恶，趁她不注意，我悄悄地把手上的猪屎抹到她家的门框上。不拿群众一针一线嘛，我安慰着自己丑恶的灵魂。

主人把我们引到门槛右边一间柴房改成的用作接待用的小房间。我抬头看时，小房间门边上挂着一块小黑板，在"参观指南"几个醒目的红色油漆字下面，有几行歪歪扭扭的白色粉笔字：

> 凡外来参观者不管何人须穿隔离衣裤鞋帽，若不穿隔离衣裤鞋帽而擅自闯入猪场者，主人立刻通知民兵驱逐出村，若因此引起病菌入侵造成猪场损失的，还要追讨双倍经济赔偿……本户人家对该条款具有最终解释权。

主人从小房间里搬出用作隔离用的口罩衣服裤子帽子鞋子，我低头瞅了一眼，发觉这玩意儿全用帆布雨衣之类缝制，我正纳闷这么沉重的东西穿在身上是否引起不适时，主人已逐件将其打开，又逐件使劲地往我身上缠，一边缠，一边嘟嘟囔囔着给我介绍猪场。不一会儿，我俨然成了航天员。

"我们这里讲究科学养猪，除按时打针服药熏药外，还要做好与外界隔离，严防病菌从外入侵。"村长面露歉意地说，"当然，我们也本着对参观者身体健康考虑，猪场各种各样细菌也不少。"

停了停，又说："石同志，我就不陪你参观了，我在外边等候。"

说罢，抬头环顾一眼小房间，笑盈盈地推门出去。

我随主人走进里面，放眼望去，这真是一个富有农家特色的现代化养猪场。在篮球场大小的院子里，用砖头木条隔成一个个整齐的格子，每个格子里圈养七八头大小不一颜色各异的猪，格子前边是进食槽，槽子上边有上下两条传送带，传送带上面架设着纵横交错长短不一的木杆，北边离进食槽大约三米处，有一块开阔地，地面上有大小不一的各种喷头。

"现在是猪开晚饭的时间。"主人已走到屋檐下一块钉在屋柱上状如电路板的木板前面，伸手按了一下木板上一木制机关，传送带便"咯咯咯"地运转起来，潲水便由传送带源源不断地送到猪的面前，猪们不约而同龇牙咧嘴"咿咿呀呀"叫嚷起来，全村远远近近家家户户的猪叫声此起彼伏，形成一道猪叫交响乐，主人笑说："全村严格统一时间喂猪，免得猪叫声日夜不休造成噪音污染。"

"科学养猪，猪潲的营养搭配是关键，营养搭配得好，猪肉肥瘦结构比例合理，能很好地满足人体需要。我们一般在正餐给猪喂一潲一汤。"说罢，伸手又按另一机关，另一条分成一小格一小格的传送带又"咯咯咯"地运转起来，每小格来到猪们的嘴巴面前停下来，妇人又按了一下机关，小格子上的盖子"叭"、"叭"一声声弹开，猪们便伸着嘴"嗞嗞嗞嗞"地喝起汤来，全村远远近近又响起"嗞嗞嗞嗞"的响声。

喝完汤后，妇人又按另一机关，四周又响起了如妇人抱婴儿夜尿的"嘘嘘嘘"声，伴随着这"嘘嘘嘘"声，吃足喝饱的猪们摇头摆尾，"咿咿呀呀"地移步到北边的开阔地，或站着马步或弓着腰出恭。之后，妇人又按了另一机关，随着"刷刷刷"的响声，地面上各类大小不一的喷嘴射出强大的水柱，准确无误地射向猪们刚刚排泄出来的秽物。

总之，妇人每按一次机关，全村远远近近的人家都传来相应的响声，似是约定一样。

"真是百闻不如一见。虽说是目不识丁的农民，可还考虑到防止猪声污染环境，讲究猪潲营养搭配，注意便后卫生清洗，真是了不得呀！"

农民，只有农民，才是创造养猪事业的真正动力。我显然被眼前的一幕感动了。

参观完毕，我跟跟跄跄走进大门边的小房间，正想叫主人帮忙脱下隔离服，村长从门外推门而入，笑着说："家家户户都这样，每户都养七八十头，怎么样？我再带你到前边的人家看看吧。只是前边的人家没有隔离服，你就这样穿着走过去吧。"我总算明白了，这土制的所谓隔离服密不透风，也不知多少年没有洗过，或被猪啃过或尿过。穿在身上，全身汗水淋漓，觉得有许多小虫在小腿上、两股间、脊背上到处爬动，恨不得快快脱下。

村长说还要到前边参观，我吓得脸色苍白哆哆嗦嗦，忙说："窥一斑而知全豹，看一户足矣。"

路过村西时，阵阵晚风裹着呛人鼻孔的羊臊味拂面而来，正想发问，村长笑着说："前面就是羊圈了。"

围墙里面时而传来小羊羔"咩——咩——""咩——咩——"阵阵哭奶声，时而传来公羊追赶发情母羊搅得羊群四处奔跑发出的"笃笃笃"声，时而又听到公羊跨上母羊身上抽动时发出像老人咳痰一样"咯咯咯"声。

离开羊圈时，我深切感到自己此次来那猪村动机之荒唐和错误之严重性。我默默地跟着村长走，内心深处不断地检讨着自己。是不是读了几年书脱离基层太久了，导致自己政治思想素质上不去，导致多年来组织部门都不敢委以重任？想到这里，我态度诚恳地对村长说：

"村长呀！俗话说得好，耳听为虚，眼见为实。社会上确实有人对你们那猪村农家肥的产量提出质疑，不瞒你村长说，连我也有点不相信，我这次来，说老实话，也是来打探打探，实在不好意思，惭愧！惭愧呀！事实胜于雄辩，说服那些怀疑那猪村农家肥造假的人的最直接最有效的办法，就是让他们来到这里，亲自穿上隔离服，到猪圈去走走，到羊圈去看看，就像我今天一样，他们就打自内心服服帖帖了。我明天回去后，一定身体力行为你们宣传，尽我的能力洗刷社会上对那猪村的各种不实之词，还那猪村父老乡亲一个清白！"

村长听罢，一脸严肃道："不吃黄连不知啥叫苦，不亲自敞怀大饮个酩酊大醉就不知道醉酒的滋味。石同志你这么肯定我们，还打算为我们做宣传解释工作还我们那猪人一个清白，我代表全村父老乡亲兄弟姐妹向你致以崇高的敬意和衷心的感谢！"能够得到基层由衷的认可，那一刻，我的内心世界很澎湃。

村公所是一间三进泥砖房子，正屋摆着一张办公桌，桌子旁东一张西一张地摆着七八张刻满了刀痕的小板凳。

村长径直走进伙房，揭开八仙桌上的竹篾罩子，睁大双眼看了半天，回头对门外瓮声瓮气嚷道："八婶，怎么就搞这么些菜？"

"哎呀，村长呀，真不知如何跟你说才好，六公的那群鹅又肥又大，只是池塘那么大，谁能逮到它们？这些鹅呀，平时都夜不归宿，快成野鹅了。"

村长听罢，"哦"了一声，转身对我露出满脸歉意，说："石同志啊，你从县上来，是我们村的贵客，理应好好款待，我上午都安排妥帖了，可是……"说到这里，村长转身用手指了指挂在火灶上边的一块小黑板，借着昏黄的煤油灯，我看到黑板上写着几行歪歪扭扭的粉笔字：

通　知

请民兵下午帮助八婶到池塘抓我鸟，并帮助八婶拔我鸟毛，晚上我要请县里来的领导吃我鸟肉。

村长启

我差点笑出声来，原来，"鹅"字左右两边距离拉得太大，写成"我"与"鸟"两字。"不必客气，都是自己人。"我强忍着没有笑出声来。

两人坐定，八婶又笑容可掬地来到桌前，"不知石同志可吃惯我们乡下自酿的米酒？我给你们备了一塑料桶。"我经过一天一夜的折腾，也想喝点酒活络一下筋骨，赶紧对她点头称谢。

一张一米见方的黑色八仙桌上，摆着几碗农家菜。一个是芋头焖烟熏肉，一个是韭菜炒鸭蛋，一个是干笋焖猪肉，一个是鱼腥草炒田螺，另外还有一海碗青菜豆腐汤。

村长边给我倒酒，边说："实不相瞒，村委规定的接待标准，是三菜一汤，但石同志你是县上来的领导，我吩咐八婶多加了一道菜，额外又加了酒。村里经济虽有所发展，但村民代表始终强调要把管好村财务，把严格控制接待标准作为村干部一项廉洁自律工作常抓不懈切实做到警钟长鸣！"如果我党的每个干部都能像村长那样，保守地估计，社会主义的初级阶段至少可以缩短一半时间。

出来一天一夜了，我早已饿得浑身冒虚汗两眼冒金星。刚举箸时还极力装出斯文相，但喝了几杯，便风卷残云起来。

喝到七八成，村长觉得挂在梁上的马灯不够明亮，高声叫在外间收拾的八婶进来。八婶一阵风跑进来，手脚麻利地搬来一张椅子，站到椅子上面，从挂在横梁上一竹篮里取下一黑不溜秋的马灯，凑近桌边，用牙签挑了挑灯芯。我站起来帮她挑灯芯，八婶伸手按住了我，在按下我那一瞬间，我发觉她胸前两只硕大的奶子结结实实地顶到我的后脑勺上，两只大水瓜沁出的阵阵汗味奶味不禁让我有些心猿意马。

八婶挑好灯芯，凑过来点亮了马灯，正欲引身退出去，村长喊了一声："八婶，怎么不敬石同志一杯？"八婶如梦初醒："石同志跋山涉水不辞劳苦来我村指导，当敬！当敬！"说罢从碗柜里取出两只海碗摆到桌上。

"八婶，使不得呀…"我极力劝阻。

"八婶，你一个妇道人家，平时也不见你吃酒，今晚怎么端起海碗吃酒了？"村长在一旁打趣。

八婶却笑着隔开我们两人的手，手一抬桶底，"哗啦""哗啦"满上两碗。

"村长，你也得吃一碗，要不，石同志会认为我们分开敬酒打砂枪不公平哩。"说罢，不由村长分说，她转身又从碗柜里拿出另一海碗，又"哗啦"一声给村长倒了满满一碗。

"感情深，一口端。怎么样，石同志？"八婶端起海碗，用一种暧昧的眼神看着我，村长听罢站起来，笑说："八婶，石同志是个斯文人，你可不能这样对待上级领导。"说罢转身向我，一脸认真地说："这样吧，我与八婶每人吃一碗，石同志你是上面来的领导，跟我们屯丁村甲不一样，你就舔一舔碗沿，意思意思一下就成了。"我本想推托一下或放慢速度，可听村长这么说，便"霍"地站了起来，脸红脖子粗地嚷道："这一碗，算我敬你们基层的同志！"说完一仰脖子，"哗啦哗啦"喝了下去，村长与八婶也仰起脖子"咕噜咕噜"喝个底朝天。

看看我们的阶级弟兄对我们的感情有多深，我再次为我那些可耻的想法羞愧得无地自容。

放下酒碗，我伸手拉八婶在自己旁边坐下，八婶也不推托，大大咧咧地坐下。三人边吃边聊些乡间奇闻逸事。后来，我发觉八婶帮忙搛进我碗里沉甸甸的一筷子韭菜有些异样，便低头凑着灯光用筷子拨了拨，很快就拔出一粒黑不溜秋的东西来，拿到手上仔细辨认，原是一只常常光顾茅厕的马蜂一样大小的长脚绿头苍蝇。

村长勃然大怒："八婶，你好大的胆子！你睁开眼睛看看，你是怎么洗菜的？"

"该死，真该千刀万剐！"八婶不断自责，弄得我都不好意思了。村长忙站起来说："农村条件差，不同城里，多多包涵，我喝一海碗为罚。"

八婶也红着脸，端起酒碗喝了大半碗。放下碗后，八婶站起来，用筷子在那碗芋头焖烟熏肉里翻弄半天，搛了一块孩童巴掌大小土烟般黑不溜秋的烟熏肉到我碗里，说：

"我们乡下人没什么招待，有什么吃什么吧，比不得城里的山珍海味，这是自家做的烟熏肉，又脆又香，这一块全是精肉的，吃吧吃吧。"我刚好喝了一碗酒，正想吃点东西压压酒气，见八嫂如此热情好客，便用筷子搛起碗里那块沉甸甸的烟熏肉送到嘴边，张大嘴巴就咬，八嫂赞赏道：

"石兄弟，你真是跟我们乡下人一家亲哪。"

谢过了八婶，我埋头专心致志地嚼起了熏肉，嚼了几口觉有点异味，趁八婶转身倒酒，我用餐纸抹了一下嘴角，顺势吐出了嘴里的东西。不看不知道，一看吓一跳，手纸里那堆被我嚼得成渣的肉团中，分明有好几只蟑螂腿，再凑近灯光细看，肉团上两只闪闪发光的东西分明是蟑螂的两只眼睛。八嫂与村长边喝边谈，压根就没有发现我的恶心，我也不好说出，只想赶紧找个医院洗洗胃。

晚上，村长安排我在村公所休息。临睡前，来了两位机灵得如猴子般的年轻人。村长临别时对我说："放心休息，虽说近年来村里治安欠佳，但有两位基干民兵陪着，保证你一觉睡到天亮都没事。"

房里仅有一张床，被子倒是挺新的，只是没有蚊帐。吃饭时脚踝处已被蚊子咬得起了十几个大血包。民兵们好像看出我的顾虑，笑着安慰我："不必担心，待会儿我们燃几把苦艾草，天然艾草驱蚊最好，不会污染环境。"

半夜，我还是被蚊子咬醒了。伸手在身上各处抚摸，只听到手掌与皮肤接触之处，发出一片"叭叭叭"响声，借着窗外映射进来的朦胧星光一看，手掌上全是湿漉漉的血迹。原来，身上各处都爬满了密密麻麻的蚊子，这些蚊子吸血吸到快要撑破肚皮，无法动弹了，它们连用来叮咬吸血的针都不敢拔出来，静静地伏在皮肤上不敢轻易动弹，生怕一动弹就会滚落到地上。当我伸手轻轻一碰，蚊子就"叭叭叭"地爆响。

我赶紧跳下床，如正在给亡灵超度的道公一样上蹿下跳。抖落全身的蚊子后，痛苦无比地躺回床上，时而胡乱地挥手驱逐"嗡嗡"响的蚊子，时而伸手乱抓乱挠身体四处，全身起满了黄豆大小的疙瘩，奇痒无比，跟麻风病晚期没什么二样。

窗外不远处间或爆发出"啪！啪！"或"霍——霍——"的响声，我好生奇怪地半跪在床上，探头望窗外响声的地方，借着微弱的星光，我看到离窗户约十步开外，原是一排牛栏，那响声显然是牛们跟疯狂的蚊子们搏杀时发出的。这时，我终于意识到，这声音其实一直响着，只是自己喝高了没有意识到。

唉，牛们的皮那么韧，那么厚，白天还特意到泥巴里浑身上下左右开弓打滚沾上一层泥垢，尚且通宵不停地用尾巴拍打或用身体撞击摩擦着墙壁以抗击　疯狂的蚊子。可以想象，睡得半死几乎赤裸的我，遭受了蚊子何等的蹂躏。

我凑近窗前，想借星光看看腕上的手表，可怎么看也看不清，这才记起今夜是农历月底与月初之交，压根就没月亮。临睡前有一位民兵烧了几把苦艾草，当时味道挺浓的，也没有蚊子，怎么现在一点苦艾味都没有，还是自己醉酒后，味觉神经麻木，无法感觉到苦艾草味。

躺在床上翻来覆去无法入睡时，很容易憋尿。我原想待天亮再作计较，但鸡啼三遍后，越发如坐针毡睡麦芒，再不解决就要尿床了，我只好起身蹑手蹑脚摸黑出去。

睡在客厅里的两个基干民兵，横七竖八地躺在草席上，个个鼾声如雷，睡里边的那位喉咙处不时"咯咯咯"直响，让人觉得有一口又黄又稠的痰液在喉间痛苦地挣扎着。睡外边的那位民兵一条腿跨在门槛上，鼻孔如被堵塞了的水烟筒，时而寂静无声，时而突然爆发出"啪啪啪"的响声，令人胆战心惊。

跨出门槛时，脚下不小心碰了那位呼噜声震天响的民兵头部，民兵咂了咂嘴，似乎意识到有人要出去小便，梦呓般地说："黑咕隆咚的，就在晒场牛栏旁的水沟撒吧。"

我"嗯"了一声，跨了出去，没走几步，身后又响起了如闷雷的呼噜声。我心想，农民兄弟白天也真他妈的够累的。

我尿憋得快到极限了，一迈进晒场，便一路小跑起来，来到牛栏边的水沟旁，往前一步又开两股，迫不及待……不料脚下突然一个骨碌，两脚挣扎着蹬了几下，到底还是失去重心，"啪"的一声，手脚朝地重重地趴到水沟里，嘴巴满满啃了一口奇臭无比的泥浆。

在地上匍匐前行时，我才发现，水沟旁的水泥地上，有两摊筛子大小的黄豆，旁边还有一个小箩筐，一把小扫帚。看样子，好像不是谁故意在此摊着黄豆专门恭候我来摔倒的。

我好几次想站起来，但脚板底下的黄豆粒如涂了油的滚珠，还未直起身子，又重重地摔倒，只得如一只被打断两条后腿的癞皮狗匍匐着爬离水沟。

我凭着记忆，摸索着走进池塘边洗干净手，对着萝卜山的方向郑重地发了个毒誓："这穷山恶水的地方，以后就是造出假原子弹来，也不关我屁事！"

天蒙蒙亮，我起身穿好衣服，收拾行李。打开马桶袋时，我吓了一跳，里面的照相机后盖不知什么时候被打开了，整个录音机如从水里捞起来一样湿漉漉的。正疑惑不解，早已起床的一位民兵打来一面盆热水请我洗脸，笑着说：

"石同志呀，昨夜你可喝高了，在池塘边解手时，不知咋的，又哭又喊着要把马桶袋扔到池塘里去，是八婶帮你捡回来的，你检查一下，看看损失什么贵重东西没有？"

莫非真的喝高了？可对于民兵所说的情形，脑子里却没有一丁点残留的记忆。虽然我的仕途惨不忍睹，可喝酒我可不含糊，没服谁。曾几何时，也算是远近闻名的一员大将，我酒后真的会把装有照相机与录音机的马桶袋扔进池塘里？他妈的，真是活见鬼了！

我洗了脸，正双手捧着脑袋冥思苦想昨晚酒后的情景，门外池塘边传来八婶爽朗的笑声，八婶已经来到门前。

"石同志呀，昨晚你太不怜香惜玉了，生生地把我给灌醉了，下回再喝时你得让我几杯。"我不否认在我喝得有几分微醺的时候对八婶有些非分之想，但清醒之后我就为自己没有冲动暗自庆幸。八婶除了胸部突出之外再没有任何可圈可点的地方了。我就不明白了，同样是一个人，酒前看和酒后看的差距咋就那么大呢？

八婶伸手拍了拍我的肩膀，关切问道，"昨晚你没醉吧？睡得好吗？这儿可不同城里，不过就是清静。"末了，又笑道："石同志啊，也不知你们城里人早餐习惯吃些什么？昨晚村长吩咐我给你弄些豆腐脑，也不知你爱不爱吃？"

说罢，右手压着头上随风飘扬的花头巾，快步跑到牛栏前面的水沟旁，低头用小扫帚扫着晒在那里的一摊黄豆。"我们这里豆腐脑做法很独特，头一天将浸水的黄豆捞出，晒一夜的露水，再用石磨打磨，村长说这样就能吸取大地精华，这样做出来的豆腐脑清香甘甜可口。"说到此，顿了顿，突然惊诧地叫道："怪了，黄豆这么少，好像有耗子来糟蹋了，今晚得撒些耗子药。"

八婶执意要我吃过早餐再走，但我去意已决，迈步跨出门槛向村外走去。八婶转身冲进伙房，拎出一小竹篮，一路小跑着追上了我，把小竹篮往我臂弯里一挂，笑容可掬地说："这五色糯饭是村里一点小心意……"

我难以抗拒，难以抗拒八婶的好意，想着不知道以后还有没有机会再见到八婶，就算是再过个十年二十年见到她，那时候也应该喊她八婆了。一想到这些，我竟产生了一丝不舍。接过糯饭，我一步一回头，十步一徘徊，告别了八婶，告别了那猪村。

迎着山风，踏着晨露。当走至昨天被几个红缨枪查看路条的木棉树下时，突感腹部痛如刀绞，双腿发软。我拼尽浑身力气火速冲进路边的灌木丛中，未及拉开架势便一泻千里。显然，昨晚吃下的蟑螂之类的虫子，现在终于见效了。

蹲下来后，我半天都起不来，好几次刚站起来，还未系好裤带，又不得不急急跑回原地蹲下，这样来回十多次后，全身几近虚脱，连坐的力气都没有，见附近有一小岩洞，地面还算平整，便挣扎着爬进洞里，此时的我有气出，有气进，就是没力气翻身。

大概躺了一个小时，远处突然传来阵阵爽朗的笑声，我挣扎爬到洞口，撩开树叶寻声望去，原来是昨夜陪睡觉的两个民兵，两人边走边谈些什么，间或爆发出阵阵笑声。两人走到昨天几个红缨枪埋伏的石缝处便不走了，躲在石缝里继续谈话。我想走出去跟他们打招呼让他们想办法给我弄些止泻药，否则，今天恐怕走不出那猪村的地界。可听他俩接下来的一段话却让我彻底打消了这个念头。

"村长早上紧急通知，要求各家各户务必认真检查录音系统，今晚八点整，全村统一试机。村长说，有的人家猪厕尿的声音太响了，听起来就像小河流水，容易露破绽。"

另一个说："昨晚被县广播电视局那姓石的小子折腾一夜，蚊子咬得我全身都起了血泡，不知村长给我们多少补助？"

"不会亏待我们的，我们不显山不露水做到那么好，奖金不会比八婶少。"

"现在农忙时节，各农场大量求购猪粪，村长却说，从现在起，不再安排小孩子守村口了，说是担心小孩子被外人用糖果玩具引诱，又担心影响小孩子学业。这样，白天黑夜全由我们民兵把守村口，一个月每人得轮到两次呢，可生产农家肥是以件计酬，这样每月计酬起来，我们民兵的生产奖金肯定少好几十元呢……"

我狠狠地击打自己的额头，确信这不是在做梦。唉，傻子一个，还一个劲地感谢人家热情款待，传出去人家不笑我才怪呢！

不入虎穴，焉得虎子。我决心再待一夜，半夜潜入村中打探，不获全胜，决不收兵。

打定主意后，我返身钻入洞里。这时，肚子又"叽叽咕咕"地抗议起来。我挣扎着爬到洞口，蹑手蹑脚摘了几把番桃树叶，回到洞里，大口大口地将其嚼烂，强忍着咽下肚子。儿时母亲传授的治拉肚子土方此时又派上用场。

约两刻钟后，疼痛渐渐缓解，我把洞里的几块石块搬到一起铺平，用马桶袋枕着头，不久便"呼噜噜"入睡。

一觉醒来，已是夜幕降临时分。走到洞口，外边正下着雨。两个值班民兵不知什么时候已下班走人了。

拉了一天肚子，饿得两眼昏花，看看早上八婶送给的那篮五色糯米饭，终不敢下手，生怕又吃出什么恶心的东西来。探头望望四周，发现石洞的左前方有一片甘蔗地，风大雨大，正是下山作案觅食的大好机会。借着迷茫雨幕的掩护，我跌跌撞撞钻到蔗地里，连根拔起两条仅齐腰高的甘蔗，见蔗地里又间种着萝卜，又拔了两个萝卜塞入怀里，跑回洞中，用衣服抹了抹，就迫不及待地狼吞虎咽起来。

入夜。天，就像一个倒扣的锅底，伸手不见五指。没有照明工具，我只得小心翼翼向村里摸去。我清楚记得，昨晚这个时候，全村的猪叫声此起彼伏，可现在却毫无声息，这让我更加坚信，昨晚全村人家彼起此伏的猪叫声，肯定是各家各户录音机捣的鬼。

到村口的大榕树下时，依然不见一个人影。四周蛙鸣如鼓，萤火虫在田野上追逐嬉戏，池塘边水草丛中，时不时响起鲤鱼交尾的响声。

突然，前边射出几道光柱，不久，越来越多，杂乱的手电光柱连起来如一条长龙般向萝卜山脚蠕动。

他们到山脚去干什么呢？我尾随而去一探究竟。

也不知过了多久，我跟着村人摸进萝卜山脚下的一个山洞。洞里伸手不见五指，但人声嘈杂，不时有烟蒂火光闪烁。一会儿，洞里"突突突"响了起来，不久，整个山洞亮如白昼，原来，动用了一台大马力的柴油机发电。

我趁亮光刚起，人们眼睛还不适应时，赶紧钻进一条石缝里。还好，石缝里刚好有一个猫耳朵一样的小岩洞，我将整个身体都缩进小洞里。可刚在小洞里藏好，便发觉有一股奇臭无比的气味扑鼻而来，用手一摸脚底，不禁叫苦连天。妈的，这明明是个茅坑嘛！正想另找个掩体，却有脚步声在头顶由远而近传来，一老翁正一边咳嗽，一边抹下裤子，叉开两股蹲在我头上撒尿拉屎，秽物几乎落在我的头上。

忽然，嘈杂声一下子停了下来。我探头出石缝，向洞里望去，只见在一篮球场大小的空地上，村长站在一台高大的搅拌机旁边，一手叉腰，一手执话筒训话：

"开工之前，我代表村两委再次强调纪律问题！过去，毛主席他老人家反复教导我们，加强纪律性，革命无不胜！小米加步枪的共产党，为什么能够打败飞机加大炮的国民党八百万军队？凭的就是铁一样的纪律！我当兵那阵子，天天都强调纪律，天天唱《三大纪律八项注意》革命军歌，可见纪律的重要性……从可靠渠道得来的消息证实，近段时间，县里有人潜入我村搞侦查，为确保万无一失，要加强纪律教育，特别是小孩，不论什么时候，都必须三五成群活动，千万不能单独行动，严防外人用糖果玩具引诱……俗话说，病从口入，祸从口出。对外人要保持高度警惕，守口如瓶，老师家长要切实履行职责，加强对小孩思想教育，不能让外人抓住把柄！护村民兵要提高警惕，抓紧操练……父老乡亲兄弟姐妹们呀，我们今天能过上这种好日子不容易啊，我们要保卫来之不易的幸福生活，有没有信心？"

"有！有！有！"地动山摇的吼声在山洞里发出阵阵回音，冲击波差点把我耳膜击穿。

"如果外人，特别是政府官员报社电台记者，像昨天县广播电视局新闻报道股那个姓石的小子，不听劝告，强行闯入家中翻箱倒柜搞调查，如何办？"

"即刻报告值班民兵，协助民兵乱棍将其打死！"

"拖入洞中，碎尸万段后做肥料！"

"捆绑起来，吊到村头大榕树下，让护村狼狗们打牙祭！"

……

全村男女老少齐声吼得山摇地动，个个脸露凶相，把手中的小锄头小铲子小钢钎舞得寒光闪闪。

我趴在地上，大气不敢出。这是村长每次开工前例行的思想政治工作。去年那牛乡的一个村子有人造假香烟，有几个外地人做烟草局的线人潜入村中刺探造假线索，身份暴露后，被造假者放出的狼狗活生生撕咬，最后只剩一副骨架。我绝对相信这些乡民的彪悍，如果这帮人此时发现我拿着照相机偷拍他们，肯定毫不犹豫地把我塞进搅拌机里搅拌成泥土做肥料。

我深深后悔自己官迷心窍，后悔自己对老独头言听计从，冒着身家性命来这山旮旯捞升官本钱。虽说自己生得窝囊，但好死不如赖活着，若是今夜在这山旮旯里突然消失得无踪无影，想想瘆得慌。可怜我出发前也没跟任何人打个招呼，纵是冤死在这山洞里也无人知道。甭说提个副局长了，就是有希望做联合国秘书长，我也不会再来搞这种调查。什么鸟官职，不过是过眼烟云，生命才是最最宝贵的……

裤裆处，不知什么时候，已经湿了一大片。

"……销售小组要按时交货，争取三月三过后就发上半年工资，切实解决孩子们拖欠学费的问题。"村长说到这里，放慢语速，开始宣布生产任务："现在，我宣布今晚的生产任务。请各小组长认真记好，并按质按量完成。

一组生产猪粪一号八百箩筐，二组生产猪粪二号九百箩筐，三组生产猪粪三号七百箩筐，临工可随意生产……"

开工了，整个山洞一副热火朝天的景象。一条传送带传送着黑泥，另一条传送着木糠碎禾草，站在传送带旁边两个戴着白口罩穿着白大褂的青年男女不时指指点点，显然，他俩肯定是村里的技术人员。他们每人手里都握着一条白色的软胶管，时不时对着搅拌机的进料道喷射出细细的水柱，女的一边喷一边说"羊粪不必加尿素，加些杀虫剂即可"。

在机器轰鸣声中，村民们如蜜蜂一样忙碌不停。这时，我意识到，只要我不吱声，我躲在这个小岩洞里还是很安全的。我悄悄拿出照相机，调好光圈，一连按了几下快门，但因距离太远，角度不好，加上不敢打闪光灯，估计效果肯定不太理想。

传送带将黑色的泥巴和木糠碎禾草送进搅拌机搅拌混合后，通过另一条传送带传送到压模机，经压模后，即生成了各种型号的产品。男男女女如蚂蚁搬家，争先恐后地从那压模机旁抬走一箩筐一箩筐的"粪便"。洞中间开阔处，团团围坐着的老人和小孩也忙得不可开交。这些老人和小孩，估计就是村长说的临工。老人每人一手执一个竹筒，一手拿一把短柄木槌，竹筒的上端套着一个漏斗，站在身边的小孩，负责用小铁铲从小箩筐中铲出一小铲原料，倒入漏斗后，老人用一条棍子将原料塞入竹筒里面后，举起木槌"咚"地击打一下，竹筒下端即有一猪粪蛋"扑"地滑落下地。不一会儿，在一片"咚咚咚咚"与"噗噗噗噗"响声中，他们脚下很快就堆起了几座小山似的"农家肥"。

我好奇地看着老人们一边喊着号子，一边用小木槌"咚咚咚"地敲打着竹筒。突然，一个似曾相识的身影映入我眼帘，那人背对着我，正弯腰从搅拌机旁的大铁柜里往小箩筐里填装已搅拌好的原料。

我摘下眼镜，张大嘴巴向镜片呵着热气，用衣襟抹了抹，又揉了揉眼睛，戴上眼镜后，我的眼睛有些湿润了——背影头上稀疏凌乱的苍发，身上那补了各种补丁的自纺的黑色土布唐装，从侧面看到的那似乎一生没吃过一顿猪肉的菜色的脸孔，尤其是干重活而时不时爆发出阵阵撕心裂肺的咳嗽……那身影，那神情，啊，一切的一切，都如我年老多病终日气喘吁吁的母亲！

"莫非母亲瞒着我偷偷来此地挣几角碎钱换油盐酱醋？"正当我这样想的时候，突然，从那背影后面蹿出一个七岁左右的男孩，男孩以木槌当枪，边做出瞄准状，边嘴里喊着"啪！啪！啪"地开枪射击。

身影慢慢放下手中的活儿，又慢慢转过身子，趁男孩不注意时，突然一伸手抓住男孩的后衣领，破口骂道："玩！玩！玩！再不帮婆婆铲泥，看你三月三后拿什么交学费？"

小男孩听到"学费"两字，即如泄气的皮球一样停止了追打，无可奈何地走到婆婆身边，老老实实拿起小铲。

看清楚了，那人不是我母亲，而是昨天中午被我照相机的闪光灯吓得大呼救命而逃进萝卜山里的那位老歌手！

我听说，文学源于生活。没错，此刻的场景应该就是文学中常用的一种渲染手法——震撼。

约莫鸡啼二遍时，喧闹的山洞静了下来。灯光也渐渐暗淡下来，到了最后，仅留着搅拌机上的一支电瓶灯管亮着。人们纷纷拍打着身上的灰土，在前襟上揩着双手，三五成群地在地上围坐着吃饭。

在这当儿，有一位老者走到临工干活的地方，在一张小板凳上坐下，几位老妪搬来几条青色的竹子。老者把一条竹子拿在手中，举起刀插入竹子一头，轻轻地一拨，一转，随着"叭叭"两声清脆的响声，竹子已裂成形状大小匀称的两半。老者又将刀轻轻地切入竹片中，又拨弄一下，竹片又"叭叭"地裂成更多更细的篾片。伴随着这清脆的响声，老者脚下很快堆起了一大堆洁白的又长又薄的篾片。几位老妪拿在手中，手脚麻利地编织着箩筐。

快编了七八个箩筐时，老者意犹未尽地站起来。借着灯光，我看清楚了这张饱经风霜的脸——这位将竹篾弄得如泥鳅般四处翻飞的老者不是别人，正是昨天傍晚在村里遇到的那位口歪嘴斜、涎水成丝的老者。记得当时村长还说他患了严重的老年痴呆症！

又一次被震撼了！

休息一个小时后，又开工了。大概一直干到凌晨五点多，又停下吃饭。饭后，村长宣布收工。放工后，众人成群结队打着手电筒向洞口走去，路过我藏身的猫耳洞旁边时，几个小伙子一边打着哈欠，一边说，困死人了，回去洗个澡后要好好睡一天。这回我总算弄明白了，为什么白天进村时全村空无一人，家家户户的大门都是大铜锁把关。

人全走光了，灯光也熄灭了，洞里黑得伸手不见五指。我摸索着爬出了洞口，翻过竹枝做的山门，借着后半夜的星光，钻进山脚下一片甘蔗地。

由于饥饿难耐，我又拔起了几根甘蔗。我发誓，等我平步青云的那一天，我一定还那猪村一车的甘蔗，因为我的原则就是——不可天下人负我，我也不负天下人。乱咬了几口，又趴在田垄上喝了一肚子冷水。由于不敢走正路，我走了许多冤枉路，天亮时，来到一条河边。从县城出发前，老独头告诉我说，流经那猪村的弄浪河是向东流去的，只要沿着水流方向走，就可以找到一条通往县城的乡级公路。沿着河的堤岸走了几个小时后，我终于找到了公路，拦了一部拉石碴的卡车回了县城。

回到县城，我怀着对党和人民高度的责任感夜以继日地将在那猪村的经历写成了一篇题为《夜访那猪村》的长篇报道，副标题为《本世纪最难以置信的农家肥造假全景大曝光》，配上了几张人物轮廓不太清晰的照片。由于过于激动，写好后，我的手有些抽筋了，意识也有点模糊了，终于能向党和政府交出一份满意的答卷了，我长长地吁了一口气。

盼望着，盼望着，东风来了，春天的脚步近了……我仿佛看到了自己坐在教育局副局长的位子上风度翩翩地带领着老师们浇灌祖国的花朵，孩子们笑得多灿烂啊……

看来我真的是累了。

我迫不及待地把材料交给了县委宣传部部长，希望能够通过他的引荐将稿件同时投向县报、地区报、省报以及中央级报刊。部长一口气读完，二话不说一把抓住我的衣袖，说："事关重大，马上向县委县政府主要领导汇报！"

二人径直奔县长办公室。县长看了我写的报道，歪着脑袋，左右端详着那几张轮廓不太清晰的照片，简单地问了我几个小问题后，怒火胸中烧，不禁拍案而起，立即指示县府办公室通知有关单位负责人到县第一招待所召开秘密紧急会议，专题研究部署打击那猪村农家肥造假事项。会议决定，由县长亲自带队，县公检法、工商、县直各单位以及附近农场、鱼场内保一行组成近百人的打假队伍连夜开进那猪村。为争取最大的新闻效应，宣传部长特意通知地区及省有关新闻媒体随行。为确保万无一失，天黑以后，大队人马才开始行动，十多部大小车辆浩浩荡荡向那猪村挺进。我，作为此行的先驱理所应当地坐在第一部车里，车大灯射出两道雪亮的光柱，坚挺地指向远方，照亮了我希望的前程。一路上人见人避，兽见兽躲，那一夜的前半夜给我留下了极美好极美好的印象——做时代领路人的感觉可真威风啊!

到那牛乡后,因到那猪村不通机动车,大队人马只好徒步前进。半夜时分,队伍来到那猪村外围,将那猪村围得如铁桶般水泄不通,县长决定在拂晓时,以迅雷不及掩耳之势直捣萝卜山脚下的造假现场,来个人赃俱获。

当大队伍按原计划挺进村中时,只见村人挑水煮饭,孩儿上学,家家户户炊烟袅袅,鸡犬声此起彼伏。前几天特意为我唱原汁原味山歌的几位老妪和那位所谓患严重老年痴呆症的老翁,带着一帮还未上学衣衫褴褛唇上拖着粉条鼻涕的小孩在村口列队欢迎,人人手中拿着一支小纸旗,远远见大队人马向村里开拔过来时,那位被我的照相机闪光灯吓得大喊救命的老歌手,扯破嗓子领头振臂高呼欢迎口号,如果不是心系捉赃的大事,此刻我肯定会再度拿出相机拍个够。毕竟,多少年了,像庆祝解放一样欢迎干部进村的情形太少太少了,眼前的场景实在弥足珍贵。

大队人马隔着八丈远的地方,就频频向欢迎队伍招手致意,走在前头气歪了老脸的县长特地回过头来,拿着话筒大声说:

"各单位的同志请注意!各单位的同志请注意!请大家看一看,请大家听一听,广大农民群众对假冒伪劣东西恨之入骨,对我们这次打假行动完完全全是举双手欢迎啊……"

"欢迎参观!欢迎参观!"

整个欢迎队伍声音整齐划一,响彻云霄。但是……但是,情况好像有点不对劲。本来欢迎队伍群情振奋,打假队伍也很兴奋,两支队伍的高潮此起彼伏。但渐渐地,只剩下群众一边倒地纵情呐喊,干部这边完全萎靡不振了。

在这一带的方言中,"参"和"贪"的读音极难分辨,究竟欢迎人群是叫嚷"欢迎参观",抑或是"欢迎贪官",极难仅从语音来判断。但从欢迎人群人人咬牙切齿群情激奋的模样来看,"欢迎贪官"应该远大于"欢迎参观"的可能性。谁也不好发作,闹不好就有此地无银三百两之嫌。

大队人马在我的引领下来到萝卜山脚下那个造假现场所在地的大山洞前。县长一声令下,公安人员牵着警犬开路,开始四处搜索造假设备。可倒腾了半天,竟不见蛛丝马迹。后来,在山脚边发现了一个大坑。经工商人员仔细丈量,大坑长五十米,宽六十米,深二十米,山上泉水正潺潺地注入坑里。接待队伍的村长说:"我们要响应政府号召,走集约发展的道路,以前粗放经营养猪养羊总不是路子，现在，我们把猪羊全部出售了，要养乌龟王八毒蛇之类科技含量高的产品。"

县长此时肯定累坏了，因为他的腿老是抖个不停。队伍都是跋山涉水进村的，此时整支队伍已是人困马乏。县长授意大家在大坑前休息一下，叹了半天气，终于命令队伍前队变后队，后队变前队，按原路撤出村子。大伙本已饥渴难耐，此时却表现出高度的组织纪律性，迅捷而有条不紊地往回撤，一点怨言也没有。要不怎么说咱们的干部久经考验，领导指示得彻底，下面贯彻起来也毫不含糊。老歌手们镇定地指挥欢迎人群仍紧紧随后，人人全都声嘶力竭铿锵有力地振臂高呼"欢迎贪官！""欢迎贪官！"

听到撤退的命令，我的脑子"轰轰轰"接连炸了几个霹雷，身子一软，险些瘫倒在地。刚要辩白，有人从后面狠狠地拍了一下我的肩膀，回过头来，县长的老脸都气歪了。不容我开口，县长就竖起拇指，学起我孩提时多次看过又多次模仿的某部黑白战斗片中一敌军官的模样，说："高！高！实在是高！"说罢拂袖而去。我傻了眼，愣了半天，拔腿追上去，县府办公室主任跑过来拦住我，狠狠地对我"哼"了一声，我终于意识到事态的严重性。

众人拖着疲惫的身躯向村口走去，来到村口的大榕树下时，阵阵的晨风从萝卜山上送来忽隐忽现的山歌，歌声悠远绵长，空灵清静：

　　萝卜山上一朵花，香过茉莉赛山茶，有心想把花来栽，跋山涉水不怕难……

这是常在歌坡上听到的青年男子献给意中人的"引路歌"。

众人都停下脚步，齐齐仰望歌声飘出的半山腰时，又一阵山风吹来，晨雾缭绕的山顶上又响起了歌声：

　　春天未到花未开，哥你为何扰妹来？请问阿哥姓哪样？请问哥从何处来？

我正诧异这么一大早就有人在高耸云天的萝卜山上对唱情歌时，山上的情景突然令我瞠目结舌。在歌声响起的晨雾缭绕的地方，在我第一次进山时有一棵木棉树突然无缘无故消失的那个方位，现在竟然又长出了一棵高入云天的木棉树，树上的花朵迎风怒放，在晨曦中灿若云霞。

我想拔腿追赶走在队伍前面的县长，但双腿却如注铅般沉重。我突然意识到，县志记载的关于战争年代那猪人在萝卜山上安放消息树，一有敌情即有专人高喊"萝卜山树倒了——"这一史实肯定不是杜撰。想到这点，我不禁在心里狠狠地骂起自己来："想当年，国民党白匪军和日本鬼子惨无人道的烧杀抢掠都没能搜出躲在萝卜山上的赤卫队员和抗日分子，而现如今，就凭我一介穷书生，也想到萝卜山来搜出那猪人的造假证据？呸！做什么不行，偏要到这里来弄升官资本，呸！真是十足的特大的傻子一个……"

一个月后的一天上午，老独头面无表情地推开我的房门，向我桌上扔来一份文件，骂了一句不堪入耳的脏话后，愤愤地摔门离去。

升官梦想破灭了，我格外痛楚与无奈，但我心有不甘，我向老独头求助，请他帮忙打探一下县委常委们对我的评价，以便对症下药。老独头不愧是侦察英雄，半个月后，果然把县委书记、县长和组织部长在"关于石明雷同志提拔任用考察材料报告"上的批示复印给我，三人给我定性惊人的相似——"此人欠可靠！"

一个梦幻般的开局，一个梦幻般的结局。以美梦开始，以噩梦结束。

第3章

福无双至，祸不单行。我因为提供"虚假情报"导致县政府重大打假行动失败，恼羞成怒的县主要领导对我大发雷霆，为切实教育全县党员干部要讲老实话做老实事当老实人，在局长陈成三的大力促成下，组织上经过慎重考虑，决定把我发配到神泉潭培训基地工作。

神泉潭是一岩石潭，位于萝卜山脉中部的那牛乡境内，泉水终年汩汩涌出地表，如琼浆玉液的泉水清冽甘甜，药用功效神奇，素有神泉之称。早在光绪年间，萝卜山附近的村民就用石头砌成围墙，将潭口围起来，专人守候，不让牲畜践踏，凡是来取水的，只交一两筒米，取多少水自便。

神泉潭存在数百年了，但一直默默无闻。三年前，几乎在一夜之间，神泉潭名声大震，扬名八方。这要归功于位于萝卜山下神泉村一位名叫草根的中年汉子。

有一天，草根大哥独自到那牛乡赶集，在粉摊喝了几盅，一时兴起，想乘车到县城长长见识。主意打定后，花了三元钱坐上了途经县城的长途班车。

班车的终点站是青山铺市。上车后草根大哥，反复叮嘱司机说，他从未进过城，语言不通，人生地不熟，而且身上只带有几块钱，车到县城时，务必叫他下车，千万千万别把他拉到市里，否则就没钱乘车回家。司机满口应承。

不知是草根在旅途中不慎睡过了头，还是司机成心捉弄草根。一觉醒来，草根发现自己已经到了青山铺市。下车时，草根大发雷霆。经过一番交涉，客车司机同意下午返程时免费捎他回去。

第一次进城草根一身轻松，决定趁机开开眼界，长长见识。他在车站附近好奇地东张西望，想看看城里人到底是怎么个活法，但看了半天，问了半天，终究弄不懂城里人到底怎么个活法。

太阳偏西时，草根提早赶到客车停车的地方，远远看见客车还停在那儿，还没有开始验票上车。草根想起这次入城实属不易，多少得捎点礼物回去给孩子们。草根这么想着，拔腿走进车站门口一小卖部，在店里看了半天，经反复比较和痛苦的思想斗争，最后咬咬牙根，花三元钱买了两瓶矿泉水。

上车后，司机告诉草根说，还有近两个时辰才开车，叫他再四处走走，见识见识城里人。可草根发誓不能让城里人再从他这里赚走一分钱，他决定待在车上，哪儿也不去。

午后的阳光透过车玻璃照在他身上，一点一点地蒸发着草根身上的水分。草根唇干舌燥，嘴巴呷了半天，终于下定决心喝一口专程买给孩子们的玩意儿。

草根小心翼翼拧开瓶盖后，轻轻抿了一小口，呷了呷嘴，觉得味道不对。张大嘴巴斗胆灌了一大口，草根不禁脸色苍白青筋直暴大呼上当。"霍"的一下，起身冲下车，直奔小卖部杀猪般"哇哇"叫着直扑过去。

店主来不及问清缘由，就被草根掴了两个响亮的耳光，店主哭问为啥打人，草根气得说不出话来，喘了半天粗气，才破口大骂：

"老子进城一次不容易，特地花了几块钱买你两瓶玩意儿回去给孩子们尝个鲜，可这分明就是水。朗朗乾坤，竟敢拿这样的东西欺诈乡下人的银两？"

店主总算明白了缘由，啼笑不得地作揖道："哎呀呀！这位乡下哥哥，矿泉水本来就是水嘛，怎么会有味道……"

草根听罢，脸涨得如猪肝，唾沫四溅骂道："要是矿泉水就是水，那我到江河鱼塘挑三五十桶来卖给你，你给我钱吗？告诉你们，我住的萝卜山上有的是水，一年四时八节常常泛滥成灾呢！天地良心，难道我们乡下人也能拿来骗城里人的钱吗？"

"哎呀呀，这个哥哥，现在江河里的水都被工厂排放出来的污水污染了，全变成脏水了。"店主大笑，笑过后骂道，"乡巴佬真是蠢！蠢！蠢！"

草根有点丈二和尚摸不着头脑。半晌，草根又发飙了，草根挥着手中的矿泉水瓶向店主砸去，"畜生不如的东西！城里人难道不知江河的水本来就是供人畜饮用的吗？凭什么把江河里的水都弄脏得不能吃喝？还笑我们乡下人愚蠢？城里人咋就这么蠢！"

店主抱着头大呼救命，路人、工商、警察纷纷围过来。

草根与店主打架火并的现场正好被市电视台《城市万象》专栏记者现场拍到了，当事记者本以为是条黑社会火并的大新闻，兴奋得有些难以自持。弄了半天才搞明白是个普通的民事纠纷。本应该上《今日头条》的节目最后只能归到《百姓话事》播出。还别说，播出的效果比想象的要好。城里人看了这一场闹剧后，皆无地自容黯然神伤。伤感悲哀之余，有几个权威部门负责人认为，草根之所以这么激动这么动手打人，很可能草根所说的萝卜山的水真的不一般。

　　几经论证筹备，相关部门组织了地质、水务、环保、卫生等有关部门的几位专家跋山涉水来到萝卜山脉中部山脚下草根的那个名叫神泉的村子，沿着注入村里的水井的小溪溯源而上，翻过了几座陡峭巍巍的石山，又穿过一条长长的山间小路，终于听到了汩汩的流水声响。顺着水声，又走了数里，不久，但见溪流渐急，时隐时现于草石林木间。汗流浃背的专家们只觉得一股清凉的感觉在紧紧地牵引着他们往前走。大概又走了半个钟头，终于来到半山腰一苍松掩映的开阔地，只见一泓碧水，清如明镜，泉涌汩汩，喷雪溅玉，势如鼎沸。经现场认真勘探，又取样品回去化验后，发现泉水源头位于地下一千多米深处，水质中富含几十种人体所需的微量元素，不仅对肠胃皮肤各类疾病有特效，而且还能延年益寿。

　　前年，全民经商热潮一浪高过一浪，县广播电视局唯恐落在别人后面，也绞尽脑汁上项目搞创收。经班子集体研究，决定在萝卜山神泉潭旁边兴建一个"青翠坡县广播电视干部培训基地"。经那牛乡政府对神泉潭附近各村民众做了大量的思想工作，群众终于被年底按股分红安排就业诸如此类的承诺动了心，同意在泉眼附近免费圈出一块空地给县广播电视局开发。县广播电视局领导又从办公经费和个人入股两条渠道筹集了近十万元，在神泉潭旁边建成了一座三层楼高的所谓培训大楼。虽然早早在门边挂了一块又厚又大的"青翠坡县广播电视局干部培训基地"的牌子，但后继经费不足，培训大楼变成了烂尾楼，加上道路水电不通，不仅无法招到人员来培训，就连管理人员也招不到，物色了半年，别说是人了，鸟都不愿意去那个鬼地方觅食。

　　名义上我是由县广播电视局派往神泉潭培训基地工作的，但在我下来之前，陈成三就不厌其烦地向那牛乡主要领导打过招呼，要乡里对我"重点照顾"。他从头发到脚趾都想把我的"劣迹"作精心的润饰，力争把一小撮干部对我的敌视扩大为一大批不明真相的群众对我的仇恨。

政治上我被孤立了，经济上我几乎也变成了"赤卫队员"。我到培训基地工作，单位不再给我开工资，我唯一的收入来自附近群众以米易水换来的粮食。如果"无毒不丈夫"这句话的逻辑成立的话，陈成三确实很男人很男人。

我自幼在乡下长大，山上的生活基本还是能适应的，在单位领到手的薪水不足一百多元，说不定我"以米易水"收入还高些。再说，吃一堑，长一智。远离钩心斗角官场，在深山老林里休养生息一段时间，读读书写写文章也未必是坏事。横竖是下基层锻炼，总不至于让我在萝卜山上永远扎根开花一辈子，一年半载后还得让我回去。

培训基地虽是一栋三层楼，但还是毛坯房，远远看去，整栋楼好像一个巨大的浑身裸露的乞丐。楼里四处墙壁上裂开纵横交错的缝隙，各种大小壁虎蜘蛛在缝隙里相互追逐。地面坑坑洼洼，布满蚯蚓和屎壳郎虫的粪便。

刚来的那几天，乡政府的文书把我介绍到山脚下神泉村的草根家投宿。过了几天，草根约村里的几位小伙子上山帮忙我修缮房子，他们用禾草糊着泥浆，将培训基地的二楼修缮成一个可住人的屋子。草根他们又到山脚下砍了几捆竹子，将竹子破开成片后，钉做门窗和床，又在房子前后翻了一块地，撒上几样菜籽，草根对我说："这里保水，种什么菜都疯长，保你四时八节都有青菜吃。"

草根大哥三十五六岁左右，一米七的个头，瘦如干尸，脸色黑如锅底，那深陷的眼睛让人想起夜幕下的猫头鹰。

农历四月初八，草根上山来找我，哭丧着脸要跟我借点钱，说是解决大女儿的学费和家里开春的肥料钱。虽然我自己泥菩萨过河自身不保，但肥料钱也罢，学费也罢，就冲着草根帮我搭屋的交情我也不好一下子拒绝。结果，几杯米酒下肚，来不及征求周素菊的意见，咬咬牙把两人全部家底总共一百五十多元全交给了草根。

到底还是阶级弟兄的感情深啊。

随着我和草根来往日渐频繁，昔日无人问津的培训基地来客日渐增多。深山的夜里漫长而寂寞，草根他们有时为了打发漫漫长夜，同时也为了打一个牙祭，偶尔也做些偷鸡摸狗的勾当。村子里谁家的鸡没有归笼，谁家的狗失踪了，十有八九跟草根他们夜不归宿有关。草根他们偷来的鸡摸来的狗全弄到我的住所来解决。一段时间来，我赖以栖身的小屋子变成了名副其实的窝赃场所。

草根后来有一段时间经常有事没事上山找我，有时是白天来，有时是半夜来，有时来了，一住就是几天几夜。刚开始时，我觉得挺纳闷的，觉得农村的活儿都挺忙的，他一个大男人老跑到山上来跟我这个闲人睡懒觉，我百思不得其解。后来，草根酒后向我吐了真言。原来，这几年，祖上三代单传的草根为了生养一个能传宗接代的儿子，每每老婆怀孕三个月肚子稍微鼓起来后，即让她跑到外地亲戚家躲起来。乡里的计生人员一旦进村，草根闻风而动跑到山上找我，这样一来，我的住处又成了草根躲避计生人员的避难所了。

草根给我漫长孤寂的日子带来快乐和充实。

在萝卜山，我谨记伟大导师马克思的教诲，从社会发展的初级阶段，也就是从原始社会以物易物为起点，孜孜不倦地探索并践行社会发展的终极意义。每天或坐或躺在用竹片钉成的床铺上，听到"水啦——"一声吆喝，我起身下楼，把门打开，让来人入屋，接过来人递给的米袋，将其解开把米倒入屋子角落的米缸后，就带来人来到泉眼边，把篱笆门打开，让来人自行用随身带来的各种水箱盛满水后，呆呆地目送着来人渐去渐远最后消失在山脚下灌木丛中的身影。

以米易水活儿虽然轻松，但没有固定收入。三伏天，取水的人多一些，有时每天也能收十多筒米。数九寒天，十天半月也没见一个人上山取水。夏天是取水旺季，但由于时下盛水工具繁多，往往一二筒米即取好几大塑料箱水，有些村民为了节省开支，派一人拎着七八个塑料箱上山取水，其他人在山脚下接应。碰上这种事我只能喟叹人心不古啊，没办法，因为神泉潭自古以来的规矩就是只需交筒把米，取多少水自便。

以米易水收到的米，是百家之米，鱼目混珠，良莠不齐，卖不了好价钱。每隔一段时间，草根主动上山来，帮我将米袋运到山脚下，用马车驮到乡集上出售。

以米易水这么重要的工作岗位却仅仅安排我一人，搞得我一年到头都没有假期，很难有机会回县城。每隔一个月，周素菊就会从县城坐长途班车到那牛乡车站，下车后马不停蹄赶到乡中心小学跟一位当小学老师的熟人借自行车，骑车到神泉潭来。虽说是骑车来，但山路崎岖，车到萝卜山脚后，几乎是扛着自行车上山。

被贬到深山老林后，我也干起了暗度陈仓的"勾当"，四处托人找关系想早早调离青翠坡县。后来青山铺市有几个单位见我文凭较高，常在省报发表各种各样的文章，便给我来了商调函，每每如此，陈成三就摆出一种爱才如命的姿态，扬言打死也不肯放我走。"此人确是人才，我们留下另有重用。一个萝卜一个坑，他走了，这个坑就空出来了。"

时光荏苒，两年时间一晃就过去了。

"青翠坡县广播电视干部培训基地"因资金及政策等客观原因，已变得名存实亡。我却仍然待在深山老林里，似乎完全被人遗忘。

一个周末的傍晚，秋风瑟瑟，落叶纷纷。周素菊给我捎来一位名叫金布丁的大学同班同学的来信。金布丁在信中说，大学毕业多年了，至今没见过一次面，大学毕业后他分配回老家黄翠坡县一国有农场工作，前年夏天考入了北京文理学院读硕士研究生。金布丁在信的最后这样写道：

> ……北京现在秋高气爽绿树红花是一年最美的季节。只是我因终日忙着毕业论文，劳累成疾，日夜咳嗽不止，我多想喝上三五杯来自故乡的罗汉果热茶啊……大学四年，全班四十二人，皆劳燕分飞随风而去，唯你我的友谊如陈年老酒，越久越醇，喝起来回味无穷……

病急乱投医。看了金布丁的信后我眼前一亮，金布丁走南闯北，见多识广，说不准他在地区或省里有熟人能帮忙我摆脱目前的困境哩。为我早日调回县城已经四处碰得焦头烂额的周素菊听了我的主意，也认为是柳暗花明，给予了无私的声援。

过了半个月，金布丁又来信了，信很长，字里行间透出浓烈的酒气。

> ……北京的秋天格外干燥，容易上火，喝罗汉果茶润肺最好。今天下午突然收到石兄千里之外寄来的罗汉果，这真是雪中的火炭，久旱后的甘霖……石兄提及目前窘境，我深表同情，却爱莫能助。不过，依小弟之见，像你我无权无势无钱之辈，要在仕途混出个人模狗样，恐怕唯有考研才是出路。小弟建议石兄不妨学学我，来个吃第二遍苦，受第二遍罪之后，期望得到彻底的涅槃，依石兄之才华，考上研究生当是小菜一碟……

夜里，我从梦中醒来，听着"哗啦啦"翻涌的松涛，脑海里反反复复想着金布丁的建议。

中秋节过后不久，周素菊又进山里来告诉我说，为了走关系把我调回县城，中秋节前，她又张罗着借了不少款给几位领导送礼，但过节这么久了，还是毫无音信。听了这话我的心彻底地凉透了，自从被贬到萝卜山，周素菊为了我早日调回县城，四处举债求人走关系，但因陈成三从中作梗，送出去的礼全成了打狗的肉包子，到头来，除了落下一屁股债外，所有的努力都付诸东流……

夜里，望着伸手不见五指的窗外，我终于下定决心通过考研究生离开深山老林。这个念头一经形成，居然就占据了我的全部意识空间，血管里流淌的也是这种无可撼动的念头。

对陈成三恨之愈深，考研之心愈切。

我曾经发誓不再考试了。当年，我在华东大学领到毕业证书和学士学位证书后，跟同室的六位室友到外滩的一家酒店举杯高呼："为十几年寒窗最终结束，为彻底免去多如牛毛的考试，干！"为了这句话，我们拿出了破釜沉舟的决心——趁酒还没醒就把大学课本捆成若干捆，搬到校西门的废品收购站，换来的钱再次买醉。

但世事沧桑，时隔九年，我不得不重拾书本，吃第二遍苦，受第二遍罪。一股悲凉沧桑袭上心头。

在无数个看似救命稻草的人走马灯般地飘过我面前后，我决定抓住金布丁作为我最后的希望。

"寄些越南干蛤蚧给他泡酒，明天就给他写信，不行……先别提考研之事。"

周素菊知道我想通过考研来摆脱眼前的困境，她也仿佛看到了夫贵妻荣的壮丽画卷在前方向她展现，她开始积极热情地帮我谋划考研之事。

又过了半个月，金布丁回信了。信中这样说：

> 若你打算考研，那么，从现在起，你必须与本单位领导搞好关系，因为考研须征得单位同意并出具报考证明方可报名，考上线了，须单位同意才能调档，入学前单位还须对考生作一个全面

的政治思想鉴定。录取后，转户口粮油关系工资关系党团关系，也须征得单位同意，若单位不同意就寸步难行……

看到这里，我叫苦不迭，额头上沁出密密麻麻的汗珠。

周素菊有些莫名其妙，把我推到房里，关切地问："怎么啦？坐下来慢慢说。"我把担心的事向周素菊说了。周素菊听罢，气咻咻地说："考研是正大光明的事，又不是见不得人的事，陈成三凭什么不让你考？兔子急了也咬人。他真不让考，我们就告他……"周素菊站起来，抹着泪骂道："你从名牌大学毕业回来建设家乡，非但没有受到重用，他还算尽机关排挤你，不把你当人看，他算什么领导，他要敢不让你考，我就跟他拼命了！"

周素菊越骂越气愤，骂到最后，却靠在床头不断抹起泪来。

夜里，两人反反复复商量了半夜，最后，决定先求老独头帮忙试探一下陈成三的口气。

过了一星期，老独头捎话给周素菊。周素菊听完连课也不上了，马不停蹄地赶来萝卜山。

陈成三明确表示："如果石明雷申请正式调到萝卜山上专职做以米易水活儿，我立刻同意，至于调动到其他地方或考什么研究生，那绝对不可能。把县广播电视局当作旅馆，想来就来，想走就走，成何体统！"

陈成三的态度其实早在我意料中。所以我的淡定让周素菊感到有些意外。我弹了弹烟灰，说："有些富人见不得穷人过年。跟陈成三商量这事儿，无异于与虎谋皮。他宁可让我活得人不像人，鬼不像鬼，他这个王八蛋，看见我过得比他好就眼红。"

"那你怎么办啊，啊……"

两人无计可施，日夜长吁短叹，以泪洗面。

过了几天，我写信给金布丁，一五一十把情况跟他说了，求他给指个道。

金布丁很快就来信了，信中告诉我说：

《国际歌》教导我们，从来就没有什么救世主，要创造人类的幸福，全靠我们自己……他不同意你考，那也不碍事，自己动手，丰衣足食。所以说，他不同意，不要紧，缺什么，你就弄什么，他不给盖章，你自己盖，他不给写鉴定，你自己写……

金布丁在信的最后说，这是他的现身说法，按他说的去做，准会成功。

看完信，我愣了半晌，"金布丁这招就不仅仅是损的问题了，那可是要犯法的！"

金布丁的建议像是色狼伸向少女的魔爪，极力要突破我道德的最后底线。我陷入矛盾和痛苦之中。

不久，金布丁又来信了。他在信中这样开导我：

你真是胆小如鼠。陈成三行贿受贿，鱼肉百姓，也不怕犯法，我们这种贫寒书生为求学略施小计，老天也不会计较的。在这人生的十字路口，你要拿出抉择的勇气，你说这个违法，那个又违纪，那你老婆为了你调回县城，这两年来四处举债送礼，那是不是违法违纪了？所以说，大丈夫敢作敢为，怕个啥，就算违纪违法被查处了，也比你一辈子待在深山老林里强上十倍百倍……你听我说，照我说的去做，神不知鬼不觉地作准备。待你考上了，老婆也不要待在那穷山沟里了，一起到北京来，硕士生毕业，去哪儿不行？很多地方还会安排家属哩。明年全国总共才招两万七千多人，多抢手啊！

接下来我表现得很不争气，几乎没有经过多少思想抵抗，我便敞开了我的道德底线，心甘情愿地接受了罔顾法纪的蹂躏。

第二天，吃过午饭后，周素菊要到乡集上搭车回县城，出门前，笑着说："如果下周六发了十五元出勤奖，我就进山来，给你买几斤肉补补身子，对了，晚上看书也不要开夜车，日子还长着哩。"

"月底还是我去看你吧，这阵子，你总是风里来雨里去的，几十里山路，多不容易，还是我去看你吧，你看你，瘦多了黑多了。"

两人脸红了，好几年没有这么客气这么体贴。决定考研后，两人都觉得一下子成熟起来了，淡定地展望着前方等待我们的鲜花、掌声和红地毯。

九月初，我花十元钱买了一沓信封和邮票，分别给全国各高校研究生招生办寄信，信中无一例外如此表白："贵校是我心中的哈佛，梦中的剑桥，我向往崇拜不能自抑，我极希望能到贵校深造……"再在信封里夹寄两元现钞索取招生简章及历届研究生入学考试试题。这些信寄出后，回信很快如雪片一样纷纷飞回。

和其他高校的研招办一样，京师文理学院研招办收到我的信后，很快寄来了招生简章。此外，还寄来该校近年来各专业硕士研究生入学专业课考试试题油印本，试题内附一张小字条，说："此书五元，简章二元，你仅寄来二元，请补寄五元。"我看罢付之一笑，顺手将字条揉成一团，正要往火灶里送，不料，坐在旁边的周素菊眼疾手快夺了过去，趁我不注意时塞进了衣袋里。

周素菊从买菜的钱里省下了五元，到邮局补寄并具上我的大名。据金布丁后来说，补寄五元欠款之事虽小，意义却重大深远。研究生部招生办的领导不仅多一次看到我的名字，而且从这件小事中，领略到了我的诚意。

金布丁在信中郑重告诉我，我在各类报刊上发表有十多篇政论文，建议我不妨考政治专业的党政管理方向，从这几年该方向毕业就业情况看，这专业绝对是个香饽饽，能确保我在官场如虎添翼……金布丁说："你攻读这个专业方向，将来毕业出来后，进入官场肯定会平步青云。否则，再读个新闻或汉语言文学或文言文研究什么的，毕业出来后，继续从事专业研究工作，与从政为官毫不沾边，那你吃第二遍苦受第二遍罪考研读研，很可能成了脱裤子放屁——多此一举。"

我觉得金布丁的话很在理。

我从京师文理学院一九九二年度硕士研究生招生简章中得知，九二级全校共有五十八个专业招生，共招六十八人。我听从金布丁的建议，决定投考政治专业中的党政管理方向。

党政管理方向一共招三人，这给我增加了不少勇气与信心。一个方向能招到三人，数量算是较多的了。许多研究方向一般仅招一至两人，有的甚至是两三位导师合招一人。

从招生简章中我还了解到，党政管理方向的指导老师是持实教授和李寿昌教授。两人都是教授，我猜不出谁为首，只好分别同时给两人写信。第一封信倾诉对该专业该方向和对导师的仰慕和向往之情，第二封是倾诉复习中遇到的困难，希望导师能划出重点与范围。第三封是……每次收到回信，我与周素菊如获至宝般欣喜若狂。兴奋之余，往往是一连回几封信。显而易见，两位导师肯定同时收到我的信，但持实教授从未给我回过信，而李寿昌教授则是每信必复。

持实教授的态度让我有些疑惑与担心，但周素菊提醒我说，他们两人都是同一个方向的导师，肯定相互沟通后指定由李寿昌教授负责回信。我觉得周素菊的分析很在理，从此就不再给持实写信了，改为跟李寿昌单线联系。

李老的字体歪歪扭扭。用周素菊的话来说，就如贴在墙壁上的干青蛙皮。但我和周素菊一致认为，学富五车的老教授的字迹应该就是这样，工工整整一笔一画，反而显不出深不可测的学问来。

李教授在第一封信里说，非常欢迎我报考他的硕士生，并预祝我成功。

这封信让我与周素菊激动了整整一个星期，给我们带来了久旱逢甘霖般的欣喜，当然也带来了洞房花烛夜般的 N 次释放。

周末，我回到县城，周素菊放学后，又迈着轻盈的步子，哼着流行歌曲回来，显然，北京又来信了。

李教授这次回信，是针对我上次去信中请教的难题以及复习重点与范围作了比较详尽的解答。他在信中详细罗列出一系列复习资料——

科社原理：郑建邦主编，中国人民大学出版社一九八三年版；

原著：《共产党宣言》，恩格斯的《反杜林论》和《路德维希·费尔巴哈和德国古典哲学的终结》，列宁的最后五篇日记；

世界史：包括近代史及现代史，吉林大学出版社，一九九○年版……

我兴奋不已。晚饭时，周素菊特地多烧了一碟油炸豆腐，并破例让我喝了两杯本地用红薯酿造的三角六分一斤的单蒸酒。"我爱北京天安门，天安门前太阳升，伟大领袖毛主席……"歌声在两人的耳畔激越回荡。

两人边吃边聊，从未到过北京的两人不时描绘着天安门广场与长城的雄伟壮观。末了，又详细研究如何乘火车进京。周素菊一本正经地告诫说："眼下火车上治安欠佳，晚上睡觉时最好用手提箱枕着头，钱看来放在身上不安全，必须专门买一条防盗内裤，但上厕所一定要小心。"两人越谈兴致越浓，他奶奶的，困窘落魄的人可真容易满足啊。

第二天醒来，又开始发愁了。在青翠坡这么偏僻的小县城，到哪儿弄李教授指定的书呢？

吃了早餐，两人立即跑到县图书馆打听。县图书馆倒是有马列著作，只是十五天借一次，重借要另办手续，逾期不还的要罚款。手续烦琐不说，还不允许在书上乱写乱画，偏偏我有一个怪僻，每逢开卷，必手执一笔，一边看，一边在书上胡写乱画。如不让我在书上胡写乱画，那看过的内容无疑如水过鸭背——秋毫无犯。两人悻悻地离开了县图书馆。

我回到萝卜山后，周素菊继续多方打听，后托熟人到县中学借到了《世界史》及《科社原理》，还差马列著作。后来有一天，周素菊闲得无聊，到学校图书馆跟管理员聊天，管理员边跟她聊天边打扫卫生。周素菊顺手帮忙拿着鸡毛掸子四处掸扫书上的积尘，当她掸扫到"马列著作"那栏时，"啊——"的一声情不自禁地惊叫起来。

虽然蒙了一层厚厚的积尘，但这栏"马列著作"却码得整整齐齐，足足有七八米长，似乎买回来后从来就没人动过。仔细盘点，李教授指定的马列著作原著果然全部都有。周素菊喜出望外，大声嚷着要借这些书。管理员听说周素菊要借这些书，以为搞什么恶作剧，但周素菊已跑到柜台前执意要登记，只好大大方方地说，还登什么记，全送你了，要哪一本，你自己拣吧。周素菊捡出李教授指定的那几本书放在桌上，拿起鸡毛掸子又扫又拍了半天，乐滋滋捧回家了。正所谓"踏破铁鞋无觅处，得来全不费工夫"。

一九九二年一月十九日。一九九二年度全国硕士研究生入学考试终于要鸣锣开考了。经过近四个月汗水洗礼的我在周素菊的关注和期待中，悄悄地从萝卜山赶到了青山铺市，住进了设为考场的市第二十四中学附近的一家招待所的一间八人房。房价不贵，五元一晚。

考前的那个晚上，房里格外闷热，加上几位跑长途贩卖冻海鱼的客人鼾声如雷。我辗转反侧无法入睡，后半夜起床跑到外边水池洗了一个冷水澡，第二天起床时，只觉头脑发胀，两眼昏花，浑身发烫。我赶紧磕磕绊绊到旅社对面一家卫生所。医生量体温把脉查看咽喉后，说要打一针。我焦急地问打一针要多少钱，因为我离开萝卜山时身上仅有一百元钱，昨天入住招待所交了二十多元，考三天试的伙食费，每天三餐，算起来也得四五十元，还得留十多元买车票回家。

医生说，打一针得花十八元。我听罢，有点犹豫。医生于是上下打量我，最后问我哪里人，来市里干什么，我如实说了，并拿出硕士研究生入学考试准考证给他看，医生看罢准考证后，一定要我打一针，否则今天肯定不能参加考试。

见我犹豫不决，医生又提醒，现在刚刚发烧，咽喉刚刚有一些炎症，本来应该输液，但一输液那就得花几十元钱，再说你八点半就要考试了，也没时间。既然你想省点钱，我加大剂量给你打一针，虽然对考试有些影响，但估计病情不会扩散，这几天的考试你也能挺过去，总比不能上考场的好。

医生看出了我的难处，笑着说："这样吧，挂号费和打针的费用我就不收你，我只收药费，就收你十三元吧。"

我很想学电影里那个经典的谢恩镜头，双膝跪地，涕泪纵横，大呼一声："恩人哪……"哭昏个十次八次以表肺腑，可惜这么优秀的传统现在已经不流行了。我咬了咬牙，即松开裤子，让医生在屁股上扎了加大剂量的一针。医生在注射完抽出针头时，拍拍我的屁股笑着说："兄弟，将来做了大官，可别忘记了在市二十四中附近有一间诊所里有一位好兄弟等你关照啊。"

我含泪点了点头。这个时候任何语言都是苍白的，只有眼泪才是最好的回答。

两个月后，成绩单从北京寄来了。原著考了八十七分，世界近现代史与科社原理都考得不错，分别考了九十分和九十二分。但很不幸，英语仅仅考了二十分。

原以为伟大的首都北京——我长期向往的精神伊甸园，时刻在向我招手，此刻却有一种被祖国抛弃的感觉。

虽然我也一直给自己打气一颗红心两种准备，但当名落孙山的假设变成赤裸裸的现实时，我还是痛不欲生。

接到成绩通知单后的一个月里，我绞尽脑汁找各种借口不让周素菊知道。这小半年来，周素菊为了我能如愿考上研究生，起早贪黑忙家务，勒紧裤腰带给我买了一部录音机来学外语。周末两人相会，当我温书疲倦时，她总是适时地给我端来一碗香喷喷的荷包蛋面条。天可怜见，为了考研我们两口子都快不要命了，偏偏上天弄人，英语竟然只得了可怜的二十分，这个分数无论如何是不能被学校接受，更不能被周素菊接受。

每次追问成绩，我总推诿说成绩单还没寄来。可再也看不见李教授的来信，周素菊渐渐有些沉不住气了。

两人情绪低落到了极点，周素菊通宵叹息，而周素菊越是叹息，我情绪越是压抑低落；情绪越是压抑低落，就越是深深地影响我的性功能，就越是让周素菊痛苦叹息不堪，这种情形都快成恶性循环。我快要崩溃了。

八月初的一天早上，天刚放亮，我就起床收拾行李准备进山，想早些离开流泪叹息了一夜的周素菊。当我临窗叉开五指梳理乱蓬蓬毫无光泽的头发时，无意间从镜子里看见自己宽大饱满的额头在晨光的照映下油光发亮，我想起母亲常挂在嘴角的一口话：算命先生说雷儿天庭饱满，能逢凶化吉。记得童年时，母亲每遇什么不顺心的事，总是一边"滴滴答答"地流泪，一边用干枯的巴掌反复量着我那一巴掌也盖不过的额头。在我最倒霉的时候，也就是我小学毕业时，因为经常不参加学校的支农劳动，在选送上初中时被管理学校的贫协代表们判了"死刑"——即便在这个时候，母亲依然坚信她那大额头的儿子总会有出息之日。因此，当父亲从深山老林里找回了一棵质地和弯度都极为理想的木料，打算给我做一个标准耐用的犁架时，母亲异常震怒："雷儿天庭饱满，日后必成大器，怎么能给他造一个如此耐用的犁架呢！"父亲大惑，母亲低声解释说，雷儿不可能一辈子跟泥巴打交道的。

正要转身出门，发现门缝底下有一封信。应该是学校收发员昨晚送来，不便敲门，悄悄塞入门缝底下了。

这是我曾经很熟悉的一个深黄色的信封。我以百米冲刺速度冲过去抓起来，就着从窗外射进来的晨光，瞅了一眼信封上的字，上面是我更加熟悉的李教授的"干青蛙皮"字体。

成绩单寄来后，李教授跟我的通信就中断了，时隔近五个月，李教授在临近新学年开学之际突然来信……我双手如筛子般哆嗦个不停，强迫自己镇静下来后，用剪刀小心翼翼地将信剪开，好像里面不是信笺，而是一只长有翅膀的金鸟，一不小心，就会扑棱棱地飞走。

这是一封放飞我人生希望的信，是一封改变我人生轨迹的信。

李教授在信中这样写道：

> 你的英语单科成绩实在太低了，不上线，但考虑到你的专业课很好，又在全国及省级报刊发表过十多篇政论文，你又属于"老、少、边、穷"的考生，再说你的决心也很大，志在必读。有鉴于此，我已于上个月破例向校研招办领导提出请求，研招办负责人同意全力做北京市研招办有关人员的工作，现经努力争取，北京市研招办已同意我校研招办的请求，同意录取你为九二级政治专业党政管理方向自筹经费培养的硕士生……时间仓促，研究生部从实际出发，将按规定要进行的面试程序都给你免了，录取通知书估计近日就给你寄出，请查收……

我不敢相信自己的眼睛，当我确认信笺上的"干青蛙皮"确系出自李教授之手时，我再也控制不住自己了，一个箭步，扑到正在因我的窝囊而被通宵折腾得身心憔悴苦不堪言的周素菊身上，伸开双臂紧紧把她搂入怀中。

录取通知书直接寄到周素菊学校，是金布丁到研招办签领后亲自用挂号寄来的。收到通知书后，周素菊第一时间赶来萝卜山。

我小心翼翼地收起通知书，诡异而严肃地问："有谁看到了没有？"周素菊摇摇头，我松了一口气，说："千万不能走漏风声！"

周素菊说："怕什么？这是光明正大的事，他们还能对你怎么着？"

"这你就有所不知了。我现在可以说是万事俱备只欠东风了。现在的问题是怎么转我的人事档案粮油关系。如果陈成三不让我调人事档案，不让我转户口粮油关系，不让我转党组织关系……就算我要跟他打官司，我哪来的钱和精力跟他们耗啊？再说，通知书上不是明写着，逾期不注册报到的要注销入学资格吗？"

"那怎么办？"周素菊脸上的兴奋一扫而空。

"没事的，慢慢来，只要不让他们知道我是到北京读研究生，不让他们知道我将来也有出头之日，就应该没问题，至于如何办，回头我们再慢慢斟酌……总之，待我到了学校，把一切关系都转入了学校，到那阵子，就算知道我读书去了，他们也只能干瞪眼。"

夜里，月明星稀，夜空弥漫着氤氲的雾气。萤火虫在原野上争相效仿天上的流星四处飞闪，蛙鸣声蟋蟀声和着多声部的合唱。我与周素菊相倚在泉水边一块青石板上，月光照在宽大的芭蕉叶上，洒下斑斑驳驳的影子。泉水潺潺声显得分外清脆。泉眼的响声似乎比白天丰富多了。草根说，这泉水也似海水一样，也有个潮起潮落的时候，海水是在农历初一和十五涨潮的，这泉水则是在子夜时分涨潮的。

多少年没有留心大自然的日落月升草长莺飞了，疲惫的身心在醉人的夜色中生出了久违的浪漫。

我深情抚摸着周素菊瀑布般的秀发，把脸贴在她脸庞上。

"这些年，让你受委屈了，今生今世，我一定好好待你，如果……就让雷劈死我……"周素菊狠狠地擂了我一拳，两眼止不住滚下串串泪水，她把头深深埋入我的胸膛，默默抽泣着。半晌，她破涕为笑，抹了抹泪，说：

"别提这些了，我们还是合计一下如何办妥你的入学手续吧。"

是呀，可不能一招不慎满盘皆输啊。

早上起床后，我特地搭过路的马车到乡邮所打长途电话给金布丁，电话打到京师文理学院的总机，好说歹说了半天，接线员才帮忙转研究生宿舍楼的分机，分机打通后，门卫又传呼了半天，才将刚刚硕士毕业但尚未离校的金布丁叫到电话机旁。听到金布丁的声音，我忙不迭地把自己的担心和顾虑向他和盘托出。不料，金布丁听罢，"哈哈哈哈"大笑："你这一回真他妈的跟我同是天涯沦落人了！"

原来，金布丁考研的遭遇跟我如出一辙。他与单位的头儿闹翻了，走投无路之际就铤而走险走了考研这条独木桥。头儿一听说金布丁要考研，唯恐这厮将来出人头地，对金布丁报考的所有手续坚忍不拔地设置了重重障碍。为了考研，金布丁只得背地里偷偷伪造报考材料。后来考上了，接到了录取通知书后，他还是守口如瓶。

经过反复缜密的思考，金布丁先向单位递交了一份辞职报告，谎称主动放弃铁饭碗到广东打工。单位领导放松了警惕，连开会研究也免了，大笔一挥就同意。通过这一点，我敢断定这位领导肯定不是转业干部，军人强调的就是提高警惕保卫祖国嘛。所以呀，思想政治工作要常抓不懈，不然就不会被破坏分子钻了空子。

这样，金布丁在入学前，就拿到了贴着盖有单位大红印封条的个人档案，逢人便说要拿到县人才交流中心托管，暗地里却悄悄拿到邮局用特种挂号信寄到了学校，其他行政介绍信工资关系团组织关系，全凭着一把刻刀与几个南瓜蒂搞定。后来，单位头儿知道金布丁声东击西千里走单骑到北京读研，不禁后悔不迭，但此时已束手无策。一来金布丁是辞职后才上研究生的，他们还管得着吗？二来，此时的金布丁非彼时的金布丁了。到北京上学后，金布丁常跑京师党政大学和西河省政府驻京办事处等地，认识了省里好几位来京培训学习的重量级大官，嘿，金布丁原单位那几个鸟领导现在还巴不得讨好他，好让金布丁在省里那几位大官面前美言几句哩。

野鸡一旦变成了凤凰，拔了毛都是一本写真集。

金布丁在电话里一板一眼地叮嘱我：你辞职了，谁也管不了你的档案，你自个拿到邮局用特快专递寄来研招办。当然，你辞职后从单位往外拿档案时，要让单位在档案上贴个封条盖个公章，至于其他行政介绍信党组织关系政治思想鉴定什么的，对你来说还不是小菜一碟，弄几个南瓜蒂就搞定，不会有人仔细考究这些印鉴的真伪的，有一个红圈圈摆在那里就成。只要不让研究生部发觉在报考材料上弄虚作假，就可以浑水摸鱼蒙混过关。就算研究生部将来发现了，你花点钱打点打点也就算了，船到桥头自然直嘛。退一万步来说，此事真要闹得满城风雨，研究生部领导的脸面也没处搁。末了，金布丁又强调说，这事宜早不宜迟，免得夜长梦多。

尽管金布丁在电话里将胸脯拍得"劈劈啪啪"地向我保证：走他"先辞职后读研"的路子是最稳妥的办法，绝对不会出现任何差错。但数年的官场生涯告诉我，很多经验是不可复制的，别人用这招好使，放在我身上就未必行得通。尤其这一次更是关系到自己后半生的前程，我自然不敢草率行事。

我耗尽生平所学，反复推演此事的利害关系：

如果陈成三能识大体，很开明地放我一马，那一切都顺风顺水，一不留神还落得个前嫌冰释的完美结局。当然凭着我对陈成三的了解，发生这种情况的前提一定是陈成三的脑子被屁崩得伤风了。

第二种情况就是陈成三在事先不知情的情况下，同意我辞职，那么后面的路子照金布丁的做法也未尝不可。

第三种情况就是陈成三居安思危坏事做绝，本着防患于未然的原则根本连辞职都不批准，那我就不可能拿走档案，而如果拿不走档案，后面的所有假设则均不成立。

尽管"先辞职后读研"这路子在理论上是行得通的，且前人的成功实践加以佐证，但事关重大，我理智地告诫自己：凡事务必三思而后行啊。

在这事关生死存亡的危急时刻，我想到了我的乡党——老独头。历史总是在它转折的关头，有一个正确的人在正确的时间站在正确的位置上，从容地指引着未来的走向。这个人不一定很伟岸，但一定很关键。我的直觉，老独头就是这个角色的不二人选。虽然老独头手无实权，但如果他肯够哥们义气，两肋插刀，利用工作之便，将存放在铁皮柜里的我的个人档案偷出来给我，然后又塞入一份复制的档案进去掩人耳目。这一招在三十六计中叫瞒天过海，活学活用嘛。所以强调弘扬传统文化我历来都是举双手赞成的。但物是人非，事儿还是那个事儿，就不知他老独头这个人是否有这个胆量。

我试探性地把这个想法告诉了周素菊，周素菊倒吸了一口冷气，说："即便老独头有这个胆量，他也未必就能成功，因为他没有铁皮柜的钥匙。再说，不能看扁了管理档案柜的办公室苏主任，苏主任当年在对越自卫还击战时还是尖刀排排长，立过战功，他也不是省油的灯。现在时间紧，任务急，也不知什么时候老独头才有机会下手。再说，这样做风险也太大了，一经发现，非但拿不走档案，还连累到老独头。"我再次感叹成龙的那首歌"不历经风雨，怎么见彩虹……"考研的沟沟坎坎把周素菊催熟了。

周素菊吸了一口气："再说，你跟老独头不过是同乡关系，他凭什么肯冒这个险帮你的忙？你啊，真是书呆子，看科幻侦破小说太多了。"

"金布丁先辞职后读研的路子兴许能行得通，我们不妨试试。"

晚上，两人又磋商到半夜，鸡啼时分，终于就"金布丁主义道路"达成了共识。

翌日上午，我到县广播电视局找到老独头。在他对面坐下后，我汲着鼻涕，揉着眼睛，极力做出一副心灰意冷失魂落魄的样子，哽咽着说：

"家母病危，弥留时日不多，为尽孝心，我决定辞去公职，自谋出路，多挣几角碎钱，好给老母抓药。求你看在同乡的分上，替我在陈成三面前说说情，陈成三以前也常放出风声说，只要是我要求辞去公职，他立刻同意，哥哥呀，请你替我说说，他应该不会为难我的……"

老江湖就是老江湖，老独头听我一口气说了这么多，不屑地哼了一句："长他人志气，灭自己威风！"很显然，他对我辞职一事持怀疑态度。因为以前我和他两人结盟并 N 次发誓要跟陈成三斗到底，且是越挫越坚，从未打过退堂鼓。

一连几天，我每天都跑到老独头那里上演辞职戏，有些是修订版，有些是续集，目的是为了加强印象。老实说，反复的幕后排练让我都入戏了，以至于刚走到老独头门口，还没见人就先哭得"稀里哗啦"。

这回老独头看来是信了。

"唉，哀莫大于心死。辞职不干？我真想不通。这几天我有点乱，你容我想想，过几天再给你回个话。"

周末，老独头找到我，果然给我一个明白答复：按正常程序打份报告给陈成三。报告写好后，直接送办公室苏主任。

"这是陈成三的原话吗？"

"是苏主任说的。"

我心里凉了半截。"老将出马还不一步到位！明说了吧，陈成三是不会同意的，说不定他还会落井下石呢！"我不无嘲讽地把话扔给了老独头。

"你先按我说的去做，有什么闪失我会搞定的。"

"行不行啊？"

"我上面有人，成了吧！"老独头扔下这么一句话后，扭头就走。

晚上，我回到周素菊宿舍，把老独头的回复告诉周素菊。她沉思片刻，说，老独头靠收破烂收狗收蛇起家，现在做了县广播电视局干部，又读省党校大专函授，而且他农中毕业的大儿子都做了干部，估计他真的有后台。

鸡啼三遍时，两人再次就此事达成新的共识——不妨先听老独头的。

第二天，两人吃过早餐便闭门谢客写请示。其实，不闭门也没客人来，穷在闹市无人问嘛。但现在是非常时期，一点风吹草动都能把我们俩吓出尿来。可恨那陈成三威风八面，留在我脑子里的全是苦难的印记，搜肠刮肚想到的全是陈成三的坏处，一咬牙，昧着良心造了一份请示，快到中午时才最后定稿。

关于请求辞去公职回乡当农民的请示

尊敬的陈局长：

自一九八二年七月本人大学毕业分配到局里工作以来，无论工作上还是生活上都得到您无微不至的关怀。多年来，本人在局领导尤其在您的正确领导和亲切关怀下，光荣地加入了党组织，还在一些报刊发表不少作品，同时还找到了终身伴侣，本人一直对局领导尤其对你感恩戴德。即便是被派到萝卜山培训基地锻炼，本人也看作是局领导尤其是您的特别关怀与精心栽培，自始至终感到机会来之不易。

经过两年的基层锻炼，我深切认识到，我的政治思想水平和业务综合素质能力离组织要求和人民的企盼尚有很大差距，显然不宜继续留在县广播电视局工作，为进一步加强我县广播电视干部队伍的建设，同时也为了回乡照顾我年迈多病的母亲，在她弥留的时日，尽自己的孝心，我恳切要求辞去公职，离开县广播电视局，心甘情愿回乡下做一名农民，把机会让给那些思想境界更高、能力更强、素质更高、更年轻有为的同志。

　　辞职一事并非心血来潮，而是经过反复慎重的思考，不管我将来生活得如何，我决不会对局领导尤其是您有丝毫怨言。

　　　　　　　　　以上请示，妥否？请陈局长示定。

　　请示写好后，我顾不上吃午饭，就跑到街上请打字店的小姐打印成一式两份。回到周素菊住处，就着几根腌萝卜胡乱吃了两碗稀饭，下午一上班，便快马加鞭一溜烟地向县委大院赶去。

　　到县广播电视局办公室时，才知办公室苏主任昨夜喝高了，今天在家补休，办公室的人告诉我，要是有什么急事，就直接上他家去。

　　苏主任的家在县委大院后边的宿舍楼，以前我常常到他家喝酒。出了县广播电视局，穿过县委大院的小后门，不一会儿便来到苏主任家门前。门虚掩着，面边有电视机的声响。

　　轻轻叩了门，苏主任的老婆赶紧开门迎出来，见我来了赶紧进去通报。苏主任一听，知道我是无事不登三宝殿，穿着内衣内裤迎了出来。

　　苏主任老婆没有正式工作，榨季时到糖厂做季节工，榨季一过，就闲在家里，有时也贩卖些水果。她给我倒了一杯茶，寒暄了几句就挎着菜篮子出门买菜去了。

　　苏主任是本县那虾乡人。读高中那阵子，适逢全国教育战线开展轰轰烈烈热火朝天的"教育学大寨"运动，没正经念过几天书。一九七八年冬应征入伍，入伍一个月后即开拔广西中越边境前线，次年春出国参加对越自卫还击战，在攻打越南同登车站时，不幸胸部受伤，部队班师回国后，被授予二等战功。五年前从连长职位上转业回来，被安置到县广播电视局任办公室主任。苏主任到地方工作后，深感自己文凭太低，便报读县党校行政管理大专函授。在我们的干部队伍里知耻而后勇的干部很多。进机关时还是初中毕业等到当局长时就手握党校研究生文凭的例子不胜枚举，要不都说我们的队伍里都是学习型干部嘛。老苏虽然也有一纸文凭，但几乎所有的作业都是我替他写的，作为回报，他常常将在公务接待中顺手牵羊弄来的烟酒送我。

　　客气一番，我便把装有辞职信的信封递到苏主任手上。苏主任接过沉甸甸的信封，脸上掠过一丝不易觉察的惊喜，拆开后脸上又掠过一丝不易觉察的诧异。愣了半晌，他长长叹了一口气，说："唉，真是糟践人才……"

"别别别……我算什么人才，现在大学生多的是。"我赶紧道。

苏主任又沉思一会儿，突然眼睛一亮，诡秘地笑问："老弟，是不是有什么地方等你去高就？……"

我的心"咯噔"一下收紧了，但旋即又镇定下来。我捧起茶杯，做出一副悲戚的样子："唉，家母风烛残年，贫病交加，苟度余日，我只想早早辞去公职，回家尽尽孝心，至于工作，目前倒没有，以后再说吧。不过，就算外出打工，再怎么说也谈不上高就。"我的眼泪很争气，恰到好处地泪泪涌出。见我哀伤到几乎不能自已，苏主任垂下眼皮安慰我：

"小石呀，自从你被发落到萝卜山后，陈局长多次说，只要你辞去公职，他立刻同意。其实，你对县广播电视局来说，早就是名存实亡。你这一去都两年多了，跟局里也没啥瓜葛，那牛乡也不给你发工资，你受苦了……对了，这两年多来，你的组织生活怎么过的？"

组织生活？又不是夫妻生活想过就过。估计组织上对我的党性立场还是很有把握的，把我扔到"根据地"任由我自由发展，连党费也自收自支了。

"你找支委把党费一次性交齐了，其他剩下的交给我办了。"见苏主任这么说，我心中窃喜。

同情弱者历来是人性永恒的光辉。见我人之将走，苏主任其言也真。他越说越气愤，最后"霍"的一声站了起来："陈成三出差了，我直接传呼他，这么点鸡毛蒜皮的事，包在我身上了。"

陈成三很快复机了，我的心"怦怦怦"直往嗓子眼里蹦，是大功告成还是功败垂成就靠这一锤子买卖了。

电话打通了，苏主任把我辞职的事三言两语跟陈成三做了汇报。我望着苏主任，紧张得直想上厕所，周围的空气都凝固了，房间里只剩下苏主任唯唯诺诺的搭话声。突然，话筒里传来几声吼叫，苏主任浑身抽搐了一下，脸色"刷"地变得苍白。

放下电话，苏主任用手背抹了抹汗涔涔的额头。

"……怎么样？"我小心翼翼道。

"没事，没事，他同意了。"苏主任还是一个劲地抹汗。

我喜出望外，但又不太相信，于是又怯怯地问："这么干脆？"

苏主任苦笑着点了点头。

"陈局长他怎么说的？好像挺不高兴的？"我明知故问。

苏主任捧起茶杯喝了一口茶，神情渐渐平静下来后，掏出一支烟递给我，自己也叼上一支，点上火，吸了一口，长长地吐出一口烟雾后，自言自语说："也好，你早一天离开县广播电视局也好，凭你的才学，在哪儿混都比在青翠坡县广播电视局强。"说罢，又吸了几口烟，从鼻孔里喷出两道烟雾，"唉，我原先只听说你跟他之间有些摩擦，想不到这么严重，你们俩还是老乡加同学呢，有什么过节解不开啊？"

"陈局长他到底怎样说的？"我赔着笑脸道。

"他一听到你的名字就暴跳如雷，气不打一处来，连我也给臭骂了一顿。"

"那我的辞职请示他到底同意没同意？"

"岂止同意！他一听说你要辞职自谋出路，就恶狠狠地骂道，早就该叫你滚蛋了，还命令我立马给你办手续，说是让你今天就滚，不愿你在县广播电视局多待一分钟！"

我大喜过望，为聊表低调，我努力做出一副委屈难过的样子。苏主任看在眼里也觉得不是滋味，狠狠地吸了几口烟，抬腕看看表，说："我们回局里吧，我得赶快给你办手续了，下班前你把你个人档案拿走，免得他回头又像疯狗一样乱咬人。你也知道，我在单位也是临老学绣花，心巧手不巧，帮不上你的忙。你现在是虎落平阳被犬欺，龙搁浅滩遭虾戏。有道是，此处不留爷，自有留爷处。与其在这里受他折磨，还不如早点走人，我就不信你正宗科班出来还找不到一个你想去的地方。"苏主任一副爱莫能助的样子。

这正是我梦寐以求的结果。我赶紧起身，脚板装了弹簧似的向门口射去，可前脚刚迈出门槛，苏主任突然咳了几声，叫我等一等。我吓了一跳，生怕再出什么意外。记得心理学家说，人的亢奋期一般会持续四十八个小时，过了四十八个小时就会渐渐变得冷静和理性。别不是苏主任的亢奋期紊乱了吧。今天若是办不成，过两天陈成三也会冷静下来，到那时再来个"研究研究"就麻烦大了。

其实，我的担心是多余的。苏主任回卧室里翻箱倒柜一会儿，便双手捧着一大塑料袋的东西出来递给我，我打开来看，是一床仿毛毛毯。我正疑惑，苏主任又转身进了厨房，边打开冰箱，边说："这是上次国庆节单位发的，你拿回去吧。"

苏主任从冰箱里拿出两瓶海湖产的西园家酒，用另一个塑料袋装好，无限感慨道："我现在也是做一天和尚撞一天钟，心有余而力不足，帮不上你的忙。唉……也没什么准备，区区物什，聊表心意，收下吧。"

我愣了一下，红着脸满含感激地边伸出手阻止边连连说："这可使不得，使不得呀！空手来麻烦你，办成了事，还大包小包地拿你东西，这成何体统！"

苏主任说："你就别跟我见外了，要是外人，我也不送的，再说，这两瓶酒也不是送你的，是送给你岳父的，毛毯是送给你母亲她老人家的。"说到这里，伸手拍了拍我的肩膀，笑说："以后发达了，可得拉你老哥一把。"我拗不过，只好恭敬不如从命了。

我拎着两包东西，跟苏主任急急地赶往县广播电视局。

一通百通，不用两个钟头，我的辞职手续就办好了，苏主任将我的个人档案装入档案袋，贴上封条，又在封条上盖了一排印鉴，便让我自己拿到县人才交流中心保管。前脚一跨出县委大门，我便迫不及待地招手叫了一辆正在大门前转悠的人力三轮车直奔邮局。

从邮局出来，压迫我心头多日的一块巨石终于落地了。走在街上，就如雄鹰挣脱了牢笼，重新回归了蓝天，想起来好久都没有这么意气风发了。回到周素菊住处，想想人事档案已寄走，至于政治思想鉴定行政和组织介绍信之类，在报考研究生时，我用南瓜蒂刻印了县广播电视局的印鉴，盖有七八张空白介绍信，因此这事自然也是小菜一碟。至于工资，转不转都无所谓，反正是自费生，学校又不给我发工资助学金。

一切都出乎意料地顺利。

谢天，谢地，谢人。

第4章

　　小舅子周素彪高中没读完就去了广东打工。文化不高，又好吃懒做，干了几年也没什么发展。见自己的姐姐找了个在县广播电视局工作的对象，便从广东弄几部照相机回来，每月花八十元钱在县城东边农贸市场猪肉铺尽头租了一间房子，开了一间照相馆，取名"广州照相馆"。

　　周素彪虽然没能从广东带回来一分钱，但穿着打扮却很入时。回到老家的第一天他就跑到青山铺市在左右臂膀上文了两条青龙，一年四季都穿那种磨得发白陈旧如破布下摆丝线往外翻卷的牛仔服，平日有事没事攥攥拳头，让左右臂膀上的两条青龙在暴胀的肌肉上活动活动，吓得左邻右舍的小孩们宁可绕弯路也不敢从他店前走过。后来，周素彪又模仿着一本时尚书，把自己的大包头染成焦黄色，再将头发烫成直指天空的三五十撮。这次烫头成了他自我包装中的一个败笔，不规则的黄毛大大削弱了青龙的霸气，反倒是平添了几分喜剧效果。原先被他的青龙吓得绕道走的小孩们来了个一百八十度的大转弯，只要一见周素彪出现，一大群小孩就亦步亦趋地跟在他身后起哄："菠萝头！菠萝头！"

　　早些年，我还在县广播电视局上班时，每年以采访为名跟各乡镇中学校长打个招呼，每年六七月份学校照毕业照时或多或少也能关照到周素彪，那阵子他生意不错，有事无事常到他姐姐宿舍坐坐。晚上，若我没有应酬，他就弄些菜来跟我对饮几盅。我被发落到萝卜山后，周素彪的生意便一落千丈。没事经常跟家住猪肉铺附近的几个无业青年吃吃喝喝，后来迷上了麻将赌博，常常因赌资问题争执斗殴，几年下来，他成了一个标准的小混混。

　　把我发配到萝卜山后，陈成三借口局里住房紧张，把我那间位于县委大院后边的十多平方米的瓦房收了回去。以前因宣传报道需要，我自费掏钱购置了包括一台长镜头的"凤凰牌"照相机和三脚架近摄镜等等照相设备，由于这些玩意儿在萝卜山上没用武之地，山上水汽又太重，不宜存放此类精密器材，我只得将其存放在周素彪照相馆里。每每回县城，若遇上周素菊到青山铺市参加本科面授学习之时，我都到周素彪处蹭饭，有时喝高了就跟周素彪挤一个铺位睡觉。

平心而论，县城熟人中，周素彪对我的帮助还是比较实际的。周素彪在自己的下顿还没着落的情况下，我每次到他那儿，吃喝拉撒全部包下，从不计较。现在金榜题名了，是时候请周素彪到饭馆喝两杯了。

我径直来到猪肉铺尽头的广州照相馆，轻轻拍着门。周素彪误认来了生意，不敢怠慢，赶紧穿着裤衩来开门。凑着门缝看清了是我，便嘟哝着说："你到底还让不让人活啊？你没事干，也不要老折磨人啊，我天天忙到半夜你不知道吗？"说话时，周素彪已开了门，我听说天天忙到半夜，不禁兴奋说："生意这么好？"

周素彪"呸"了一声，愤愤说："全县上万学生照相，全都指定给当官的亲戚了。"

周素彪骂骂咧咧的到门边的共用水龙头打来一盆水，蹲在门边的下水道旁洗漱。我扫了一眼这间破落的房子，志得意满地说了一句："这种窝囊受气的日子眼看就要一去不复返了。"

正用毛巾擦着下巴的周素彪愣了一下，他显然没弄明白这个比破落的房子还要落魄的姐夫今天是吃了什么药。

"亲爱的姐夫哥，你这话说好几年了吧？我们听了真的很受用哦，这也是支撑我姐活下去的唯一动力了，谢谢啊！"说罢，奋力将脏水泼出去，回头对我说："你自个下点面条吃吧，我没空陪你耗。"

"这么大清早，要上哪儿照相？"

"要是大清早就有人照相，我也不至于过这种龌龊日子了。"

"那你干吗去？"

"砌砖。"见我不明白，周素彪不耐烦说："砌长城，人家三缺一，等着我去剪彩呢！"

打麻将打到只争朝夕勇猛精进的地步也算是敬业了，万里长城永不倒的钢铁精神也算是薪火相传后继有人啊。

我从屁股后面掏出一包未开拆的"红塔山"牌香烟扔给他，周素彪没有接到，低头从地上捡起来，凑近鼻子嗅了嗅，说："今天是不是太阳从西边出来了？"

我又掏出录取通知书，在周素彪面前晃了一下，周素彪接过去，伸出舌头舔了一下手指，两指伸进信封内拈出通知书，双手捧着展开一看，脸上绽开了裂枣般的笑容："人不可貌相，海水不可斗量，姐夫，看不出你还真是个大才子啊？！"

我笑而不答，周素彪又拍了两句："三年后毕业出来，该要做主席了吧？"

"没这么厉害，不过，今年全国硕士招生不足三万人，估计也就做个县长镇长的吧。"我还是尽量保持低调。

周素彪听罢，赶紧穿衣蹬裤，照着镜子梳了梳头，拉出抽屉，拿了一些钱，说："走！"

"上哪儿？我又不会搓麻将？"

"搓什么麻将？我们到粉摊喝两盅。"

两人穿过农贸市场，来到十字路口一间名叫"城关鸡肉粉店"，拣一僻静处坐了下来，要了一壶双蒸米酒，又斩了半边白切鸡，两人细斟慢喝起来。酒过三巡后，我高兴之余，也把学费方面的顾虑告诉了他。

"你也看通知了，虽然通知书上没说到学费问题，可学费得自己出，每个学年五千五百元，三年下来，单学费就一万六千五百了，还有来回车费伙食费论文指导费什么的，没有三万恐怕下不来。"

"喔，你这是自费的？……那将来包不包分配呀？"

周素彪关心的还是将来的问题，钱还是其次。当得知自费也不影响毕业就业，甚至比公费还容易找到好单位时，周素彪点了一支烟，沉思片刻，说："这三万多元还真不知道上哪儿弄呢。你家别说三万了，我看三百元也拿不出，我姐每个月工资也才一百来块，泥菩萨过海，自身难保。我妈没工作，整天眼睁睁盼着我爸发工资等米下锅，我爸每月的工资只勉强够他烟酒钱。我这儿呢……"周素彪长吁短叹起来，吸了一支烟，又伸手拿过通知书反复研究着。最后，仰起脖子，干了一杯米酒后，他高声嚷道："姐夫，作为小舅子我没什么说的，只要姐夫你能飞黄腾达，我就算是抢银行也要供你读完书！"

周素彪又灌了一大口酒，突然板着脸说："不过，丑话说在前头。你可千万千万别拿我们周家的血汗钱在京城里使什么花心眼，要是把我姐甩了，那可别怪我不客气。我先到北京手刃淫妇，再把你……"我气哼哼地拍了一下桌子，但周素彪还是喋喋不休，"反正我蹲过牢，再蹲十年八年也就是那么回事，这年头在哪儿过还不一样？"

"你这张臭嘴？难怪你姐老把你骂得狗血淋头。"

"我这是丑话说在前嘛。甭说十年八年了，我杀一个够本，杀一双赚一个！"见我面色铁青，周素彪意识到说过了头，缓了缓，继续说，"我这样做，不仅是为我姐好，也是为你好，你说是不？"

第二天早上，我要赶回萝卜山收拾行当。周素彪起了个大早，请我到猪肉铺对面一家早餐店吃了早餐，吃完后破天荒叫了一部人力三轮车把我送到县长途汽车站。路上我再三叮嘱周素彪要对读研一事保密，周素彪把胸脯拍得山响："姐夫，你放心好了，学费的事我回去做二老的工作，赴京前保证有两三千元给你，你先拿去解燃眉之急，回头我跟老爸再想办法，你就放宽心读书好了！"

周末，老独头以"欢送"我为名，约了罗大牛、苏主任等几个兄弟到清水江酒楼喝酒。罗大牛是县糖厂保卫处长，前几年因枪支被盗背了个严重警告处分。以前我还在县广播电视局上班时，常在最独一处酒楼见他，我到萝卜山后，几乎没见过他。

入座后，老独头深情款款地举起酒杯说："我老弟炒了陈成三的鱿鱼——辞职了，我今晚请各位坐坐，一来呢，希望老弟早日找到施展才华的地方，二来呢，也给老弟提个醒，将来飞黄腾达了，可别忘记了我们在水深火热中挣扎的各位……来，今晚要敞怀痛喝，不醉不归！"

话音未落，鱿筹交错。

我心里很是敞亮，说了一句差点让自己后悔一生的话："今晚算我做东，谢谢各位赏脸。"其实，我兜里只有两张攥得汗津津的百元钞票。

还是苏主任好，率先解围："别别别，你来了，哪敢让你破费呀，我请，说定了。"

本来是可以借坡下驴的，我还是恬不知耻地充大个儿："我来，我来！"不过声音明显低了八度。

苏主任面向老独头："给个面子，今晚我买单，算我请石老弟。"

看苏主任很坚决，众人都来劲了，抢着做东。苏主任笑笑："都别抢，这酒楼是我们县广播电视局定的点，你们都是客人，客从主便，我签单。"说罢，端起一杯酒，仰起脖子一口喝完，亮了杯，打着酒嗝道："谁也别逞能，谁也别买，让'阿爷'来。"闻听此言，估计窃喜的不少，当然我也在窃喜的行列之内，于是众人不再客套，举起酒杯吆三喝五推杯换盏。

"倒酒——"

迟迟不见服务员应声，回头看看，专司倒酒的小姐有些心神不定地站在我们身后。姑娘素面朝天，衣着简陋，脸有菜色，好像好久没吃过一顿饱饭。模样倒是很周正，圆圆的脸，身材高挑，长长的睫毛一扑一闪的。

见众人睁着醉眼望着自己，服务员如梦方醒，赶紧拎起酒壶手足无措地走上前来给大伙倒酒。

"你……没培训过吗？"罗大牛瓮声瓮气地喊着。

"你这样当服务员也太舒服了吧？"苏主任揶揄道。

老板娘闻声进来了，赔着笑脸解释："她还是个在校大学生，家里穷，利用假期来我这儿挣几个钱，服务不周到，还请各位多多包涵。"

众人一听也不好再为难她了，老独头抽着烟眯着眼睛问服务员：

"哪里人呢？"

"绿翠坡的。"

"那我们是老乡。叫什么名字呀？"老独头曾在绿翠坡县的一所中学做过半年伙房，常常把绿翠坡县的人视作同乡。

"姓秋，叫秋月。"

"好名字。春花秋月何时了，往事知多少？是不是有这么一句啊？"

猎艳高手是从来不会放过任何打趣的机会的，尽管有时候是徒劳的。秋月笑而不答，继续给大伙添酒续茶。

"老板娘，你这是金屋藏娇啊。我打赌，不用几天，她肯定被人拐走，到时说不准你会落个人财两空的地步啊。"

秋月急红了脸："我才不是那种人呢。"众人哈哈大笑。

我侧目注视眼前这个名叫秋月的女孩。秋月身材高挑，皮肤有点黑，看得出，那是农业劳动留下来的健康色；身材有些单薄，胸部两个乳房虽不大却结结实实地挺在那里。

众人敬我，大家又张牙舞爪地喝了一圈。

苏主任放下酒杯环顾众人，笑道："响两码怎么样？"众人笑笑，苏主任便自告奋勇道："我坐庄，先过一圈。"

众人又是一阵厉声吼叫。

罗大牛捋起衣袖站起身来转向我："读书人，不介意我们划两码吧？"

苏主任一听，一脸不屑道，"就凭你这句话，罚你三杯。你太不了解这个老弟了！想当年，他在整个县城还真难找到对手哩。这就是李白托世，喝完酒，文思泉涌，笔下生辉。而且喝得越多，写出来的文章越感人。"苏主任这话肯定是抬爱了，但也抬得太高。我天生就能喝酒，小时候家里就酿土酒，自幼与酒打交道。早几年在县广播电视局新闻报道股时，曾经有一段时间，县里许多单位都不敢向县广播电视局挑战。个中原因，就是有我这个酒坛健将坐守。

到罗大牛坐庄时，他有点想耍赖，环顾左右而言他："石老弟，晚上还有别的事吗？"

我说没事，罗大牛提高嗓音对苏主任道："各位，给我个面子吧，这圈我先打个欠条，待会儿我请大家到皇朝歌舞厅 happy happy，算是给石老弟助助兴。"

"'皇朝'很贵的，不如到'绿洲'吧？"我小声道。

以前在新闻报道股主持工作时，我就听说皇朝歌厅 happy 费用很贵。

我捏着裤兜里的两百元钱，极想怂恿大伙打退堂鼓。

囊中羞涩，我真的不希望去。

"那是我地盘，费用全免，小姐小费我来付。"罗大牛道。

这下我就放心了，白吃白喝一顿还能去夜场里放纵一下，有点又娶媳妇又过年的意思。

苏主任也还清醒，打着酒嗝笑说："喝完四瓶，就此打住吧，怎么样？"众人也同意。

埋单时，苏主任打着酒嗝，对老独头说，我们得额外要一条"中华"烟，歌厅里烟太贵了，还不好开发票。苏主任摆出一副大款的模样，把一沓钱递给秋月，吩咐她快快去拿烟和发票来。

等了半天，也不见秋月送烟和发票来。苏主任便高声把老板娘喊来，老板娘闻声忙不迭跑来，赔着笑脸解释："一时没有烟和发票了，你们刚才不是说到皇朝歌厅唱歌吗？你们先去吧，回头我让服务员给你们送烟和发票过去。"

进了歌厅，大家麻利地点好酒和陪酒小姐，纷纷落座。罗大牛因为高兴，他捧着一大杯黄澄澄如马尿一样的啤酒，揽着小姐的脖子，站起身来，大声吼着："喝！每人都要喝！"

听到罗大牛发话，陪我的小姐把满满的一大杯酒端起来，闭着眼睛，"咕噜噜"地喝个底朝天。我也"咕噜咕噜"喝了一大杯。

我真的喝得有点高了，灯红酒绿中，我不知怎的，竟然鬼使神差地生出一个助兴的念头。反正自己已经辞职，档案也已寄走了，干脆把读研的事拿出来分享分享。我把那只在小姐怀里打拼了许久的手抽了出来，又伸向自己怀里掏出录取通知书让大家传看。

　　"你？考上北京大学硕士研究生？来来来，怎么不早说，哎呀，小姐，倒酒！给大家都满上。"

　　"是京师文理学院。"我笑着纠正道。

　　"一样一样。研究生啊，北京啊，不简单，不简单，一年全国才招几千人吧。"

　　"今年全国计划内招两万多人。"

　　"人才啊，简直是百里……不，是千里挑一。我们县许多人别说是考了，连想都不敢想哩！"

　　苏主任双手捧着通知书，兴高采烈地说："据我所知，我们县恢复高考以来考上硕士的，石老弟算是头彩。"

　　"来来来，我们一起举杯庆祝石老弟考上硕士，干一杯！"罗大牛提议道。

　　我轻描淡写地说了一句："小菜一碟，先干为敬！"说罢一连喝了三杯。兴许是众人觉得我突然身价倍增，也不敢起哄，陪着喝了几杯，刚坐下，苏主任又道："什么专业？"

　　"专业是政治学，研究方向是党政管理。"

　　"好好，这专业毕业出来，最保守也要分到省委。"

　　为了起到一点渲染效果，我胡乱撒了个谎："据我一位正在该校读研究生的大学同学说，去年该校该专业共有五人毕业，一个分到中央办公厅，一个到中组部，一个到中宣部，还有两个到外交部，应该说，这专业目前还是个香饽饽。"

　　众人顿时一阵狂呼。

　　罗大牛猛一抬头："硕士，我敬你一杯！哎，你那位小姐呢……"

　　我正欲解释说小姐去了洗手间，不料一东北口音的小姐却抢答道："对啊，老进进出出的，干哈呢？"

　　罗大牛已有八九分醉意，听东北小姐这么说后，"霍"地站起来，圆睁牛眼，倒竖两撇稀疏的虎须，对东北小姐厉声喝道："给我叫妈咪来！"说话间，一位小姐闯进门来，罗大牛二话不说，撞上去就是两记响亮的耳光，"你以为男人的钱就这么好拿吗？谁让你跑场，还敢坐谁的台？叫他出来见我！"

老独头见势赶忙上前制止:"你发什么鸟酒疯!你睁开醉眼看看,她到底是什么人?"老独头从地上捡起装有中华烟和餐票的塑料袋递给苏主任,恶狠狠瞪着罗大牛骂着。

老独头这么一说,大伙赶紧揉了揉眼睛,苏主任也不知什么时候跑到门边拉亮了白炽灯。借着灯光,大伙认出来了,地上连吓带哭快要不省人事的这位根本不是什么坐台小姐,而是酒楼老板娘差遣过来送烟和发票的那个名叫秋月的女孩。

罗大牛也清醒了八分,盯着自己的巴掌看了一刻,突然瞪了秋月一眼,恶狠狠地指着秋月说:"滚!以后别让我看见你!"

我赶紧把秋月推出门口,担心罗大牛又追出来,于是连推带搡将她推出走廊。随后,我又叫了一辆正在附近转悠的三轮车,又替她付了两元车费。三轮车载着秋月很快消失在黑蒙蒙的夜幕里,渐去渐远的抽泣声也渐渐淹没在街边垃圾桶旁几只流浪狗的殴斗声中。

酒这东西好是好,但喝多了会误事。一夜之间我考上京师文理学院研究生的消息好像一枚重磅炸弹在县城炸开了。

下午刚上班,老独头传呼周素彪,说是有十万火急的事让我务必尽快到他办公室。

走进县委大院,我觉得整个大院里的目光都有些异样,笑容也显得那么勉强,我有了一些不祥的预感。

老独头在县广播电视局的收发室频频向我招手,我加快脚步闪进了收发室,老独头见四周无人,便压低嗓子责备我说:"这么大的事,你也该跟我商量商量嘛,你看你,这回事情越闹越大了!"

老独头拉了一把椅子给我坐下。"通知书带来没有?再拿出来给我看看。"我慢吞吞地掏出通知书,老独头伸手就抢了过去,戴上老花镜,逐字逐句看了半天,最后,笑嘻嘻说:"恭喜!恭喜!"说罢,将通知书折叠好双手递还给我,责怪我不该这样不相信他,说到北京读研究生这么大的事再怎么说也该提前告诉他一声,好歹两人还是"同饮鸡鸭河水"。

老独头点上一根烟详细询问了研究生到底咋个读法,读研究生到底有什么用,毕业后可有工作安排,对升官发财真有帮助?我故弄玄虚说,省和地区里某几位领导都是研究生毕业,而且有一位还是京师文理学院毕业的。末了,我拍着胸脯说:"当不当上大官不敢说,倘若毕业后还回青翠坡这个鬼地方，那官职绝不会在陈成三之下。"

老独头给我倒了一杯水，背着手在房里踱来踱去。半晌，压低嗓子，神情严肃地告诉我，读研究生的事现在遇到天大的麻烦。陈成三收到风声后正着手调查我所有的报考材料，查看了去年所有的用印登记，发现苏主任那儿并没有我报考用印登记，所以他认定我的报考材料上的印鉴有问题……

老独头的话对正春风得意的我来说，不啻是晴天炸了一个霹雳，我几乎晕厥过去。

老独头放慢语气说："他说要你上缴录取通知书……"

"上缴通知书？……复印件成吗？"

"复印件肯定不成，复印件很容易造假的。"

"绝对不可以。我的户口粮油关系迁移还得用通知书啊！"

"怎么？户口粮油也要迁移？"

"真是白费口舌了，都跟你讲半天了，怎么还不明白？"我有点不耐烦了。

我盘算了一下，尽管所有报考材料都是我一人私下弄出来的，但报考材料去年十一月已全部寄到京师文理学院研究生招生办，陈成三真要查证也应颇费些周折。再说，我现在都辞职了，他还管得着我吗？这样想着，我在心里反复叮嘱自己，必须一口咬定所有报考材料上的印鉴都是经苏主任认真审阅后盖章的，这一点就算威迫利诱严刑拷打也丝毫不能松口，否则，陈成三就会反过来咬定我弄虚作假。当然，也要给苏主任留条后路，必要找苏主任统一一下口径。

"老弟，实不相瞒，你已经闯下大祸了，你上京读书的事现在是凶多吉少……"

老独头说罢，低头拉开抽屉拿出一个文件夹递给我，我接过来翻看了一下，上面夹着两份公函，夹在前面的第一份标题是《关于强烈要求注销石明雷研究生入学资格的函》：

京师文理学院研究生招生办公室：

石明雷系我局干部，在报名参加贵校一九九二年硕士研究生考试中，伪造公章及政治思想鉴定材料，严重违反了招生纪律，为严肃招生纪律，同时挽救其本人，起到举一反三的警示教育作用，强烈要求贵办收到此函后立即注销其入学资格。

特此函达。

发文稿上的签发人那一栏赫然签着"陈成三"的大名，笔迹龙飞凤舞。

第二份标题是《关于石明雷弄虚作假报考硕士研究生的情况通报》：

> ……石明雷不思悔改，不虚心接受教育，在报考北京文理学院一九九二年硕士研究生时，为达到报考目的，在没有经过任何局领导的同意下，擅自盗用单位公章，开出了报考介绍信并伪造政治思想鉴定书，影响极坏，态度十分恶劣……

这份文件抄报县四套班子领导成员和县纪委监察局。

我强忍着心中的怒火，清了清嗓子，用尽量平静的口气说："这是局班子集体意见还是陈成三个人意见？"

老独头并没有正面回答我，他一边收回文件夹，一边说："陈成三让我今天马上用快件寄走，刚刚还打电话来催呢！"

"他想干什么？"

"他要公报私仇。他一口咬定你是弄虚作假，伪造报考材料，他要发函到学校，强烈要求校方注销你的入学资格，完了再把你自动辞职改为开除公职……"

老独头的这两句话给了我致命一击，双手一哆嗦，茶杯掉在了地上。

顿了顿，我故作镇静笑道："哥哥啊，没那么严重吧？别听风就是雨，慌里慌张的，这可不是你这位江湖老手平时的性格啊！"

"你回去吧，这两份函我再替你拖几天，今晚我再找他谈谈。"说到这里，又回头特别叮嘱我说："尽量别让人知道你来找过我。"说罢轻轻将门推开了一条缝，看看外边无人，回头对我说："外面没人，你快点走。"我闪出门缝，低着头向大院匆匆走去，刚走几步，老独头在门里又低低喊了一句："明晚到'天外天'等我。"

回到周素彪照相馆，周素彪正张罗晚饭，我边帮他摆桌子，边把陈成三打算阻止我上京读书的事对他和盘托出。

周素彪一听说陈成三要发函到北京要求注销我的入学资格，张口就骂道："就凭他陈成三？……我恶话说在前，狗急跳墙，人急悬梁。陈成三要真敢那样做的话，我就把他剐了喂狗！"

"没、没……没那么严重。"这个时候，我可不能让这个愣头青添乱。

"不严重最好。"他转身从碗柜里拿出两个小瓷杯摆开，说："喝酒！"

老独头的传奇来自于一个"侦察连长"知恩图报的版本。这个出身不好小学没毕业年逾四十公安局里又挂着号的泥腿子，不仅一夜之间神不知鬼不觉地进入连斧头都劈不进的县广播电视局当干部，而且还带挈其仅有农业职中学历的大儿子被安排到县民政局端上铁饭碗。这些岂是一般人能做得到的。

被越南当局驱赶回国后，老独头全家人摇身一变成了归国华侨，有关部门不再公开对他进行斗争了，可从偷渡出国到被驱逐回国，前后毕竟不过十二年，老独头种种"罪行"还在县公安局地富反坏右档案里白纸黑字记录在案，孩子入学填报祖宗三代政审时，还是过不了关。想到三个孩子的前途，老独头和阮小氏常常以泪洗面。

一九七九年二月，对越自卫还击战打响后，老独头认为这是改变一家人命运千载难逢的良机。他四处求人强烈要求报名参战，他的理由很有说服力，越南当局让他差点家破人亡，可谓苦大仇深，加上他又会讲汉、越两种语言，熟悉越南北部地形，无疑是做向导、侦察或前线翻译的最佳人选。

"简直是裤裆里拉二胡——扯淡！让这种阶级异己分子上前线，万一与越南当局勾结，来个里应外合，那我军就会遭遇不可估量的损失！"县武装部长一万个不答应。

天无绝人之路。部队攻打越南同登时，需要熟悉当地地形的会说同登方言的向导，有几位参战的归侨跟老独头相识，知道老独头原先在同登附近每天走街串村收购鸡毛鸭毛牙膏壳破布之类，地形摸得熟，还讲得一口流利的越南同登土话。部队首长了解到这一情况后喜出望外，前线指挥部马上电令后方派专人驱车直赴青翠坡县国营棉纺厂。考虑到老独头此次上前线不仅做向导，还有乔装打入敌后的可能，为保密起见，连政审都免了。

老独头一到同登前线，即奉命孤身潜入敌后侦察。一天凌晨，饥渴难耐的老独头摸进一片甘蔗地想弄些吃的填肚子时，左前方突然响起"突突突"的枪声。

一听到枪声，老独头连滚带爬逃出仅齐腰高无法藏身的甘蔗地，钻进甘蔗田边灌木丛中一个形似猫耳朵的岩洞，匆匆用树枝掩好洞口。

枪声越来越近，越来越密集。老独头蛰伏在洞中，双手慢慢拨开树叶，当目光透过树叶缝隙投到洞外时，他不禁惊叫了一声"糟了！"

一名受了重伤的解放军战士趴在地上奄奄一息，听到枪声挣扎着要爬起来。他伤得实在是太重了，连枪都端不起来了。更为糟糕的是，十多个越南女民兵或端着冲锋枪或紧握着竹扦正在朝洞口这边移动。

顺着血迹，敌人步步为营逼上来了。

她们一边逼进来，一边扯破嗓子如发情的母猪般"哇哇哇哇"地号叫着："呀咃！（站住！）诺松空叶！（缴枪不杀！）宗堆宽洪毒兵！（我们宽待俘虏）"伤兵挣扎着打出了最后一梭子弹便晕厥过去。求生本能驱使老独头不假思索，一个箭步扑上去拿起伤兵的冲锋枪，向着洞外狠狠扣动了扳机，可枪并没响，妈的，子弹打光了。老独头急急转过身，双手掀翻伤兵，谢天谢地，子弹袋虽空了，但腰际还挂有四颗手榴弹。老独头迅速拧开保险盖，待越南女民兵以扇形向洞口包围过来时，老独头一口气把三颗手榴弹全扔了出去，随着"轰！轰！轰！"三声巨响，越南女民兵死的死伤的伤，余下的四下逃散。

剩下一颗手榴弹老独头是留给自己的，他很清楚被俘的后果，即便不被虐待致死，浑身一个枪眼没有回到国内也很难说得清楚。如果敌人再围上来，就只有壮烈殉国了。

这时，洞外突然响起"哒哒哒哒"的机关枪，又听到有人用普通话喊着："冲啊！"

援军上来了，担架队也到了，老独头背起伤兵就往外跑。看到伤兵的后脑勺涌着鲜血，老独头一抬手，从衣袖撕下一块布，麻利地给伤兵包扎头部。由于动作太猛，伤兵又一次醒了过来。他艰难地睁开眼睛，环顾了一下四周，艰难地握着老独头的手，嘴唇嚅动了几下，老独头赶紧将耳朵贴上去，"同志……我是某部侦察连连长……你是……哪个部分的？……"话还没说完，便再一次昏迷了过去。老独头赶紧把嘴巴贴到侦察连长的耳朵，大声嚷着："我叫李——布——衣——！"

后来老独头再也没见过这个连长。战争结束后，老独头渐渐也就忘了请功的事。时间到了80年代末期，老独头到那鸟乡政府伙房做了厨师。有一天，老独头到村里收了四只大黑狗，用两个大铁笼装着，每笼两只，挂在自行车的后架上往回走。快到那鸟乡政府时，公路前方出了交通事故，路上塞满了各种车辆，老独头只得徒步推着车子在车阵中艰难地穿梭。推上一个长坡顶时，老独头停下来歇口气。坡上停着一辆高级小轿车，老独头发觉小车旁有一位领导模样的人盯着他反复打量，盯得老独头很不自在。

老独头心想,他妈的,坐车就牛吗? 有啥好看的,没见过狗还是没见过人哪? 你盯老子,老子也盯你。孰料,这人有几分面熟啊,在哪里见过呢? 老独头一时想不起来。两人僵持不下时,那人突然跑过来,抓起老独头的双手,一个劲地摇着,声泪俱下地吼着:"告诉我,你是不是——李——布——衣! 你是李——布——衣吗? ……"

老独头不胜惊讶,想不到这人竟然知道自己的名字,他将自行车推到路边,用力支起车脚架放好车子,轻声说:"我是叫李布衣,你是……"

"恩人哪,终于找到你这位救命恩人了……"那人情不自禁伏在老独头肩头"呜呜呜呜"地哭了起来。

"你是……"老独头一头雾水。

哭了半天,那人突然重重地捶了老独头一拳,破涕为笑说:"……对越自卫还击战时,在攻打同登前,受了重伤的侦察连长……"老独头听到这里,恍然大悟,两人紧紧地拥抱在一起,任凭重逢后喜悦的泪水恣意流淌。

不久,作为转业到省委某重要部门任要职的侦察连长一个电话打到地委,地委便有专人到县里帮老独头和他那农中毕业的大儿子转户口、入党、安排工作,这一切全是一条龙服务,不出一个月,一切办妥,老独头参加过对越自卫还击战,但限于文化太低年纪也偏大,只好暂时到县广播电视局做收发工作。

这就是关于老独头父子"鸡犬升天"当干部的传说版本,相信这个版本的人都说老独头好好。这个版本之所以广为流传,主要是老独头确实曾经作为支前民兵参战,出国作战期间,确确凿凿乔装打扮潜入同登一带刺探敌情,这些事实均在县人武部有案可查。另一个佐证是罗大牛。据县人武部负责同志说,当年老独头和罗大牛一起参加支前民兵,罗大牛任担架队副队长,在攻打同登战役中挂了彩并荣立三等战功,回国后被安置到县糖厂保卫处任处长。

虽然周素菊周素彪姐弟俩对老独头鸡犬升天的版本表示出强烈的质疑,但他们坚信老独头敢放出话帮我摆平,他就肯定有自己的路数。

太阳跌入西边的山坳时,我如约来到清水江边那间由"最独一处"改头换面而成的"天外天"酒楼。不知道老独头干累了,还是钱赚够了,前年,城头变幻大王旗,"最独一处"易了主人,更名为"天外天"。

我上到四楼,选了一个临江包房坐了下来,呷了几口茶,又站起来走到窗前，夕阳普照的江面波涛翻滚，偶尔驶过的一两艘运沙机动船，在波涛汹涌的江面犁起险象环生的漩涡。

"春花秋月何时了，往事知多少？小楼昨夜又东风，故国不堪回首月明中。雕楼玉砌应犹在，只是朱颜改，问君能有几多愁……"

正当我为酒楼易主而满腹惆怅之际，老独头悄无声息地推门而入。

坐下后，我拆开一包烟，递给老独头一支，老独头挡了一下，从腰间掏出一个铁烟盒说："我还是抽这个吧。"他打开盒子，拿出一个油光发亮的小烟斗，往烟斗里塞了一撮焦黄的烟丝，就着打火机，歪着嘴角咬着烟斗狠狠吸了几口，眼睛射过来两道冷飕飕的光。老独头的眼神很冷，我却非但没起寒战，反而亢奋起来——我相信眼前这个人绝非每天收发报纸那么简单，就凭他在前线与敌人真刀真枪干过，凭他阅人无数的江湖经验，他绝对有办法斩钉截铁地对陈成三说"不"！

两人呷了几口茶后，一位小姐拿菜谱笑着进来，我说："兄弟，你开过酒楼，最熟行。"说罢，将菜谱推到他面前。

老独头放下茶杯，笑着说："你点你点。"

我还是推让，老独头于是笑着说："成，那我随便点几个吧。"

"别随便，往贵的好吃的点。"说虽这么说，我还是捏了一把汗，我担心他真的点那些野味海鲜。菜谱前边几个时菜诸如"红烧果子狸"、"牛鞭焖蛤蚧"之类的"时价"都在二百元左右，可我除了信封里打算交给老独头用于"办正事"的一千五百元外，其他用于请客的不足二百元。

老独头连菜谱都不看，三下五除二就点好了。我接过单子一看，一盘炒花生米，一碟炸咸鱼，一碟凉拌猪头肉，一碟酱猪蹄，全是便宜的，粗粗算来，还不到三十元，便说："喂，兄弟，给点面子，点像样的吧。"

老独头边用烟斗敲打桌沿磕烟灰，边说："你别跟我来虚的，实实在在最好，我们都从农村出来，这菜在老家过年过节还不一定就能吃得上哩，听我的，别破费。"老独头说罢，向小姐一抬下巴，说："就先点这么多吧，不够再添。"小姐正欲转身，又笑着问："酒呢？喝什么酒？"

老独头听到酒字，两只三角鹰眼略一打转，说："这样吧，喝高度的，如何？"我说随你，老独头于是说，"先上两瓶五十二度的'红星'二锅头吧。"

既然有个"先上"，想必就有"再上"或"后上"。我和老独头对视一下，会心地笑了。

不一会儿，菜上齐了。按老规矩，为确保公平公正，老独头把两瓶酒分开摆在各人面前，酒瓶旁各自摆着一个大玻璃杯，各人自斟自喝自己面前的酒，说是"门前三包，责任到人"，这样能确保端正酒风。

酒过三巡，却老不见老独头提正事，我未免有点坐不住了。老独头显然看出来了，又跟我对饮了几杯，才放下酒杯劝我说："你别胡思乱想了，你信我，今晚我们就喝酒，别谈那烦心的事。"说罢，又拍拍胸脯说，"我李某人虽是个粗人，可在青翠坡县，也算个人物，你那事儿举手之劳。来，喝！"

听听，哥哥说话，掷地有声。老独头确实有那么点大哥情节。我受宠若惊，"霍"地站起来，一仰脖子，"咕噜噜"一大杯酒下了肚。

二锅头是北方的烈酒，南方人很少有人喝。这种酒度数高，入口就立刻能感觉到一条火龙在窜，酒走到身体的哪个位置都能清楚地感觉到。

老独头也没示弱，站起来一仰脖子，"咕噜噜"地陪了满满一杯。放下杯子，咧着嘴巴"嗞嗞嗞"地吸着气。

在雪白的灯光下，老独头双手撑着桌面，歪着头，斜着眼望着面前的酒杯，脸上脖子上甚至手上全长着精瘦的横肉，这些横肉又紧紧地附在各自的筋骨上，看不到一丝赘肉，玳瑁镜框的老花镜片背后是一双时而急促转动、时而一动不动的三角鹰眼，就如儿时看过的一部电影里的鬼子头目，在受到八路军重创后，正铺开地图研究如何报复的模样。

我想笑，但又不敢笑。

我故意放慢速度，掏出一支烟递给老独头，老独头喝了七八杯后，也嫌往烟斗里装烟丝麻烦，改抽起烟卷来。他一连吸了几口烟，从两个鼻孔里喷出两道烟雾，突然想起什么似的，向毕恭毕敬站在身后的服务小姐挥了挥手，说："小姐，你出去吧，有事我们再叫你。"小姐笑了笑，刚退到门边，老独头又喊道，"把门带上！"小姐于是关门出去了。

"我这几天为你的事……唉，怎么说呢，我找陈成三谈了三次，可他就是不肯放过你。我就想不通了，大路朝天，各走一边，他当他的官，你读你的书，井水不犯河水，不知道这个王八蛋怎么这么变态。俗话说，晴天留人难，雨天好借伞。顺水人情都不送，下台后咋办哪？"

"他就是靠整我踩我往上爬的。他担心将来有朝一日我强过他……"我愤愤道。

"这官场真比锅底还黑！人人都这样整人斗人，还有谁来做事呀，台上讲为人民服务，台下却是风马牛不相及的另一码事，真的是说的比唱的还好听！"老独头喷出一口烟雾。

"我那事……"似乎有点跑题了，现在可不是批判陈成三的时候，那件事能不能办哪？我的心又揪起来了

"没有金刚钻，不揽瓷器活。你放心好了。陈成三今天上午又催促我寄出那封公函，可我扣着哩。"老独头在烟缸里掐灭了烟蒂，举起酒杯道，"来来来，与尔共销万古愁！"

我仰起脖子一干而尽。放下酒杯，环顾一下四周，站起身子，从怀里掏出厚厚的信封，双手捧着恭恭敬敬地呈给老独头，赔着笑脸说："哥哥啊，让你受累了，一点意思……"

老独头啃着猪蹄，连看都不看，半晌，从鼻孔发出一声冷笑，说："收起来吧，咱俩还来这套？"

我以为他嫌少，红着脸小声说："入学花费大，一时只能拿出这么多了，日后自然不忘报答你的大恩大德。"

老独头把脸一拉，一种莫名其妙的伤感和愤怒堆积在脸上，放下猪蹄，一只大油手一把抓住信封塞进我怀里，"让你收起来就收起来！好像我真是个见钱眼开的贪官一样！"老独头吼了起来。

老独头流泪了，"老弟呀，我和你都是农村出来，祖宗十八代都是泥腿子，做人不能没底线。你容易吗？不容易！我就服你这种人，全县六十多万人也没见谁考上京城的研究生，我在民政局工作的大儿子说，你将来毕业出来，做个县长不难，这我信。我帮你一码就图这千把块钱吗？……"

我听出话中有话，连忙怯怯地问："那你……"

"我做人的原则是交朋友，讲义气。有难同当，有福同享。"

"成！哥哥你日后若有什么地方用得上我，哪怕是上刀山下油锅，我石某也在所不辞！"

跟江湖中人喝酒讲究的就是他妈的一个仗义。

我又拆开一包红塔山，很江湖地弹出长短不一的两支烟，恭恭敬敬递过去，"我真有出头之日，别的不说，有一包烟我敬你二十支，有一粒米，我煮粥咱两个人喝……"

老独头听罢，满脸堆笑，伸出双手接住我递过去的烟，将长的那支压回原处，抽出短的那一支，塞进嘴里咬着，笑说："言重了！言重了！老弟你的为人我清楚。你要有一包烟，拿出来在我面前一晃，我都心满意足了，这是实话，绝对实话！"

这时，门外传来敲门声，两人只当是服务员，齐声嚷道："进来！"

抬眼望去，两个打扮妖艳的小姐一阵风卷了进来，径直走到我们身边挨着坐下说："两位老板，我们来陪你们喝酒好吗？"声音嗲极了，两双手不容分说乱抓一通，老独头"啪"的一声摔下酒杯，站起来指着门口破口大骂："别动手动脚的，给我滚出去！滚！"

两个小姐悻悻地退出去了，边走边骂："这把年纪了还扮纯情，土鳖！"

陪酒小姐出去后，两人继续推杯把盏，不久，各人前面的酒差不多喝完了，老独头说，难得老弟你这么赏脸，再添酒喝个痛快。见老独头这么高兴，我对自己的事更乐观了，总认为千难万难，也难不倒老独头救过一命的省里那位领导的一个电话。

添酒后，两人又喝了半瓶，话越来越多。老独头醉眼迷离地说："你知道县里的领导为什么都怕我三分吗？"

我摇了摇头，停顿半晌后，笑着说："听说你是省里某位大领导的救命恩人？"

老独头"哈哈哈哈"大笑起来，说道："你也信？看你也是要走的人了，也不怕讲给你听，不过，你也别传出去，凡事要讲个分寸。"

老独头走到门边，悄悄把门闩上，折回酒桌边落座后，断断续续给我道出了他那史诗般的发家历程。

"一九八五年秋，棉纺厂倒闭后，经人介绍，我到那鸟乡政府做伙夫，虽每月仅二十多元工资，但两年下来也学得了一门烹饪手艺。老婆那几年在那鸡老家农村种十多亩甘蔗，风调雨顺几年下来，也积蓄了近万元。后来我辞去乡政府的临时工，花了一笔钱把县国营旅社装修成最独一处酒楼。可能是我炒得一手好菜，加上我在那鸟乡政府做伙房时，县里各单位的头头都到过那里吃过我炒的菜，他们知道我在县城开酒楼后纷纷来捧场。酒楼开张不久，生意十分红火，每晚店前车水马龙，不提前预订根本就没位。"

我听到这里，忍不住插了一句："兄弟你头脑特活络，最会赚钱。"

老独头摆摆手，示意不要打断他的话。"酒楼开张后，生意出乎意料的好，但开店容易守店难。收狗收蛇收蛤蚧收鸡毛收鸭毛我还在行，搞一个专门给全县大小官吏消费的酒楼我就隔行如隔山，完全手足无措无所适从。不过，话又说回来，我舍得花巨资冒险开酒楼，我的目的压根就不在赚钱不赚钱。"老独头语出惊人，我不由得抬头打量着他。

"我搞酒楼是放长线钓大鱼。"见我越听越糊涂，老独头拣了一块猪蹄放到我的碟里，端起杯子，两人又喝了一杯。

"我在那鸟乡政府做伙房时就看出来了，现如今，要办成事，朝中非有几个大官扶着护着，大树底下好乘凉啊。因此，我千方百计跟当官的搞好关系，跟领导的套套近乎。可我一个农民，没文化，怎么才能跟当官的攀上呢！这事说难也难，说简单也简单，对了，陈成三肯定对此也深有感触。"老独头说到这里，禁不住又"哈哈哈哈"大笑起来。

"有的领导，没什么正当爱好，专爱吃喝玩乐，因此啊，只要舍得下血本就不愁钓不到他们。我到县城开酒楼，表面风光内心沧桑，半年一分钱也没赚到。当时县里有一位领导，现在调走了，我也不怕跟你说。他就是上一届的何县长。何县长以前在那鸟乡政府吃过我弄的菜，一直赞不绝口，后来我开了最独一处酒楼，他一来我就亲自掌勺。什么狗鞭人参汤、黑公狗鞭 公羊腰，许多后来'最独一处'的招牌菜都是我为何县长服务的过程中琢磨开发出来的。每次他来消费，我不但不收他的钱，而且还有好烟好酒送他。为了掩人耳目，何县长每次快离店时，他的司机都故意大声对我说，发票先拿着，月底再来结账。其实，他哪会来结账。"

"跟何县长渐渐熟络后，每每推出什么新菜肴，我都请他来品尝尝，逢年过节的，他家有客人来，我就弄些他喜欢吃的菜让他司机来取，因为目标小，他也没反对。后来，每逢他家里来客人时，何县长有时还亲自打电话让我送菜呢！"

"一年后，我跟何县长已熟到无话不谈的地步。有一次，他来酒店用餐，客人不多，喝到半酣，他就叫我跟他喝几杯。我也不客气，坐到他身边端起酒杯就喝。何县长喝完一杯放下酒杯，当着在座的客人夸我为人忠厚老实，随后又跟我拉起了家常，问我有多少个儿女，都在哪儿工作。因席上还有其他人，我胡乱答了几句，就转移话题。散席后，我就琢磨他的话，总认为他是在给我什么暗示。过了几天，我背着老婆，到银行贷了五万元，又请人写了一份关于请求减免税收的请示，夹上营业执照复印件，与钱一起装入一个礼品袋。等何县长来消费时，我亲手交给了他。"

"后来，工商税务部门不再来收税，消防卫生治安环保计生什么的也不来检查了。更出乎意料的是，何县长在百忙之中还特意打电话让我到他办公室，问我想不想当工人。你知道，我祖上十八代都是泥腿子，还没出个工人呢，做梦都想啊……什么？我那造孽的父亲虽当过伪甲长，可他那阵子每年只有十石谷子薪俸，平时都在家与母亲做农活，有事时才到村公所看看，他还算不上吃皇粮的。领导主动提拔，我当然不客气，当下连连道谢。何县长满面笑容地说，县广播电视局有个空缺，让我先过去。这样我就到了县广播电视局。"

"你不是干部编制吗？"我听老独头说他到县广播电视局做的是工人，我终于没忍住，又插了一句。

"这是以后的事。当时考虑我文化偏低，何县长让我先做几年工人打打基础再说。"老独头又倒了一杯酒，端起酒杯喝完，继续说，"其实，像何县长这样的官，也算是打着灯笼都难找的好官。他不白吃白拿我的，他毕竟给我办事了，而且不仅办的事，连带我的大儿子都给办了，这个交易我不亏。你想想，我祖宗十八代都是泥腿子，要是没何县长帮忙，我大儿子职中毕业能安排到民政局做干部？我这个收了小半辈子破烂的老头子怎么能到县广播电视局做工人？做梦吧！我打从内心感激何县长。"

"喝喝喝，边喝边说！"老独头又端起酒瓶给两人倒酒。两人喝完亮杯后，老独头长叹一声，"可惜呀，跟何县长搭上不到一年他就调走了。"说这话时，老独头眼里流露出无限惋惜的神情。

"通过何县长这件事，我的决心更大了，什么都比不上趋炎附势来得实惠。我知道我这么说你肯定很瞧不起，不管别人怎么说，我就认准这个理了。"

"不会不会，我过去就吃不趋炎附势的亏。"我连声附和着。老独头所认准的这个理，现在时髦的说法叫权力寻租。

"于是，我四处筹钱，把最独一处重新装修一番，做成吃喝玩乐样样齐备的多功能场所。平心而论，做这种丧尽天良的事，并不是我初衷，可你也知道，我还有两个儿子还在读职业中学，将来安排工作还得靠当官的啊！可世事难料，这回我的如意算盘打错了。最独一处重新开业后，我发觉像何县长这样的好官真是太少了。到我店里来吃的，都是县里有头有脸的人，吃人不吐骨头的也是这帮孙子，来得最勤的算是陈成三了。"

"装修后，开张不到三个月我就支撑不住了。这些龟儿子用完餐后都是签个字后就走人了，到月底也不来结账。这些人出手真够狠啊！动不动就点上千元的菜，你以为我们家开印钞厂啊，每月工人工资、租金、水电费，这些可是一分都不能少，一天也不能耽搁的呀！吃饱喝足连个本钱也不给。本来，要是给一半我也还都能对付去，东墙挖空了拆西墙补就是了。可这帮白眼狼，白吃白喝不算，走了还要拿，稍有怠慢，第二天就来个工商卫生税务消防之类的检查，罚款停业接踵而来，惹不起。县里平头百姓说我的'最独一处'是'最毒一处'，我想，肯定不是说我毒，而是另有所指。"

老独头说这话肯定是动了真感情了，领导们在他的嘴里一会儿是狗，一会儿是狼，一会儿是王八，一会儿是儿子，一会儿又是孙子。我也不好纠正，这种岔辈串种的事，弄不好连带自己也顺带给骂进去了。

"不结账也罢了，有什么事也不帮忙，见面连个照面也不打。陈成三这个王八羔子也常来，他在我这里每次消费少则八九百，多则两三千，连小姐费也让我付，说是打到餐费里。日积月累，两年的功夫陈成三在我这里消费不下十万元，小姐的小费也有近万元。陈成三为了讨小姐的欢心，动不动就给小姐签三五百元的小费。"

"原先我向银行贷的十万元也都到期了，银行多次来人交涉，说是要查封酒楼。我和陈成三在一个单位共事，抹不开面子，就差遣大儿子拿着账本到县广播电视局讨账。谁知陈成三看过账单，立马翻脸，说大部分签名不是他的笔迹，反过头来竟然诬我儿子敲诈勒索。"

"后来，我仔细琢磨陈成三的签名，发觉签名果然有出入，不知是陈成三本来就留了一手，还是喝高了写字不一样。听说现在的刘县长为了应付下面各单位要经费，想了一个只有财政局长才看得明白的签名方式：打横签名照批照拨，打斜签名只给一半，打竖签名分文不给。这回我算领教了什么是签名的艺术了。"

"可我是什么人哪？看着几年的积蓄给人家吃光了还当作什么也没发生，那还是个爷们儿吗？我哪能咽下这口气……"

"那你怎么治的他？"此恨绵绵无绝期，和陈成三做斗争是我和老独头永恒的话题。

"兔子急了也咬人。几天后，大儿子弄了一些摄像器材回来，又到青山铺市请师傅把设备装在几间豪华包房不显眼的地方。这都是逼的呀，他妈的……"

"妙，实在是妙不可言！"我不知道自己什么时候堕落到这个地步，摆明是一个违法拍摄他人隐私的馊主意，却在一旁拍手称快。

"没错，要在与敌人的斗争中学会成长。我大儿子整天研究着账本，把那些欠债不还的领导们一一罗列出来，照着名单给他们打电话，故意埋怨他们好久不来帮衬了，请他们来捧场，隔三岔五还请他们来免费消费，吃喝玩乐一条龙服务全免费。我儿子又到青山铺市六里亭附近的发廊找来四位十七八岁相貌端正的发廊妹，管吃管住每月还有一千元，名义上是服务员。

我们给她们定个规矩，就是专陪那些欠债不还的官们，那些不欠债的客人不陪，给钱也不陪。陪客任务是要服侍那些客人满意，服侍得好，客人满意，除工资奖金外，额外还有小费。她们本来就做这一行的，这回两头拿小费，还有工资奖金，做起那种事那是相当的投入。一时间，店前又车水马龙起来，这帮狗男女压根就不知道我们装了摄像，每次做那种事时，全都有恃无恐脱得精光。陈成三有时带一些女干部来，有时也单独来……后来，都上瘾了……"

说到这里，老独头看看四周，从怀里掏出几张照片，满脸奸笑着递给我，我接过来一看，这些照片张张都不堪入目。有好几张画面上的男人我不认识，便随便指着其中一个老头子，问老独头此人是何方神仙，老独头狡猾地笑说："这可是一条大鱼呀！"附着我的耳朵说："这是上面的一位大人物，当时他来检查工作，哈哈哈哈……"老独头一阵浪笑，"这是我治这帮贪官昏官的尚方宝剑，哈哈哈哈……"

先富起来的个别人真他妈的不是人啊，都是人精，是人虫，是尔虞我诈的个中高手。

这下我算弄明白了老独头为什么在"最独一处"生意火爆的时候急流勇退，二儿子和三儿子的长期饭票捏在手里，关键时刻拿出一两张，什么事都解决了。

门外有响声，我赶紧把相片收了起来。老独头说："记住，做人要有个原则，得饶人处且饶人，点醒一下，达到目的就赶紧收手，千万别捅出去，否则大家两败俱伤。"老独头不当外交部长真的太可惜了，连敲诈这种龌龊事都做得有理有利有节。

"哥哥，为了我，你要冒着给陈成三开除的危险，你大儿子也冒着丢铁饭碗的风险，我受不起呀……"

"为兄弟你这句话，我要连干三杯！"老独头拿起杯子一仰脖子，亮了杯，又斟满，我起身拦也拦不住，只好也陪着他喝了三杯。三杯过后，老独头狠狠地捻熄了手中的烟头，"扑通"一声跪在地上。

这又是哪一出？是幻觉吗？酒也没喝多啊。我一下子有些不知所措了。

"老弟啊，我们一家老小就求求你了，将来无论如何得关照关照我们……"

我被眼前的情景吓了一跳，半天才如梦初醒，赶紧将老独头搀扶起来，问他"哥哥啊，你这是咋的，快起来，快起来，你这不是折我的寿吗？……"

不管我如何劝说，老独头就是不起来。一个精悍的风云人物在我面前长跪不起，我也感动得泪眼婆娑，忙说："哥哥啊，放心！你的事就是我的事，我不管官做到多大，都不会忘记你们全家老小！"

　　老独头这才站起身来。重新入座，两人又是一阵畅饮无堵，惺惜处，香烟往来。

　　"我们全家老小都把注压在你身上，只要你到北京深造，将来必成大器。"

　　"承蒙错爱，石某自当尽力而为，决不负厚望！"

　　我已有七八分醉意。这年头还有人把全家老小押在我身上，看来我需要重新评估一下自己的价值了，这么想着，身上陡然增添了无限的豪迈与力量。

　　"今晚我请客！"老独头高举酒瓶，一边给我倒酒，一边嚷着"满上！满上！"老独头兴致很高，每喝一杯都咂吧几声，好像有许多话要说。

　　两人都解决了各自的心事，酒兴越喝越浓。我们添了几次菜，一共喝了三瓶一斤装的二锅头。吃炸咸鱼时，我不慎被一条细如发丝的鱼骨卡住喉头，咳了半天，都没有咳出来，只好跑到外面的卫生间，强忍着泪水用手指伸进喉咙抠了几下，指尖碰到咽喉处，胃里便翻江倒海起来，我赶紧推开窗子，双手趴在窗台上，往清水江吐了个痛快，鱼骨出来了，可泪水黄疸也差不多给呕干了。漱了口，我又跑回去。老独头竟没有发现我吐了，他频频举杯，打着酒嗝道："酒逢知己，来！"

　　一直喝到半夜，老独头真的喝不动了，杯子都端不住了。我胃里的酒全部喂了鱼，难得现在还清醒，发誓今天一定要把老独头陪好。"来，举起杯来……哥哥，怎么不举杯了……喂，哥哥……"我对着老独头大声喊着。

　　老板娘进来，笑道："是谁不举呀？"

　　我也晕了。

　　夜深了，冷冷清清的街面上，看不到拉客的三轮车影子，我搀扶着老独头，跌跌撞撞向大桥走去。好不容易过了桥，走下台阶时，两人脚下不小心同时踩了空，相互搂抱着滚了十几级台阶，一直滚到桥头的马路边。我扶着老独头艰难地站起来,老独头却笑笑说："没……没事,跌倒了,再……再站起来。"

折腾了近一个小时，总算回到了老独头的家。他大儿子住民政局单位宿舍，两个小儿子也到那鸟乡农中读书去了，自独一处转让后，阮小氏就回那鸡老家开几亩荒地种甘蔗，平时极少到县城来。家里平时只有老独头一人住着。

　　我横抱着老独头撞进了房里，腾出一边手来摸索着门边的开关，开灯后把老独头横放在床上，再看看老独头，可把我吓坏了——刚才桥头摔的那一跤，额头、两颊、下巴、双肘等能看得见的部位都或青或肿，额头还沾了一摊鲜血，我用手一摸自己的额头，自己也血迹斑斑。

　　醉如烂泥的老独头虽然站不起来，但疼痛意识还没有完全丧失，在床上呻吟着："有……有云南白药……"

　　"在哪儿？"

　　老独头张开酒气冲天的大嘴，如杀不死的公鸡一样连连挣扎着伸了几下脖子，我赶紧跌跌撞撞跑进卫生间，拿来一个面盆，还未曾放下，老独头便一泻千里，我一手拿着面盆，一手胡乱地给他揉胸捶背。待他吐完后，又跑回卫生间拿一口盅清水给他漱口，想不到老独头双手一接过去，就迫不及待一仰脖子，"咕噜咕噜"地喝个底朝天后，倒头就睡。

　　我拍拍他的胸部，说："喂，哥哥，白……白药在哪里？"

　　他用手拍了拍挂在腰间的钥匙，翻了一个身，很快就鼾声如雷。

　　房里有一张没抽屉的办公桌，桌上摆满了香烟盒烟灰缸之类，床头有一个显然是老独头自个焊制的灰色铁皮柜，我也喝得差不多了，用钥匙试了半天才打开了柜门。打开抽屉，翻遍上层，全是些单据什么的，压根就没见云南白药的影子。我不甘心，又试了几下，把底层的抽屉拉出来，见上面放着一个大信封，会不会是在这里面？手脚不听使唤，不小心信封拿反了，里面的东西"哗啦"一声全滑落到地上，我仔细一看，不禁傻眼了：全是老独头在酒楼为陈成三偷拍的"三级"片。

　　我强迫自己镇静下来，瞪大眼睛细细欣赏陈成三的"二人转"。照片里的女主角我大都不认识，但有一个人我一眼就认出来了。这个人叫农春花，原先在县报做编辑，在我被贬到萝卜山培训基地后，调入县广播电视局接我那份活儿。这张相片之所以令我亢奋得浑身哆嗦，是因为农春花的老公就是威震四方的罗大牛。若罗大牛知道陈成三跟自己老婆有染，依罗大牛的性情，在一天之内将陈成三撕成三千片也未必就能解恨。

　　我兴奋得酒都醒了一半，边匆匆地翻看相片，边在心里狠狠地骂着老独头："他妈的，还说同饮鸡鸭河水呢，想不到还留一手，这十几张值钱的还舍不得给我呢！"我把相片揣入怀里，锁了柜门，蹑手蹑脚来到床沿，看看老独头死猪一般打着震天响的呼噜，我便拿着钥匙出了门，一路狂奔回到周素彪照相馆，举起拳头一个劲地擂着门板，半天也没见里边有声响，周素彪大概又上哪儿搓麻将去了。我情急之下，跑到猪肉铺里搬来一块屠夫们白天磨刀的砂石，来到门边，双手将石头举过头顶，对着锁头就砸，运气还不错，只听"轰隆"一声，锁头就被砸开了。开门进去，摸索着开了灯，到卫生间拧开水龙头，也顾不得伤口感染，把头伸到水龙头底下淋了个痛快，当头脑清醒双眼视线清晰后，我就翻箱倒柜找出我进山时寄存在这里的行李，拿出照相机，装上近摄镜，调好灯光和焦距速度，把快门按得"咔嚓"、"咔嚓"直响，不到十分钟，三十多张不堪入目的相片就给我全翻拍完。

半小时后，我又回到了老独头宿舍。处理好现场，倒头搂着老独头的脖子，打着震天响的呼噜一觉睡到了天亮。

第三天，把翻拍的相片冲洗出来后，我便叼着一支烟，大摇大摆走进陈成三的办公室里，二话不说就在沙发上坐了下来。陈成三对我的到来显然没有任何思想准备，尤其是看到我半卧在沙发里跷着腿悠然地抽着烟感到不可思议，他肯定以为自己的眼睛花了。

"你他妈的不是犯病了吧？"半晌，陈成三露出一副是可忍孰不可忍的表情，气急败坏地吼了一句。

"有点事想和你谈谈。"我淡淡地应了一句。

"我可不可以理解为你这是自首？不错，也不枉党和政府教育你这么多年，犯了错误不畏罪潜逃，而是选择主动坦白争取宽大处理，这说明你还是懂政策的……"

陈成三很快恢复了常态，一副关心同窗拯救同志的长者风范。

其实我挺能理解陈成三的。在初中二年级读书那阵子，我是佼佼者，老师同学天天众星捧月般地围着我这个重点高中苗子转悠。陈成三是后进生，属于能够有效拉动整体成绩走势下滑的那部分人。十年河东，十年河西，人为刀俎我为鱼肉，要让他当作什么都没发生一样提拔栽培一个昔日高高在上的人，换了我，我也做不到。所以现在陈成三的这种变态心理完全也是情理之中。

"你还是收回成命吧，北京那边我不希望有什么麻烦。"我心平气和地说。

"是我听错了吗？"陈成三一脸懵懂的样子真是可爱极了。

"这是我给你下的最后通牒，我把话挑明了，这事由不得你高兴不高兴！"我一板一眼道。

"……你他妈的给我滚，看老子怎么收拾你，反了反了……"陈成三怒不可遏，几乎把桌子掀了。这家伙说变脸就变脸。

我站起身来，一抬手，把怀里的照片甩手摊在了他的办公桌上。

陈成三这次彻底懵了。

"听说罗大牛的脾气有点躁，时不时喝完小酒就摆弄那枝破枪，多少年的老枪了，要是走火伤着人多不好啊……"

陈成三沁出了一脑门子的汗。

门外有个脑袋探进来，"局长，有事吗？"

陈成三以迅雷不及掩耳的敏捷拉过一张报纸盖在那些不堪入目的照片上，额头上的汗珠子"吧嗒吧嗒"摔在报纸上。"没……没事……你先出去吧，我和明雷谈点工作……你先出去，有事我再叫你……"

都辞职了还谈什么工作。

尽管我对陈成三的成见罄竹难书，但他的应变能力我确实佩服得五体投地。陈成三抹了一把脸上的汗，满面春风地拉着我的手坐在沙发上，"误会呀，误会呀，明雷……"

室内霎时春光融融。

"这些玩意儿你留个纪念，我那儿还有底片。"说罢我甩身走了。

我想，我离去时的背影一定帅极了。

第 5 章

一九九二年，那是一个秋天。九月十四日，我怀揣录取通知书和光宗耀祖出人头地的梦想，向着全国各族人民朝圣的方向——北京，一路高歌猛进。

京师文理学院位于北京海淀区。远远看去，研究生部所在的八号楼呈一个"凹"字。不知怎的，第一次伫立在这个"凹"字前面，我竟无端地联想起深山老林里诱捕野兽的陷阱。从外表看，这栋研究生宿舍楼虽有五层，但仅在中间部分才有五层，其他东西两边各有一个宽敞得可以做露天操场或球场的露台，露台四周都砌起齐胸高近一米厚的墙壁做护栏，护墙四个角落，焊有几根铁柱，拉有若干条铁丝晾晒衣物。

据说，前几年高校舞会泛滥成灾时，楼顶露台常举办男女配对甚至面贴面胸擦胸的周末午夜舞会，但后来个别男研究生凭着近水楼台，在舞池中意犹未尽地"顺手牵羊"，把好几位女本科生领回宿舍床上继续群魔乱舞，直至舞得她们肚子圆鼓鼓后，校方才突然意识到，在研究生宿舍楼顶的露台开午夜舞会无异于助纣为虐，于是，一纸布告，彻底地消灭了全校所有学生宿舍楼顶露台的舞会。

每层楼的结构几乎一模一样，都是中间辟有一条东西走向的公共走廊，走廊南北两边各是两排门对门结构大小一样的小房间。在五楼靠近楼梯口的西面，有一间大房作为研究生学生会办公室。其实，很少有人见过研究生学生会干部在里边办公，倒是那里一年四季都摆着一部二十英寸的彩色电视机，还有好几张大桌子和不少椅子，一年四季都常有人在里面打牌下棋操练舞步聊天侃大山，久而久之，便有了俱乐部之实。晚间，许多人常到那里看电视，有时哪个房间来了异性朋友，为了避让，也常有人神秘兮兮地抱着被褥枕头躲到里边睡觉。

这栋楼的总把头就是门卫兼清洁工欧阳师傅。

欧阳师傅年轻时有过一次短暂的婚姻。尽管那个年代还没有推行 ISO9000 国际认证，他的老婆却得风气之先，一味地将周公之礼与欧美标准接轨，折腾得欧阳师傅每晚疲于应付。在这场灵与肉的绞杀战中，欧阳师傅阳气耗尽，最后落得个无言的结局。十年前，当京师文理学院开始恢复招收研究生时，经熟人介绍，欧阳师傅来到这里做宿舍门卫兼做楼道水房卫生间的清洁工作，每月工资一百元。20 世纪 80 年代初期，物价还很低，一百元可算是一笔很大的数目。欧阳师傅那阵子日子过得挺滋润挺快活自在的，闲时沽上两盅二锅头后，在不足十平方米的门卫室里哼上两段京剧唱腔。据说，他哼唱最多的是一首《醒世歌》：

　　红尘白浪两茫茫，忍辱柔和是妙方。

　　到处随缘延岁月，终身安分度时光……

20 世纪 80 年代末以来，随着留校任教的单身教师日益增多，单身教师们住宿形势日渐严峻，对八号楼打了好几年主意的后勤部，终于抵挡不住诱惑，动手对八号楼作了一些巧妙的改造。即以大门边的楼梯东边为界，砌一堵墙堵住了大门一楼以东公共走廊的通道，将一楼东边的房间改作留校单身教师宿舍，解决了四十多名单身教师栖身问题。与此同时，在各层楼分别砌一堵墙将楼梯以西的公共走廊通道堵死，另从西厢房的南端破墙而出，给干训部别开门户。

据欧阳师傅说，之所以将干训部与研究生部隔开，有深刻的政治和社会原因。

前几年，每逢周末，楼梯处常常人头攒动地聚集着许多人或演讲或辩论，每每见到干训部的人大谈主义理想时，研究生们常常振臂高呼回敬。

动口通常是动手的诱因，打架和演唱会一样，事先也要热热场子，待到雄性荷尔蒙的分泌量达到一定程度的时候，质变就发生了。这样的打架每个月都会发生一两次，一般还都在月盈之夜，周期性的规律很强。久而久之，每个月一到那几天，女同学经过那里的时候都躲得远远的等着看热闹，因为如果离得太近，身上溅到血就不太容易说得明白。

对于这种情况，校保卫部虽多次出面处理，但简单的通报批评记过处分甚至勒令退学，都无法在意识形态里协调他们，无论如何协调处理，大门口的公共通道总如朝鲜半岛之"三八线"，谁也不敢保证不会擦枪走火狼烟四起。那阵子，研究生部与干训部的领导虽大为光火，但束手无策。院长后来召开群众大会，集思广益，群策群力。可研究讨论了半天，谁也拿不出切实可行的方案来。最后，却出人意料地采纳了欧阳师傅的建议，即用一堵厚厚的水泥墙将干训部宿舍与研究生宿舍隔开，往西厢房的南端破墙而出，给干训部另开门户。欧阳师傅这种把井水与河水截然隔开的做法果然奏效。

经过两次堵截后的八号楼，终于成为名副其实的研究生宿舍楼。

如果不是偶然得到了草根女儿那只奇形怪状只会摇尾乞怜的小杂种狗，我这个穷得走起路来就像马帮进村般叮当响的人，绝对会为如何报答李寿昌的知遇之恩伤透智慧的大脑。

要说这只狗实在是幸运，老子历尽千辛万苦才打通了一条从南国边陲到祖国首都的金光大道，这狗是个货真价实的土狗，就因为命中遇上我这么个贵人才一步登天的。北京是一般人能来的吗？更别说是一般狗了。

刚到校的第一天，放下行李，我就拉上金布丁去了李寿昌教授的家，不由分说地把那只杂种狗放了下来，回到宿舍后，忐忑不安地等待着李寿昌的反应。

出乎意料的是，李寿昌的反应比我想象的还要好。第二周的一天下午，李寿昌特地跑到宿舍找我，把我叫到露台，满脸堆笑地告诉我："我给狗取名为沙披洛夫斯基，沙披洛夫斯基一点都不认生，整天满屋子跑，一见我，就摇头晃脑，尾巴摇个不停。我早晚带它出去遛弯，一路上又跳又唱，可逗啦。真是太感谢你了。"末了，问我啥时候有空，要请我撮一顿。

临别时，李寿昌教授又附着我耳朵悄悄告诉我说，他已跟研究生部领导沟通了，考虑到我来自"老、少、边、穷"地区，学费的事，好说，筹到钱的话，就交，暂时筹不到的话，以后再说，反正毕业前交清就成。

我感激得几乎涕泪横流，差点没跪下抱住他大腿叫一声"爷"。

夜深人静时，我禁不住常常想起为我贡献了这么一只杂种狗的草根一家。离开萝卜山前，我想起了两年来没少给我照顾的草根，特地到乡集上买了几斤肉和一包糖，前往草根家跟他话别。

来到草根家门前，见门虚掩着，举手欲叩时，有人从里边开了条门缝，怯生生道："石叔叔，来啦？"

我低头看去，原是一个八九岁大的女孩，衣着褴褛，面色清瘦，两只大大的眼睛，长长的睫毛扑闪扑闪的。我知道，这是草根的大女儿招男。

招男开门后，一边往屋里走，一边道："爸爸给甘蔗喷除草剂去了，傍晚才回来。"

说话时，一个三岁左右的女孩牵着一只模样古怪的小狗来到我身边，我赶紧从包里掏出糖，每人给了一把，问："你叫什么名字？"

"她叫招弟。"招男抢着回答。

这两姐妹一个叫"招男"，一个叫"招弟"，父母渴望生儿子的心思昭然若揭。

招弟有点胆怯，一手接糖，一手紧紧攥着姐姐的衣角。

"不怕，这是叔。"招男道。

不一会儿，姐妹俩渐渐与我熟络了，在她们吃糖果时，招弟手里牵着的小狗一直"呜呜"叫着。

"这是什么狗，模样挺怪的。"

这是一只小公狗。它身材似猫，四爪极短，身段绵长，两只耳朵像两片霜打过的树叶卷作一团，身上毛色黑白相间，两只小眼睛呈三尖八角，一刻不停地转动，偶尔发出几声吠叫。

"哪儿买的？集上吗？"

"我爸爸到城里给人打工，打工半年后，人家后来说亏本了，没给工钱，只给一只哈巴狗。爸爸回来后，晚上带哈巴狗到西瓜地里看瓜，收完西瓜不久，地里长出了玉米，哈巴狗就生了这只狗，我爸说，肯定是哈巴狗夜里偷偷跑到树林里跟狐狸杂交生出来的。"招弟吃了几颗糖，一口气说了狗的来历。

"它两边眼角怎么会有两道花花绿绿的伤疤？"

"右边那个是我爸爸打的，左边那道是给邻居打的。"

"打它干吗？"

"它总是不听话，老是在我爸爸床前屙尿拉屎，后来有一次给我爸爸逮住后，爸爸就用木屐打它。左边那道疤是它到人家灶台偷吃东西时给人家用砖头和木棍打伤的……"

"可怜的狗……"

"它会唱歌跳舞。"招男抢着说。

见我满面疑惑，姐妹俩手里拿着糖，伸手道："狗狗，唱歌，这里有肉。"

小狗抬头注视着姐妹俩的手，后退几步，如同演员般清了清嗓子，便咧着嘴"呜呜呜呜"地叫起来，在叫的时候，四只爪子上蹿下跳，两只前爪提起，作揖般向主人讨好，两只后脚则立在原地打转。我丢了一颗糖给它，它跳得更欢了，向它招招手，它又跳又吠，又歌又舞，我不禁笑了起来。

"这可是难得的玩赏犬，"我转向招弟："平时它吃饭吗？"

"没有饭给它吃，它整天流泪，又哭又闹，专吃招弟的屎……"招男说。

"这太下作了吧？"我心里这样想，但没有说出来。

招男大概见我对这只狗感兴趣，走近身边小声笑着告诉我："招弟每天牵着它，它专吃招弟的屎。原来是半死不活的，毛又长又脏又臭，全身到处是臭虫，可这段时间毛发变得光亮，竖起来的尾巴也挺起来了。有一次招弟给它洗澡，发现它还会唱歌，跳舞……"

"怎么给它洗澡？"

"把它扔到池塘里，不让它上来，它一靠岸，就用棍子打它，让它在水里游半天。"招弟吸着两条黄鼻涕道。

"在池塘里游水，还是不干净的，身上还有臭虫。"不知什么时候，身边又多了一个小男孩。

"没有臭虫。"招弟说。

"有。我还看见两只哩！"小男孩道。

"没有。"招弟道。

"不信，我找给你看。"男孩说罢俯下身来，用手抓挠着狗的肚子，那狗一点也不惧生，四只小爪一伸便躺了下来，男孩的手触摸之处，狗就会把那地方尽量挺出来，粉红的舌头惬意地舔着男孩的手心手背。

"这不是臭虫又是什么？"男孩说罢，眼明手疾，抻出拇指与食指沾了一唾液，在狗肚子的毛根下拈出一只臭虫，用唾液沾在手掌上。那只臭虫在斜阳照耀下熠熠生辉，尽管拼命地挣扎，却怎么也游不出眼前浅浅的唾液湾。

看看天色已晚，还未见父母回来，招男便跟招弟说姐姐去叫爸妈回来，要跟叔在家。说罢就一溜烟跑出门外。

不到两支烟功夫，招男就跑回来。草根因地里的活还未忙完，吩咐招男先回来宰鸡。招男回来后，在院子里撒了一把谷子，用鸡罩将一只正低头啄米的小公鸡罩住。看她敏捷娴熟的动作，我简直不相信她才八九岁。

蚊虫蝙蝠四处翻飞时，门外终于传来响声，一身疲惫的草根挑着两簸箕的番薯回来。我连忙迎上去接下担子。他放下簸箕，在院子里坐了下来，边跟我抽烟，边满面歉意地向我解释迟迟回来的原因。夜风吹弄他凌乱且毫无光泽的头发，月光落在他肩头打了好几个补丁的衣服上，虽然朋友来访，但纵横交错的脸容上也少见一丝笑容。

有道是：入门休问枯荣事，观看容颜便得知。见草根落寞悲凉的神情，我不敢问草根的收成。

我转着话题问草根，嫂子怎么还不回来，草根长叹一声，道："想生个儿子，孩子她妈跑到外地投靠亲戚去了，都跑好几年了，也不知是不是我们命中本就无男嗣，生了几胎都是女的。上个月乡里管计生的又来了，值钱的东西都给拿走了，连锅碗瓢盆也给砸了……"

为贯彻国家的计划生育政策，我们这些革命的接班人，继承了革命的光荣传统，把抗日战争时期坚壁清野的招儿都使出来了，我不由得对计生工作人员肃然起敬。

吃晚饭时，小狗吃了几根鸡骨头，又唱又跳，模样十分可爱，我突然灵机一动，李寿昌教授为我考研出了那么大的力，但眼下连第一学期的学费都筹不到，实在拿不出什么值钱的东西回报李寿昌。眼下南方不少地方把狗价炒得离谱，倘若他真的喜欢，那这小狗也不失为一份厚礼。

我笑着对草根道出了自己的想法。

草根听罢，自我解嘲般笑说："这又不是什么值钱的东西，一只杂种狗，整天跟招弟做伴，整天跟在她屁股后面吃屎，京城里的官，会稀罕这玩意儿吗？"

"这只狗通人性，相貌古怪，跟一般的狗不同，兴许京城里很难见到。"

"你要是有兴趣，就把它带走吧。招男，明天把狗洗干净，送给叔叔。"招弟听说要拿走她的狗，"哇——"地哭了起来。

"爸另外给你买一只大黄狗。"哄了半天，招弟终于边抹泪边笑。

在北上的火车上，我把这只狗藏在座位底下的一个纸箱里，上车前我给它喂了安眠药，一路都无声无息地睡到了京师文理学院。

金布丁后来得知那只杂种狗帮上我的大忙后，说我歪打正着，在别人看来分文不值的东东，李寿昌却偏偏喜欢上了。金布丁后来一提起那只狗，就笑骂道："真多亏了那只小杂种狗替你对新主人极尽摇尾乞怜阿谀奉承之能事。"

每次想到李寿昌给那只杂种狗取的古古怪怪的名字，我都不禁丈二和尚摸不着头脑。金布丁听罢，喃喃自语道："沙披洛夫斯基？这应该是人名，怎么会是狗呢……应该是沙箭什么的吧？"当听到我说绝对是"沙披洛夫斯基"后，金布丁沉思半晌，最后笑着解释道："这可能跟李寿昌教授研究的领域有关吧，他不是研究苏联和东欧社会主义史吗？他平时不是经常滔滔不绝地谈论苏联或前东欧社会主义国家那些共运史方面的名人吗？那些名人的名字都有一个特点，即不是'洛夫'就是'斯基'，或者'洛夫'和'斯基'兼而有之。因此，他就随口给狗取名为'洛夫斯基'，至于'沙披'二字，肯定是你听错了，应该是'沙皮'或'沙箭'，这是狗的类别……管它错还是对呢，我们该叫它'傻×洛夫斯基'好了……"

金布丁还没解释完毕，两人就狂笑不已。

入学不久的一天中午，党政教研部教学秘书小安突然跑到宿舍来找我，把今学期的课程表交给我，随便跟我聊了一会儿。她告诉我说，我这个专业原计划招三人，但只招到我一个，考虑到李寿昌教授同时兼任党政部党支部书记，党政部已跟研究生部协调，决定改由持实教授任我的导师，李寿昌教授只上研究生部政治公共课，不再任我的导师。

小安还郑重其事地告诉我说，周六下午党政部教职工政治学习例会，待会议结束后，持实教授要见我。小安还特别叮嘱我说，这几天务必到图书馆查阅资料，跟持实教授见面时，持实教授要考考你。持实教授这方面特别认真，你入学前还没面试过，你要做好充分准备。

小安说罢，掉头就走。我追至楼下，拦住小安问道，持老能否给划定个范围？小安面露难色地摇了摇头。

兵临城下却连一道壕沟都没挖，我顿时傻眼了。

持实教授，何许人也？去年九月联系报考时，我在给李寿昌写信的同时，也曾给持实教授写过三封信，但他一直没有给我回复过片言只语。现在突然在一夜之间变成了我的导师，而且还要亲自坐镇面试，我的心就像装了十五个吊桶七上八下的。

我打电话给已毕业离校但仍常常回校闲逛的金布丁，把换导师的事跟他说了，并向他打听有关持老的情况。

金布丁听罢，嬉笑着说："你也不必后悔把你那只捡来的杂种狗送给李寿昌，他虽不上你的课，但他是党政部党支部书记，培育和维持好这门关系，对你将来留京发展有百益而无一害。再说，就持老的性格和爱好来看，对宠物狗尤其是杂种狗十有八九不仅没兴趣，而且还充满厌恶与憎恨。所以说，你的杂种狗，算是送对人啦，你千万甭可惜或后悔了。"

提到持老，金布丁告诉我说，持老是国内著名的社会学家，多年来，国内外许多高校社会学硕士生一直把他的社会学著作当作必修课，但由于京师文理学院社会学硕士点还没批下来，持老只能改招政治学方面的硕士生。

为了应付持老的面试，我如临大敌，花了整整三天时间跑到北京图书馆查阅资料。

星期六下午四点，我早早就来到主南楼。党政部教研室位于主南楼的六楼，共有十多间房间和一间资料室，占了半层楼。我到办公室时，其他老师已开完会离开了，李寿昌和持老正坐在里边等我。

走进房间，李寿昌一阵寒暄后，喝了一口茶，清清嗓子，笑吟吟地开始例行公务。他翻来覆去说了半天，我一个字也没听进去，我怔怔地望着持实教授。

持实教授年逾六旬，戴着一副黑框眼镜，打着一条浅红色的斜纹领带，俨然一副学者风度。岁月在他的两鬓染上斑斑银霜。他的双眉稀疏，微微弯垂，眼神清澈似水，深藏着无限的智慧与毅力。从他那紧闭成一字形的嘴唇和沉静的目光，不难看出一种远大的志向和深思的神情。这是一种典型的老年知识分子的面孔。

持老突然问了一句，你是不是党员？我愣了一下，赶紧点头称是。持老便道："党员就要发挥先锋模范带头作用，尤其是攻读这个专业的硕士，更要时时处处牢记党的宗旨，把自己培养成为德智体全面发展的接班人！"

持老说起话来慢条斯理，声音也很有磁性，那是一种深沉而带有节奏感的音调，有一种深度集中注意力的魔力。不知道搞社会学的人是不是都懂点催眠术。

为了不影响持老对我面试，李寿昌先行告辞了。

因为我到北图查阅了不少资料，做了充分准备。当持实教授单独面对着我时，我踌躇满怀，信心十足。

持老问了我几个问题。还好，这几个问题我刚好在北图查阅过。我微微一笑，清了清嗓子，有板有眼答了起来。自我感觉发挥得不错，口若悬河，滔滔不绝，精彩之处手舞足蹈。大概过了差不多一个小时，我回答完毕后，颇为得意地恭候导师的评判。

一直低头不语的持老呆呆地僵坐着，半晌，慢慢地抬起头来，轻声问我是不是回答结束了？见我点点头后，他慢慢地捧起茶几上的茶杯，慢悠悠地品了几口后，站起来，背着双手，在房间里踱来踱去。

莫非理论上有什么重大的纰漏？刚才的得意一扫而空。我赶紧打开笔记紧握笔管作勤学好问状，忐忑不安地等待着持老高见。

持老沉思半天后，微微颔首道："年轻人，谈吐不俗啊。"

谢天谢地，终于顺利过关了，这样的评价足以让我欣喜若狂了。

"你讲的普通话不是一般人能听得懂的，穷我毕生的语言智慧也只听懂了六七分。"说罢，他拂袖而去。

我晕。

我得承认，我那集家乡方言呕哑嘲哳之大成，兼具两广粤语之神韵的普通话确实有些不伦不类，自己说得吃力，别人听得也痛苦，还常常闹出一些误会来。持教授的评价已经算是很客气了。

为了过语言关，我决定求助同年级唯一的一位北京土生土长的同学，她就是跟我同住五楼的哲学所欧洲哲学史方向的女博士李春闹。据说，李春闹十年前从京师民族师范学院欧美文学硕士毕业后，分配到北京东城区某研究所工作。工作七年后，又考进京师文理学院攻读博士。

李春闹年纪不小，但却天真幼稚得令人难以置信。她几十年如一日地追逐港台歌星，俨然是一位标准的歌迷。她随身一件宝就是一本十六开本两寸厚十斤重案板似的笔记本，笔记本里面全是港台歌星们龙飞凤舞或鸡扒屎般的亲笔签名。每每年级开会或搞什么活动时，李春闹总是双手捧着那笔记本，不管你怀有什么动机，只要稍微表示一下对在她笔记本上签名的歌星有点滴兴趣，李春闹立马三刻放下手中的活儿，滔滔不绝地跟你讲个不停。一边说，一边饶有兴致地翻着笔记本。倘若你偶尔流露出对她所崇拜的某位歌星不感兴趣之神情，她的话就突然如断了电的机器人一样戛然而止，并迅速地伸出双手猛地抢回笔记本。如果你要问她为何这样做的话，她就狠狠瞪你一眼，边气咻咻地走开，边愤愤地喃喃着据说自幼儿园起每逢骂人时就用的口头禅："因为所以，科学道理，蟑螂蚂蚁，懒得理你！"从此，一连十天半月都视你为陌路人。

中秋迎新晚会上，李春闹恰好坐在我旁边。为了接近她，我故意一本正经地流露出对刘德华的崇拜之情，并轻轻哼着刘德华的那首《忘情水》。李春闹顿生相见恨晚之情，牵着我的手，把我拉到角落里并排坐下，神采飞扬地大谈特谈刘德华的身世，又翻出刘德华的签名左看右看，我耐着性子很纯情地附和着，要不是晚会结束了，我连上厕所的空当都抽不出来。

李春闺单枪匹马住在全是男生盘踞的五楼，生活各方面有诸多不便。女卫生间在二楼，五楼水房在夏天的晚上几乎全被男同学盘踞着。北方所谓的水房绝不似南方那样相互隔开来，除了房门之外，空荡荡的没什么遮掩。水房两边是两排水龙头，水龙头很低，洗澡时只能用面盆或提桶盛水再往身上淋洒。我们这些来自南方的男同学总是在水房里洗澡，从未光顾过学校大澡堂，校方每月发给的四张澡票，一到手便全转让给女同学献殷勤。这样一来，夜幕下的水房充满了裸体男人的放荡，他们"哗啦哗啦"地往身上倒水，一边使劲搓着身体上的各个敏感部位，一边纵声歌唱。

我们五一四号宿舍位于水房斜对面。李春闺每次到水房洗漱什么的，倘若有人在里边洗澡，她便到我们宿舍，来坐坐。可一到了夏天，就不那么方便了。北京的夏天忒热，一回到宿舍我们几个便迫不及待地剥掉衣服，仅留一件能勉强掩盖住关键部位的内裤遮羞。见李春闺进来，大家都很不自然。于是不知什么时候，李春闺不再那么轻易敢把我们宿舍当作到水房的中转站。不过，这对李春闺来说还不是难堪的事，大不了多跑几趟就是了。最令她难堪的是男同学在水房里赤身裸体洗澡。可话又说回来，当初是她自己要求住到五楼来的，她嫌女同学太嘈杂了，希望住到僻静之处专修学问。她这种想法也不无道理。俗话说，有鸡鸭的地方不安静，有女人的地方不安宁。

如果五楼的男同学迁就李春闺不在水房裸体洗澡，那首先站出来反对的，无疑是那些几乎一年四季每天至少都要洗一次澡的南方同学。

倘若在晚上，还是可以对付过去，因为水房里的灯泡一般寿命都不长。虽然走廊里的路灯也射进去，但那朦胧的灯光还能暂时遮掩裸体洗澡者的特殊部位，但偏偏有些人专拣早上洗澡。如我们屋的王天乐便是专门在清晨东边刚刚吐出鱼肚白的时候，拎着裤衩蹑手蹑脚闪进水房洗澡而在整栋楼闻名的。王天乐同学三十出头，但至今还是炉前的钢钎——光杆一条，这厮入学后就应某出版社之约与人合编一本新婚指南的书。据说，每天早上起床后第一件事就是洗澡换内裤。

有一天清晨，素有早起习惯的李春闺到了房门，见房门虚掩着，里边没有声响，她即推门而入，却羞红了脸，慌里慌张地跑出来。原来，王天乐正赤条条站在水槽旁。

李春闺吓得手中的洗漱用具"啪"的一声散落满地。

从此以后，大凡在水房里洗澡的男士们，天不怕地不怕，就怕走廊里突然响起一声"李春闹来啦——"接着水房里便传来一浪高过一浪的号叫声。

李春闹终于是可忍，孰不可忍，她用毛笔愤愤写下这么几个大字："可以在这里洗澡，BUT NO NUDE！"写好后，用订书机把标语钉到水房的门板上。

标语贴出之后，关于要不要继续在水房裸体洗澡一时成了五楼争论的话题。

不少男同学说，不赤身裸体就洗得不痛快。也是，到学校大澡堂洗澡谁不剥个精光？如果遮遮掩掩反而被认为患了性病或有生理缺陷。据说，大凡初到北方的南方同学不太习惯北方澡堂这种豪放。来自西河省的一位女同学坦言，第一次进澡堂时面对瓜棚一样的乳房阵，羞得紧闭双眼差点断了气，直到被人故意用水瓜般的乳房狠狠地撞了一下，才决心剥去外装。

后来，李春闹找到我诉说苦衷。我说，这事好办，交给我了。

酒店里但凡有人要行苟且之事，一般都会在门把上挂一个"请勿打扰"的牌子，这是个很不错的办法，我照葫芦画瓢在水房门板上贴出"楼规民约"：

凡在水房裸体洗澡者均应在门外边扶手上挂有标记以警示异性，以免造成不必要误会……

从此，五楼的水房有了一条规则，即房门上边或房门的拉手上挂有哪怕是一条面巾或是一条裤衩，就表示正有男人在里边光着身子洗澡，女士切勿擅自闯入。

李春闹的问题是解决了，但有些人还是唯恐天下不乱。有时听到水房里有"哗啦哗啦"的水声，他们就蹑手蹑脚走到门外，用手捏着鼻子，学着李春闹的腔调道："里面有人吗？"吓得里面正在洗澡的连忙用面巾掩着下身，战战兢兢道：

"有……别进来，千万别进来……"

"快点！"

"就好了……就好了……"这么一来，洗澡者身上尽管还是黏糊糊的泡沫，也不得不匆匆忙忙穿上衣服，但出门外一看，往往是虚惊一场。

李春闹自称元朝以来祖上就一直居住北京，连城门也没有出去过，普通话绝对标准纯正。我们屋三人都说她的普通话是"美声唱法"。我决心拜李春闱为师，就是把舌头卷得秃噜皮，也要学会一口纯正流利的北京话。

但是，当我跟这位女博士熟悉到可以向她提出拜她为师学讲北京话时，我发现她的态度有些傲慢，她说我普通话"特次"，已经无可救药了。我知道这个口无遮掩的老处女之所以这样损我，是跟刚入学那阵子我误"损"她有关。

那次是在中秋迎新晚会上，主持人提议请李春闱唱一首歌，大伙掌声雷动。

李春闱碎步跑上舞台，接过话筒后，学着幼儿园小孩的天真模样，笑眯眯地问大伙："我唱什么歌好呢？"

当时我离她不远，明显感受她期待的目光来回地在我脸上扫过来又扫过去，我深切地感受到，如果我此时此地不给她捧场，那就实在太伤她的心了。

我突然想起了当下十分流行的一首歌，便故作一惊一乍地带头鼓掌，大声喝彩道："来一首《纤夫的爱》，好不好？"

话音未落，众人哄堂大笑。李春闱怔了一下，脸色苍白，嘴唇哆嗦，半晌，扔下话筒，愤然离去。

我丈二和尚摸不着头脑，同宿舍的李习科王天乐双双惊慌失措地跑过来，把我拉到一边，凑着我耳朵骂道："你真是色胆包天，大庭广众之下，你凭什么叫人家一个老处女唱奸夫的爱呢？你也太损人了吧！"。

我恍然大悟。原来，我把"纤夫"念成了"奸夫"。

京师文理学院硕士生第一学年统一开设一门政治公共课，这门公共课仅讲授一本书，即恩格斯的《反杜林论》。党政教研部党支部书记李寿昌教授负责讲授这门课。

北主楼一楼会议室格外宽敞，但研究生每每到这里上课时，他们总如山羊拉屎一样在会议室里四处散开来坐。在中国，政治是相当严肃的事情，但在大学的课堂里，同学们却给一门决定世界命运的课程赋予了一种浪漫主义气息，一到课堂便三五成群愉悦着彼此，还美其名曰化干戈为玉帛。李寿昌教授为此也偶尔发发脾气，但他左腮一颗斜撑出来的门牙始终让人感受不到他发脾气的威严，倒是增加了几分滑稽。每每见同学们四处散坐，他便招呼大家往前靠拢，但课间休息回来，同学们又四处散开来坐。

我对李寿昌教授的第一堂课记忆犹新。他首先作了一个简短自我介绍，然后从容地拿起一截粉笔，在黑板的正中央奋力写下一行大字："杜林先生许下了什么诺言？"他提出这个问题，一方面是想提起大家的兴趣，另一方面，显然是试探一下在座是否有高手。据说，这也是他数十年如一日的习惯。

读书和组建家庭不同，优秀的学生各有各的优秀，而不优秀的学生却表现得同样让人不齿。也不知道是不是我们这届学生确实不够出类拔萃，还是大家压根就没听见教授说什么，抑或是大家的性格太内敛，反正教室里很快恢复了政治课应有的严肃，众人先是面面相觑，然后又不约而同低着头做思考状。凭这多年的课堂经验，大家都深知，在这个时候万万不能迎接老师期许的目光，谁对上眼了就意味着谁就要被提问。

课堂上鸦雀无声，空气好像凝固了一样。

我有一种不祥的预感，送杂种狗这件事可能弄巧成拙了。李寿昌对我的印象估计比其他人都要深刻，倘若再没有人站出来，李教授很可能直接点到我的名，虽然我同样是低着头，但我还是能明显地感觉到来自讲台的目光一直都在我身上游弋。

"请坐在后排左边靠近窗户的那位男同学回答。"李寿昌的声音洪亮而清晰，他故意装出一副不认识我的样子，用坐标参数准确定位由我来回答这个问题。终于有人被点中了，所有的人都如释重负，脑袋埋在桌子底下的此时也都高高地昂了起来，自信的眼神似乎在埋怨教授，为什么不让我来回答这个问题呢？这德性我太熟悉了。

杜林先生到底许下了什么诺言？我顿时不知所措。

复习考研时，我踏破铁鞋弄到了一本《反杜林论》，但考研后就把它当作火引送进灶膛了。上周通知各人预习这本书，我四处奔波都找不到这本号称为"社会主义理论百科全书"的《反杜林论》。前几天跑海淀书城，竟没有该书的单行本出售。不少书店都有马恩选集或全集，但不单售，我也犯不上买一整套马恩全集或选集。直到今天早上，才偶然在卫生间斜对面的杂物房里发现了一本，这本书保护得很好，里面干干净净的一个字也没画，美中不足的是封底有一摊口水印，应该是上一届毕业生扔下的。高年级的师兄师姐们告诫我们，李寿昌教授讲授这门课有个特点，即学年结束时并不作闭卷考试，仅仅是考查。考查除了交一篇作业外，还看平时的课堂表现，而在课堂表现中，最最关键的，就是看是否拥有课本。

虽然对这个问题一无所知，但多年的社会阅历让我很快就镇定了下来。

"这个问题嘛，不是一两句话就能说清楚的，不过，总而言之，也就是通俗地讲吧，就是……杜林先生肯定是许下了恩格斯不如他之类的诺言。"

有人掩嘴窃笑，有人呆若木鸡。我偷眼望了一下讲台上的李寿昌教授，发现他那颗门牙早已撑了出来。凭经验判断，我的回答必错无疑。我急中生智，连忙纠正道："杜林先生许下了他的杜林论是至高无上的诺言。"

教室里安静得连讲台上的李寿昌喘气的声音都听得一清二楚。当我回答完毕后，李寿昌教授立刻紧闭他那颗门牙，紧紧追问道："这么说，杜林先生是写了一部杜林论吗？"

我毫不犹豫道："对，有了杜林的《杜林论》，才有恩格斯的《反杜林论》……"

教室里已经笑翻天了。

看着我振振有词的样子，旁边的李习科再也忍不住了，他在桌子底下用力踹了我一脚。这一脚痛倒是不痛，却极大地刺激了我的副交感神经，我的背脊顿时汗如雨下。因为我知道，李习科本科读的是政治教育专业。

李寿昌教授那颗门牙又露出来了，看样子他是想笑却又强忍住不笑，一个为人师表的教育工作者是绝对不能笑话自己学生的无知。听说人如果强行控制自己的情绪可能会伤害身体，也不知道这一次会拆掉李教授几天的阳寿。

李寿昌干咳了几声，平伸双手往前压了压："嗯，同学们请安静。对这个问题，该如何回答呢？请同学们打开课本……杜林先生宣布自己是'要求在当代以及为了这一力量《哲学》目前可以预见的发展而代表这一力量的人'，他就把自己说成是当代和'可以预见的'未来的唯一真正的哲学家。谁同他不一致，谁就违背真理，他自称他所说的真理是'最后的终极的真理'……"

随着课程的进行，同学们渐渐放松了注意力，大伙伏在案上或看其他书，或写信或干脆在本子上胡写乱画，或趁李教授转过身去板书时，跟左右交头接耳。对于这些，李寿昌教授总是采取开一只眼闭一只眼的"打鸟政策"。是啊，与其在压抑难堪的气氛中授课，倒不如在一团和气中轻松度过。

虽然要求不是很严格，但有两点必须坚持，一是要坚持按时上下课，二是课间课后必须点名。很多老师为了严肃课堂纪律，点名都点出花花来了，李寿昌教授便是个中翘楚。刚开学那阵子，课前点名时，几乎都到齐。可到了后来，上了一二节课后，有些同学交代邻座帮忙收拾课本后便溜之大吉，上到第三四节课，课室里的人越来越少。所以常规的课前点名法根本入不了李寿昌教授的法眼，除了课前点名，李教授还先后使用了课间点名法、课后点名法、抽样点名法、重复点名法等等。这些令人眼花缭乱的方法，李教授有时候使用其中的一种，有时候会将其中的几种同时使用，至于究竟什么时候使用哪几种，这里面排列组合派生出来的若干种可能性谁也说不清，如此一来，想早退的同学便无路可走。

研究生的公共课都是轻松愉快的，大多数教授都有提前下课的习惯，极少有听从学校铃声下课的，而李寿昌教授每次都是以放学的铃声为准，哪怕是提前一分钟也不行。久而久之，许多人便有些意见了。

后来大家熟了，课间休息时，同学们总是旁敲侧击耐心开导，建议李寿昌教授也效仿人家提前下课，但李寿昌教授总是笑道："这不行，我深知你们时间宝贵，可是教务处经常来检查，不好交代呀。"

后来，又有几位好事者课间休息时到外边去打听，回来后便跟李寿昌教授开玩笑道："李教授，我们去查看过了，教务处长今天请病假。"

李寿昌教授听罢，总是紧裹着那颗门牙，无可奈何地摇了摇头。

曾几何时，李教授还在中国人民大学当学生时，政治公共课尤其是《反杜林论》是最受欢迎的课程之一。每次上这门课，大教室里总是挤得水泄不通，讲台下全是神情贯注的面孔。那个年代，其他功课可以不修，但一听说是政治课，几乎没有人不选修。那时的政治教师多威风啊，往讲台上一站，滔滔不绝地讲解着马列原理，台下成百成千双求知欲极强的眼睛望着你，那分明就是一种享受，分明就是在干一项伟大而神圣的事业。

可这些年来，高校里的政治公共课每况愈下。有人曾在全校研究生举行民意调查，居然有百分之八十左右的研究生要求对政治公共课进行改革。倒也是，京师文理学院研究生每年的政治公共课都是以《反杜林论》为课本，从不考试，讲授一年后，草草交了一篇作业便大功告成，其实也没有什么收获。显而易见，政治公共课已成了越来越不受欢迎的课目之一。

一提起这些，李寿昌教授便摇头叹息，人心不古呀。

想起周素菊我有一种"断肠人在天涯"的惆怅。为了给我筹集学费，周素菊顺应全民经商潮流，停薪留职下海经商。但自从她去了广东打工后，没有只言片语给我。多次写信问周素彪，都说兴许是刚到广东那边，还没找到工作，为了不给我牵肠挂肚，她就不给我写信，待站稳脚跟后会跟我联系的。

一天下午，我起床后在宿舍里心不在焉地翻弄一本杂志解闷。因为迟迟不见周素菊来信，心中格外焦急与痛苦。忽听露台那里有女人甜甜的笑声，笑声越来越近。我禁不住放下书本，走到窗口边向露台看去，原来是李春闺在那里晾衣服。

李春闺晾完衣服扭头要走，一抬头见我在对面窗内正在呆呆地看她，脸上"刷"地腾起两朵淡淡的红晕，她低头把盆里的水慢慢地往地板上倒，就像一个玩水的小孩一样调皮，一边玩，一边又满面绯红地斜了我两眼。

我觉得李春闺并不像其他男同学所说的那样拿不出手，虽不至于仪态万方，但眉目也还算清秀，年龄是大了点，相当于本科生的两倍，但是大的好处就在于我可以在她的身上看到半老徐娘的风韵。我越看越入迷了。

说起来也凑巧，李春闺快要走开时，又连连回眸向我笑。这样一来，我不禁狂喜不尽，心花怒放。

后来，我在酒桌上向金布丁谈论起李春闺，并自作多情地告诉金布丁说，她好像对我也有那么一点意思。金布丁毕业后仍常常回母校看看，也认识李春闺。金布丁从我描述的细节来判断，得出了一个如假包换的结论——我和李春闺都处在发情期。他说，李春闺博士做学问倒是无可挑剔的，可作为女人，似乎少了一些风韵。

金布丁讲的都是事实。李春闺平时的穿戴就跟其名字一样让人分辨不出性别来，终日忙于学问，不晓得料理女红，从不见她涂过脂抹过粉，一年四季都是剪着男人的头发，整个夏天就穿那件洗得发白的文化衫，一点也不丰满。每每有人在我们宿舍提起李春闺，跟我同居一室的两位室友——一位来自湖南湘西攻读社会伦理学家庭婚姻研究方向的李习科，另一位来自广西十万大山攻读非洲哲学史的王天乐。这两个据说祖上三代曾做过猎户的室友，肯定唉声叹气深表同情地说："唉，这个李春闺，胸部平得跟鲁班的师傅用长刨刨过一样，浑身还散发着一股狐臭味，就算老猎户把她当作饵料扔到深山老林里诱捕野兽，虎豹豺狼们宁肯活生生饿死，也绝对不会碰她一根毫毛。"

金布丁严肃地瞪了我一眼，"你这样这山望着那山高，迟早会出事的。"

我跟金布丁说，我心里明白得很，我再不争气也不可能抛弃周素菊而跟李春闺好上。糟糠之妻不下堂，更何况周素菊为了给我筹学费南下打工去了，我绝对不能有负于她。

又过了两周，李春闹突然给我送来一篇习作，说是恳请我替她斧正。

整栋楼的人都知道我对文学略知一二，现在竟然连女博士也亲自来向我讨教了。不过，我最近心情比较烦躁，脑子里的灵感挤不出来了。

晚上，我躲在宿舍里，认真读起李春闹的所谓"习作"，题目是《我的玫瑰，花开花谢谁人采？》，文中是这样写的：

……看窗台上那支在苍白的灯光下泛着清辉的玫瑰花时，往事又似冬天寒冷的丝丝小雨，无声无息地飘落在我的心坎上。

高中毕业的那年夏天，我家阳台上那盆玫瑰开始大规模地绽放了。那时候，我精心护理下的那盆玫瑰开得分外热烈。殷红的花朵似俏丽的绒绣，花瓣上闪亮晶莹的水珠，更增添了花的娇美与清丽。微风吹来，浓郁的花香便弥漫四周，令人心旷神怡。

住在邻近的几位英俊小伙子常常在阳台下驻足观望，一见我出现在阳台上，便抢着仰头高喊："春闹，你的玫瑰花真美呀！"有时他们甚至大抒情怀："啊，我多想拥有一朵美丽的玫瑰！但是，春闹，要是你亲手摘下送给我，那我真是……"

每每听到他们这些话语，我的脸蛋总如玫瑰花一样鲜红，心里甜滋滋的，但每当我琢磨着该摘下那一朵送给他们时，爸爸便一阵干咳，接着便厉声喝道："还不赶快看书，玩物丧志呀！"窗外的小伙子吓得撒腿就跑。

爸爸一定要我成就大事业，他只希望我一心攻读圣贤书，窗外的琐事与我的世界无关。我不敢违抗爸爸的意志，于是，我读完大学后又读硕士，读完硕士后又读博士。繁忙的学业几乎使我喘不过气来，原先对花草特有的好感也渐渐淡泊了。不知从什么时候起，家里那盆几度令我痴情的玫瑰也在我的心中变得淡漠了。

上个月的一天，因为个人终身大事迟迟不能解决，我回家后感到格外烦闷，终日郁郁不乐。后来在阳台上发现了十多年前种下的玫瑰还活着，只不过被塞到见不到阳光的角落里去了。百无聊赖的我，为了消遣时光，又重新把那盆玫瑰捧上阳台的栏杆上，让其见到阳光与雨露。

有一天，我从学校回到家里，远远就看到自家阳台上那盆玫瑰有一朵花蕾静悄悄地绽放了，不禁忆起了儿时的种种美好往事。一迈进门槛，径直跑进自己的房间，兴奋得大声喊道："我的玫瑰花开了，我的玫瑰花开了……"

年老的爸爸闻声后赶紧放下手中的活儿，高兴得如同孩子般跑进我的房间，乐滋滋地对妈妈大声嚷道："老伴！这回我们总算了结一桩心事了……"

话音未落，正在灶间忙活的妈妈兴冲冲地跑进来，边跑边嚷："啊，我女儿这么优秀，怎么就没男人，总算老天有眼……"可是，当父母看见我是对着一朵孤零零的玫瑰花叫嚷时，不禁又长吁短叹起来。

是啊，玫瑰花开了又谢，谢了又开，但能这样日复一日，年复一年地开放下去吗？……

读完李春闺所谓的习作后，我禁不住狂笑不止。这是哪门子的习作，傻子也看得出，这个老处女向我讨教是假，试探我的心扉才是真的。

一连几天，我不断反省反思，是不是近段时间，自己因学普通话的欲望过于强烈而对李春闺表现得过于殷勤而引起了她的误会？如果弄巧成拙，传出风声说我上了研究生就抛弃结发妻子，转而对一位四十出头的老处女博士穷追不舍，这恐怕会对我的人格名誉造成莫大的伤害。

不行，我必须趁早跟她讲清楚，把她的非分之念扼杀在萌芽之中。

我不能对不起周素菊，人总是要有点良心的。

第 6 章

周素菊从来没有给我寄过一分钱，我债台高筑，天天面临断炊的危险，日子过得就如热锅上的蚂蚁。

还是李习科提醒我，金布丁都毕业出去挣钱了，也不见请我们撮过一顿。我认为李习科这话很在理，最后决定理直气壮地向他借千儿八百。

打定主意，我当即跑到楼下值班室传呼金布丁。金布丁听说我要向他举债，便诉起苦来了："每月仅三百六十多元，除了伙食牙膏洗头水，什么也没剩了，一直是财政告急。工作后方知读书的好处，没钱时一个电话或一封信回去，多少都有些收获，可工作后家中老父实行宏观调控，紧缩银根，往家中打电话或寄信催款不仅捞不到丝毫便宜，反而还倒贴不少话费邮费，有时还落下一身骂名。"

在北京，除了金布丁，我再也想不起还能向谁开门见山单刀直入开口借钱了，在我心里，金布丁就是长城，是我的最后一道供给线，不是万不得已我绝对不会动用到这层关系的。殊不料，第一次张口就是这种态度，我心中老大不高兴，还未待他把话讲完就嘲弄道："这么说，我现在倒比你有钱了？干脆我也创造条件争取不用毕业好了。"金布丁听罢，赶紧赔着笑道："老兄别误会，别误会。既然你老兄遇上燃眉之急，小弟岂敢袖手旁观？甭说啥的，就算你老兄吹一声口哨，小弟上刀山下火海也在所不辞，何况区区三五百元身外之物乎？"

这还像句人话！我的脸上立即多云转晴，高声嚷了一句："人海茫茫，缺钱缺粮，幸适金君，枯木再春！谢谢了兄弟。"

话筒那边立即传来了金布丁拍胸脯"劈劈啪啪"的响声："人生一世，草木一秋，我得老兄一知己足矣！"两人当即约好时间到金布丁单位取款。

金布丁毕业后学着京城新潮酷男的模样，在后脑勺扎了两条马尾辫。今天他刚刚洗了个头，蓬松的头发披在肩上。站在大门边远远向我招手。

中午暖和的太阳光透过那婆娑的梧桐叶罅隙泻在他胖嘟嘟的笑脸上，今天的金布丁在我看来比蒙娜丽莎还要迷人还要亲切。

金布丁手里攥着一沓四人头在门边优哉游哉地吹着口哨，圆胖的脸上泛起好看的红晕。我一跳下车来，金布丁就把钱给我，我连数都不数，便塞进屁股后边的裤袋里。

回到宿舍门外，里面毫无声响。我轻轻推门而入，见王天乐李习科两人还蒙头大睡。我蹑手蹑脚向自己床铺走去，不料，门外响起了隔壁陈进林一声恶狠狠的叫骂："这幢楼的人都死了吗！"

正捂在被窝里的王天乐闻声探出头来，哈哈大笑，拖长音调道："晚来天欲雪，能饮一杯无？"见无人应答，又道："但愿长醉不复醒，唯有饮者留其名。"

呼噜打得震天响的李习科突然掀开被子，大声道："王天乐，快起来组织大家撮一顿吧，咱哥几个嘴里都淡出个鸟来了！"

李习科说罢，翻身起床，从床头的碗柜里扯了把手纸，边抹着鼻涕，边跑到隔壁，故作斯文地敲起了门，道："大白天，别老躲在被窝里自我摧残，起来吧，石明雷他们说今晚要撮一顿呢。"

陈进林开门后，李习科又对跟陈进林同居一室的阿松阿方道："喂，你俩参加不参加，参加就交钱。我可丑话说在先啦，不交钱的话，到时可别瞅准我们开饭当儿找借口上我们屋找人！"

"这缺德事我们可没做过一回，倒是上回你弟来了，你兄弟俩关起门来炖了一锅排骨，你用被子里三层外三层捂住了门缝，但整栋楼还是香味呛人，你兄弟俩将门反锁了，连导师来敲了半天的门，你也不开。"阿松探出头来，冲着李习科嚷道。

"太鄙了，太鄙了。"李习科退了回来，可刚到门边，阿方叫道："别跑别跑，我们屋仨都参加，每人五元，现在立马交钱给你。"

陈进林边在碗柜前挂毛巾，边说："王天乐石明雷他们还要买酒呢！买菜的还要打斧头呢！五元太少了！"显然，负责外出买菜的人克扣菜金现象已经屡见不鲜了，弄得来自湖南的陈进林骂起人来也会用"打斧头"这粤语方言了。

刚入学那阵子，我们偶尔用酒精炉开小灶弄些菜喝酒。到后来，隔壁来自湖南永州的陈进林这位本科物理专业的高才生帮忙把我们屋门顶上的电表弄坏，换上了一条拇指大小的铜线做保险丝，用上了二千瓦的电炉。为掩人耳目，我们没有购置什么炊具，仅到街头私人摊买了两只锅，外加一包盐一把菜刀而已。案板是我从走廊里多余的书桌拆下来的一块木板。平时总是买鱼，总是做鱼炖豆腐加大蒜这么一道菜，陈进林美其名曰"法国大菜"。

在京师文理学院西门北边不远的菜市场水产摊那里，一年四季总有一位肥胖妇女风雨无阻地站在那里——我们称她为肥婆。每次来到她摊前，肥婆总亮着嗓子不断地吆喝："鱼啦——鱼啦——胖头还是鲤鱼？"

菜市里仅有三摊鱼，其他两摊的生意总比不上肥婆的好。我们把门顶上的电表弄坏用起电炉后，买鱼的次数越来越多了。几乎每每周末，我们每人出五至六元钱，弄几条鱼，若要喝酒，则每人多出一元，便可买到一瓶一斤装的红星二锅头。

胖头鱼是每斤三元，鲢鱼每斤才两元五角，鲤鱼四元。起先我们净买鲢鱼，可后来觉得应换一下口味了，大伙便专吃鲤鱼。每餐一条二三斤的鲤鱼加上几斤豆腐和几条大蒜，可谓是精而少。北方的鱼很肥，用不着搁油，吃起来也有滋有味。我们到市场买鱼的次数多了，发现北京人对鱼的吃法还真跟南方有点不一样。在南方，最贵的是鱼头。可在北京，鱼头是最便宜的，总是剁出来放到一边低价出售，而鱼内脏，北京人根本就不吃。与肥婆混熟后，我们与她约定，每次来必定跟她买，但条件是必须留些鱼肠鱼鳔给我们。每次我们往袋里装这些玩意儿的时候，旁人不解地问，这东西能吃吗？我们总是一摊双手，诉苦道："唉，家里养几只馋猫，没辙。"

时间长了，肥婆渐渐跟我们熟络到无话不说的地步了，知道我们是京师文理学院的穷书生，每次来买鱼时，总是少收我们一两元钱，同时给鱼破膛开肚时，总忘不了给我们留下鱼内脏。有时候，还可以赊账，当然我们也从不赖账，有时功课忙，时间长了，肥婆自己都忘记了，可我们再去买鱼时，便又主动与肥婆结清欠账。

出门时，陈进林提醒我买鱼必须要到指定鱼档买，且再三叮嘱：钱不是太多，切记要把肥婆留下的鱼肠鱼鳔全拿回来。我点头称是，可刚迈出门槛，李习科追出来说，听说大钟寺的鱼便宜，鲤鱼每斤才三元多。就是李习科的这一句漫不经心的屁话，在接下来的两个小时里险些葬送了我对美好人生的所有幻想。

遵照李习科的意见，我蹬着一部锈迹斑斑的自行车跑到大钟寺菜市。到菜市场一看，这儿的鱼非但小，而且还四元多一斤，比肥婆的鱼将近贵一元呢！我心里狠狠骂起李习科来了："这毛驴净会蒙人！"

我赶紧掉头往学校西门的菜市场方向赶。当经过双榆树商场对面时，惊奇地发现，不知道什么时候这里兀地堆起了一个巨大的彩票销售台，来的时候好像没见啊？商场前面的空地上人声鼎沸，激情的兜售声、惨烈叫骂声混着嘹亮高亢的运动员进行曲在北京的上空一圈一圈荡漾开来。

赌博对穷人具有无法抗拒的诱惑，我不敢说今天来的都是穷人，但我敢肯定这里百分之九十的人都和我一样，只在梦里富有过。早就听说彩票就是玩的，是筹办方玩弄的一个把戏，这种把戏的最大特点就是——如果局外人中了大奖连筹办方都会深感意外，回去就要深刻检讨此次工作的疏漏。可是人性就是这么的贪婪，上一百次当都会觉得第一百零一次会有意外。

摩肩接踵的人们争相抢购彩票，从扩音器传出的男女主持人一惊一乍震耳欲聋的鼓噪声，反反复复地刺激着人们的耳膜和神经。人最痛苦的事情不是没有机会，而是机会摆在你面前而你却不懂得珍惜——我以一个研究生特有的抽象思维能力概括出了这漫天呐喊中的绝对主题。当然，为了给现场加加温，筹办方会不失时机地推出几个老迈的农民失魂落魄地扑在大奖上的震撼场面。

我也是滚滚红尘中的一介凡夫俗子，虽然下定决心一张不买，但看看热闹总还是可以的吧。于是不知不觉渐渐放慢了车速，贪婪地望着那贴着红纸的小轿车及彩电冰箱之类的奖品。一切尽在掌握之中。当我快要冲过商场北边的红灯时，身后突然涌起阵阵骚动，我刹住车，一脚撑地支着车子回头观看，果然是一位农民模样的老汉摸中了一部小轿车。领奖台上，一位手持麦克风的司仪小姐正压扁嗓门嚷了起来："今天的这个时辰无疑是从未有过的好时辰，这位老大爷仅仅买了二元的奖券，便要开走一部丰田轿车了，这是价值三十五万元的小轿车呀，二元博三十五万，就是傻子也要搏一搏，请大家睁大眼睛看看，老大爷身后还有二十辆小轿车，就等着你们开走啦……"几位浓妆艳抹的礼仪小姐半推半拉着老大爷上台领奖，老大爷用手背使劲地揉了揉眼睛，当证实眼前的一切并非梦境后，跌跌撞撞向小轿车奔去。

由于过于激动，老大爷竟扑在车头"哇哇"地号啕大哭，任凭工作人员如何劝说，老大爷也不松开紧紧抱着车头的双手。好像他摸到的不是一辆身价数十万的小轿车，而是反目成仇数十年后又破镜重圆回到怀中的老伴。踮起脚尖观看的众人不禁议论纷纷。老大爷那哭声通过扩音器不断撞击着人们的耳膜，这一情景迫使人们几乎失去了理智，人流如钱塘江的潮水一样纷纷涌向售彩票的桌子。

蹒跚的脚步、苍茫的眼神、斑白的胡须、两行混浊的老泪……我开始怀疑自己的这种抵触情绪是不是缘自对中奖者的嫉妒。再说了，这是什么地方，北京啊，这可是首善之都，天子脚下应该不会有坑蒙拐骗的事吧！

读书人举事讲究个师出有名。对了，彩票是福利事业，大不了就是给社会做贡献呗，所以，当我看到了"热心慈善、奉献爱心"的大横幅在风中猎猎作响时，我的思想便再没作出多少实质性的抵抗。我找个地方存了车子后，迫不及待地挤进了人群，也就是在那一刻，悲剧正式拉开了帷幕。

我先花十元买了五张彩票，我记得我的幸运数字是九，每盒彩票从碰手的地方往左数过去逢九即抽，一边抽，心里一边反复意念着"丰田！丰田！丰田！"第一张中了浴巾，第三第四张中了口盅。这使我亢奋不已，连旁人都连连赞我的手运好，甚至有一拖儿带女的中年女人从后面使劲地拍打着我的肩膀，我回头看时，她递给我一沓百元面额的大钞，说是请我帮摸奖，不管中什么奖，一概二一添作五，不中就当过过手瘾。我赶紧用双手挡住她，急促道："别别别……闹出官司来我可没时间陪。"说罢便低头接着拆开第五张，当彩票打开时，卖奖券的小姐不禁目瞪口呆，众人都围了过来，上面的号码跟中丰田小轿车的号码还差一位数字，而且就差一个个位数！！！也许众人认定在这几盒奖票中肯定有小轿车无疑了，只见人群如潮水般一阵涌动，不少人围过来欲将我面前所有的彩票全部买下。说时迟，那时快，大汗淋漓的我伸出两手圈住桌子，歇斯底里地喊着"喂，哥们儿姐们儿！别别别……这全是我的……"我花了一千元将桌面的奖票全部买了下来。付清款后，赶紧离开，一边走，一边自言自语道："老大爷花两元就中了小轿车，我花千元岂有不中的道理，就差一个个位数字了，小轿车肯定就在这里边。"我好不容易挤出人群，来到垃圾箱边坐下来后，一张一张小心翼翼地拆着，到后来，双手渐渐有些颤抖了，动作也越来越快。快要拆完时，除了中几瓶洗发精之外，什么也没有，额头的汗水顿时如决了堤的河水，怎么擦也止不住。当我拆开最后一张彩票时，顿时瘫坐在地上。我挣扎着站起来，把那三五瓶洗发精狠狠摔到垃圾箱，咬牙切齿道："我要的是丰田！丰田！而不是你们！"

我欲哭无泪。天下的彩票都他妈的一般黑呀，说好了不买，为什么一买就掏光了家底，赌博害人啊！既然青蛇穿上马甲也变不成王八，博彩披上个彩票的外衣我怎么就麻痹了呢？我坐在地上劈头盖脸地骂着不知道是谁的祖宗，差不多缓过气来了，忽然想起了晚上的 AA 制，赶紧去校西门菜市场买鱼。

折回校西门的菜市场，我突然痛苦地发现，刚才买彩票不仅把金布丁所借的一千元全打了水漂，陈进林李习科等人交来用于今晚撮一顿的公款也所剩无几，我懊恼万分，回去可怎么交代呀。

天快黑时，我一头雪花回到宿舍，怀里捧着一大塑料包青菜和几斤豆腐，往面盆里一倒便往外逃。不料，李习科眼疾手快一把拉住我，低下头来一件一件地检查，五六斤青菜，三四斤豆腐，翻到最底层，是三条七八两翻着白眼的小鲢鱼。

大家不禁傻了眼。李习科一副得理不饶人的样子，拎起一条小鲢鱼在手上掂了掂，然后狠狠地摔在地板上，板着脸孔道："靠，打斧头也太过分了，长此以往，国将不国了！"

我红着脸争辩道："没有的事，没有的事。你看看，这么多的青菜，还有这么多的豆腐……"

李习科驳斥道："你说吧，多少斤青菜？多少斤豆腐？……"

"都是你这驴出的馊主意。大钟寺的鱼比肥婆的贵多了，让我白跑了一趟。回到校西门菜市肥婆的鱼摊时，就剩下这么三条小鱼了，我有什么办法，"李习科当众让我下不来台，我恼羞成怒气不打一处来，掏出原本打算独吞的十四元钱扔到地上，愤愤道："爱咋咋的吧！"

正在一旁目瞪口呆的陈进林听罢将信将疑，低头把钱捡起来，瞪了李习科一眼，骂道："驴，吵什么吵？你到饭堂买些熟菜回来。"

李习科一副不大情愿的样子，王天乐一把夺过钱，笑骂道："我去！叫你们这帮斧头专家买菜，我一百个不放心！"

过了几天，当我哭丧着脸向金布丁如实坦白了购彩票输得精光一事时，金布丁手上的酒杯在半空中僵住了，双眼定定地望着我，杯中酒洒到裤裆也没发觉，猪肝色般的脸孔，渐渐变得如被人踩了一脚的熟柿子。

良久，金布丁抹了一把脸，双手哆哆嗦嗦地给两人倒满了一大杯，狂笑着端起杯子，两人杯到酒干，亮了杯底，又满上一大杯，金布丁端起酒杯，转着那僵硬的舌头道："……五花马，千金裘，呼儿将出换美酒，与尔同销万古愁！——喝……我不常跟你说嘛，队伍整齐的时候你未必看得出我的存在，可队伍一旦被打散时，你就会听到我怒吼着向我开炮！向我开炮……不就一千元吗？我高兴……喝！"

两人一副空手套白狼光棍行天下的模样，一杯接一杯地借酒消愁。喝得酩酊大醉后，金布丁打着酒嗝告诫我说，要注意处理跟李春闹的关系。金布丁说，研究生部个别人已对我的事议论纷纷了，若再闹得满城风雨恐怕不好。

我拍了拍脑袋，竭力使自己保持清醒。我对金布丁的话莫名其妙，待进一步追问，金布丁说，这绝不是空穴来风，这事都是从你们宿舍的李习科那儿传出来的。李习科断言你很快就会抛弃糠粕之妻，跟上李春闹，正儿八经成为京城人。

显而易见，李习科肯定知道了李春闹请我斧正那篇习作的事儿。

十一点多，两人最后喝干了两瓶二锅头后各自散去。当我摇摇晃晃回到宿舍时，透过虚掩着的门缝，看到李习科正躺在床上跟着录音机读英语，我不由就想起他偷看李春闹给我的习作以及前几天他揭我打斧头的老底，顿时怒从心头起，恶向胆边生。

我抡起右脚，"嘭"的一声将门踢开。正躺在床上闭目静听的李习科吓了一跳，赶紧起身，还未来得及责备我几句，我一个箭步冲过去，一把拎起他的衣领将他拉下床。李习科只觉得一股酒气逼来，抬头见我一双布满血丝的眼睛正狠狠地盯着自己，便厉声道："你喝醉了，赶快放开我！"

"啪！啪！"两扇响亮的巴掌打到李习科的两颊，"老子醉了，你又把老子怎么样？"

李习科显然清楚，大凡喝醉的人都说"没醉"；没喝醉的人才说"醉了"。眼下听我说"醉了"，不禁吓了一跳，悟到这突如其来的袭击肯定跟前几天揭我打斧头有关。他使出全身力气挣扎着，无奈个子太小，两人力量悬殊，挣扎了几下，依然被我狠狠地压在地上动弹不得。

准确地说，我是处在一个醉与非醉的临界点，这个状态刚好可以借酒发挥。半醉半醒的我，每扇一巴掌，便打着酒嗝教训几句。王天乐不知到哪个屋听荤段子还没回来。李习科见势不妙双手捂着头又叫又嚷，我知道他在叫援兵，于是抓紧时间耍起了南拳。拳头雨点般落在他的头上、肩上和身上。寂静的宿舍楼经李习科这么一嚷嚷，顿时，睡下的和没睡下的全冲了进来。

披着一件床单的陈进林第一个冲进来，紧接着王天乐阿松阿方等人也尾随而至，四人一起拉住我，但我此时已打疯了，拳头又打到他们四人身上。陈进林挨了几下重拳，立刻翻了脸骂道："你打我？真是狗咬吕洞宾！"话音未落，他又被我重重地擂了一拳。王天乐阿松阿方在混乱中也被我打了几拳。陈进林见警告无效反而又挨了重重几拳，顿时恼羞成怒，他从床上一把扯下床单，撒渔网一样一下子将我整个人罩住，其他人趁我上蹿下跳的当儿，纷纷对我拳打脚踢。

气出尽了，众怒也犯了，我无力地躺在地上"哇哇"大哭。

众人围住李习科问道："他干吗打你？"

李习科双手一摊，故作惊讶道："谁知道，我在听外语，他一进门就……"

众人又围住了我发问："好好的你为什么要打人家？"

我耷拉着脑袋，一脸涉世未深的窘迫，嗫嗫地抽泣着："我也不知道怎么回事，喝多了发生点口角，后来就乱套了……"

正在检查房门的王天乐发觉门轴已被踢断了，愤愤地说："明天研究生部领导要知道这事麻烦可就大了！"众人也好奇地过来查看，纷纷说，明天有好戏看了。

一个小时后，走廊里响起了"叮叮当当"的声音。我一边敲着锤子，一边道："喝醉了，踢坏了门板，真是大水冲了龙王庙。"

深夜两点多钟了，许多同学早已进入梦乡，但没有人对我"叮叮当当"的锤声表示抗议。穿着裙子般宽大内裤的陈进林，在抽了我一支烟后，一边忙前忙后地帮忙着我修理房门，一边笑着安慰我说："这不过是老婆穿错老公裤，老公穿错老婆裙，没什么大不了的事。"正说话间，王天乐上卫生间回来，陈进林一把拉过他，故作严肃道："谁要把今晚的事传到研究生部去，本爷就跟他急！"

周素菊别后杳无音信，这让我渐渐对她生了满肚子的怨气。我有时甚至怀疑她是不是在广东移情别恋了，虽然我相信她不会做出什么对不起我的事，但这种不通只字片言的方式让我郁闷得几近抓狂。

在痛苦矛盾的挣扎中，我经常想到李春闺，刚开始时，我觉得这是犯罪，可后来，我渐渐觉得，也许李习科所预言的不错，我跟周素菊之间确实有距离，而且这个距离还在日渐拉大。

好几次跟金布丁喝酒，我都借着酒气盖脸询问金布丁，李春闺究竟值不值得我作一番感情投资。

金布丁以前是不太认同我对李春闺的暧昧态度，现在却一反常态地表示：不仅值得，而且一本万利，这等美差别人打着灯笼也未必撞得上哩。金布丁这样替我分析："李春闺长相虽不算周正，年纪也偏大，但却是正儿八经的博士，而且还是元代以来祖上就居住京城里，北京有政策规定，博士的家属可随迁，你若跟上她，那将来就顺理成章成为北京人了，哥们儿，人在京城贵三分啊。"金布丁最后诡秘地笑着说："不过我正告你，你家里还有一位守望者，这事你要处理好，免得引火烧身，当然了，话又说回来，听说你家里那一位好久没来个片言只语了，是不是她自己也感受到你们两人之间的距离了？唉，我是过来人，我认为啊，在这方面，不要把鸡蛋同时放进一个篮子里。你现在跟李春闺培养培养感情打打基础也无妨，将来万一周素菊她……不过，我得正告你，你和李春闺毕竟是同住一层楼，若只是你剃头挑子一头热，你可别强来，逮不到狐狸落下一身骚那就狼狈了。"

金布丁后来又专程找到我，神秘兮兮地告诉我说，他查过李春闺的档案，且明察暗访过其他人，她家住府右街。

我不以为然，道："府右街又怎么样？"

金布丁说，京城有"东贵西富北贫南贱"之说。府右街就在故宫西边，不可小觑了这个表面上像雾像风又像云的傻博士。说不准她们家非官即贾。跟这样的人搭上了，十有八九就傍上了大靠山，倘若真的傍上个京官，那你将来在京发展将如虎添翼。那时做起官来就如鱼得水，左右逢源。

我暗暗吃了一惊，再一次体会到人不可貌相，海水不可斗量。

夜深人静时，我情不自禁地陷入剧烈的痛苦和矛盾之中。一边是周素菊的无声无息，一边是李春闺的秋波暗送，两个女人我究竟应该如何取舍呢？随着李春闺那光芒四射的家庭背景日渐清晰，我情感的天平慢慢地开始往李春闺这边倾斜了。出身京城大户人家的李春闺最有可能从根本上助我实现出人头地光宗耀祖的梦想。周素菊固然不错，但出身低微文凭偏低，恐怕不仅毫无帮助，反而还会因文凭过低难以迁入京城而成为我仕途上昂首阔步前进道路上的一块绊脚石。

周素菊，你是个大好人，可你知道"人在京城贵三分"吗？你能原谅我、理解我、成全我吗？……

也许，周素菊绝对不会原谅我，绝对不会理解我，绝对不会成全我。可是，周素菊啊周素菊，自你南下打工后，也没见来过片言只语，也没见给我寄来过一分钱……是你先负于我，要追究责任的话，那责任不在我方……我在内心深处努力为自己这个肮脏的念头作着可耻的辩护。

人生一世，草木一秋，我要能实现自己出人头地光宗耀祖彻底改变祖宗十八代穷得如马帮进村般叮当响的命运的伟大理想，我别无他求，死也瞑目了！

我辗转反侧，夜不能寐。

第 7 章

一九九三年寒假结束新学期开学伊始，忠于职守的欧阳师傅每天都在研究生宿舍楼大门左边的小黑板上写出欠学费人员名单，提到我的名字时，总是这样写道："石明雷，一分也还没有交！"这朴实无华的语言，招来了许多同学驻足观看，不认识我的同学议论纷纷，他们四处打听"石明雷"是何方神仙。

我曾好几次在夜幕掩护下偷偷将这则毫无文采却又深深伤我自尊心的通知擦掉，可第二天天刚放亮，认真古板的欧阳师傅又戴上老花镜，一笔一画补上去。

正当我为学费焦虑不安时，李春闺突然约我上她家去。在我毫无金钱和思想准备的情况下，这个邀请来得过于仓促和唐突。李春闺见我愁容满面，早就猜出了几分，她撇着两片薄薄的嘴唇，嚷道："这欧阳师傅你着什么急呀？不就是万把块钱吗？上我家去跟我爸爸说说。"我隐隐约约意识到这可能是解决我学费的一个机会，不禁欣喜若狂。

从学校打个"面的"到府右街少说也得二十五元，我自然不能打车，只好坐公交车再倒有轨电车。这样一来，晚上差不多八点一刻我才出现在李春闺家门口。那时，她家人已经开始用餐。

不明真相的众亲戚们对我挺热情的。几位舅舅坚持要跟我喝两盅。李春闺的父母看样子也很拿我当回事，总觉得一个堂堂的研究生，一个前途无量的青年才俊肯屈尊与大自己近十岁的女儿结婚，作为家长无论如何应该感谢我才对。

吃饭时，李母端详着我的脸色，低声问李春闺说，是不是这段时间吃得少点啊？我抢着说，不少了，每天两块多钱的伙食呢。

"家里怎么样？"

为了尽快得到他们的施舍，我死猪不怕热水烫，苦笑道："家里嘛，我们那儿属于老少边穷地区，前几年不成，常常是有上顿没下顿的，母亲又长年卧病在床……这几年嘛，托改革开放的福，生活好多了，干稀结合，平日喝稀，过年吃干，日子能够对付过去。"

李春闱母亲听到这里，低低地对老伴嘟囔了一句，我虽听不清她到底说了什么，但从她那悲伤和同情的神态和双手合十的动作来揣摸，估计是教堂里神父常常说的那一句："可怜的孩子！"

兴奋得满面红光的李父端起酒杯，说要敬我一杯，我赶忙起身阻止说："这可使不得，使不得，理应我敬您老人家的。"说罢，我端起酒杯一饮而尽。亮了杯之后，连连对李父说："您老随意，随意，意思意思就行。"这位老人家笑盈盈地喝了满满一杯，放下杯子后，无限感慨道："吃得苦中苦，方为人上人。小石呀，你的苦就要熬到头了。"说罢，他又举起酒杯，道，"来来来，大家一起来。"众人纷纷响应。

放下酒杯，李父与几位舅舅和姐夫们都点起香烟，姐夫们都抽着大中华，我从李春闱那里知道，大姐夫是海淀区某局的科级公务员，每月工资也不过三百多元，而二姐夫在宣武区某中学当老师，工资加奖金也不过四百元，今晚他们豁出去了，人人带上中华烟来，说明十分重视今晚的宴会。

我掏出半包"三塔"，两位姐夫高声说抽我抽我的，可我坚持抽不到二元一包的三塔牌香烟。虽然他们的打火机也很讲究，可我坚持用我那盒差不多散了架的火柴。

男人们抽完一圈烟后，我觉得众人都注视着我。我环顾一下四周，接着李春闱父亲刚才的话题摇头晃脑起来："俗话说，草木一秋，人生一世。人生的真谛何在？在于拼搏。我想，即使毕业了，我也绝不会不思上进而过着享清福的生活。"这个话题立即引起了众人的注意，我继续道："我要让人们知道，我和春闱的结合是有着深厚而牢固的爱情基础的，没有丝毫不纯的动机在里面……"

"……哎，你倒给大伙说说，我们家春闱到底好在哪儿？"大姐夫突然忍不住打断道。众人经他这么一提醒，也都恍然大悟，附和道："是啊，你倒给我们说说呀。"

说实话，对这个问题我从来都没有认真思考过，其实，再认真思索，除了她能助我实现"人在京城贵三分"这一奋斗理想之外，真的说不出还有什么值得我留恋的地方。

我端起酒杯，喝了一口，道："这讲不清，永远讲不清，真要讲清楚了，那婚姻就走到尽头了。"我朝着一脸春风的李春闺笑了笑:"对不,春闺?"

"谁知道你呢。"李春闺娇嗔地掐了我一把。

众人于是笑着转移了话题。

晚饭后,众人移步到客厅里坐着吃水果看电视聊天,刚才进门后大伙只顾喝酒说话,加上我进门后径直在李春闺身边坐下,他们还来不及看清楚我的行头。现在坐在客厅的沙发上,面前无遮无拦,一件草绿色军装、一条牛仔裤、一双运动鞋一览无余地暴露在大家面前。这身打扮在京城的我这一年龄段的人们中,已不多见,尤其是上门做客的更是凤毛麟角,两位姐夫看见我的鞋尖上有两个小窟窿,不禁面面相觑。

大姐夫笑着说:"你平时就这样穿着,人家看不出你是个大硕士。"

大姐夫的话给我引来了灵感,我清了清嗓子,道:"我记得马克思说过,人的出身,父母不能预先确定的,这一点我能怪谁呢,如果有人看不起我们这些来自老少边穷地区的人,我认为他们首先是无知的。当然了,就我本性来说,吃喝玩乐我比不起其他人,也不想比,可要比事业、比贡献,我压根就没服输过,我从来不在乎我吃什么、穿什么、用什么、住什么……贫穷不能移,富贵不能淫,从不因为自己贫穷就妄自菲薄,将来有钱了,也不会夜郎自大。再说,生活艰苦一点有什么错呢,毛主席他老人家在全国解放前夕的中共七届二次全会上就郑重地向全党敲响了警钟,告诫全党同志务必要保持戒骄戒躁,务必要保持艰苦奋斗的作风……"

一直微微颔首的李父听到此,止不住语重心长道:"历览前贤国与家,成由勤俭败由奢。俗话说:世事洞明皆学问,人情练达即文章。小伙子文学、哲学文章都发表不少,智慧过人,谈吐不凡啊。"看起来,李家父母对我的评价还是比较高的。

快告辞时,两老神情诡秘地把李春闺叫到卧房里,我站在院子中,一阵夜风拂来,间或听到几句"……让你男人这么一副穷相,传出去人家不笑话你,你就敢保证没别的女人来对他好?……他也是个硕士,知恩图报,你现在对他好,你将来亏到哪儿去了?……钱这东西生不带来死不带去,你啊,再下去保准说不定会成为守财奴了……"

回到学校宿舍楼,李春闺满面怒容道:"你没钱咋不吱声呀?像个乞丐似的上我家做客,真够丢人呀。"

我虽觉得火候已到,但还是不能直接开口要钱,我低低地说:"赶明儿我想办法跟人家借一点吧,同学不好借,就跟导师借吧。"

"……借！借！借！你都丢尽我的脸面了！"李春闺气得肺都快要炸了。

过了几天，李春闺告诉我说，她父母初步考虑赞助我一些学费。

李春闺父母答应赞助我一些学费，这个消息使我如往血管上扎了一针高浓度的海洛因一样，浑身亢奋得几近癫狂。看来，我作出的追求李春闺这一决定无疑是非常英明的。

周素菊，请原谅我的不忠，因为只有李春闺这样的大户人家，才能在官场上助我一臂之力。

但天有不测风云，人有旦夕之祸。李春闺父母赞助学费的事还没兑现，我就跟李春闺反目成仇了。

和李春闺闹翻的根本原因在我，怎么说呢，整个过程就是一出教科书式的"小不忍则乱大谋"的经典闹剧。

一九九三年农历三月三那天，早上醒过来时，太阳已晒到屁股。王天乐李习科两人的床铺空荡荡的，显然是跑到中央民族学院观看壮族三月三的歌节表演去了。

我到楼下买了一包方便面，回到屋里刚坐下，突然传来轻轻的敲门声。我以为是李春闺，赶紧起身梳理一下，调整好面部表情后，轻轻开了门。但来人不是李春闺，而是一位很有风韵的中年女人，她浓妆艳抹，留着长长披肩发，肩挎小坤包，进门后开口就说找金布丁。

我怯声道："您是金布丁的……"

女人板着面孔点点头。原来，她刚从西河来京，金布丁得知消息后，玩起了人间蒸发。刚才在楼下追问欧阳师傅，欧阳师傅帮忙传呼金布丁，没见复机，欧阳师傅知道我是金布丁的大学同学兼西河老乡，便自作主张地让人领她来见我。

我给女人倒了一杯水后，拉过一张椅子请她坐下。女人顾不得喝水，一坐下就迫不及待地问起金布丁的情况。我不敢多言，生怕说错话加剧他们之间的误会，赶紧转移话题，但这个女人像是有满腹的委屈，还没说上几句，眼睛就红了。

一直到中午开饭时，金布丁还没有复机，我坐不住了，于是委婉地以请她吃饭为由，对她下了逐客令，不料，此话正中她下怀，她拎起小坤包亦步亦趋地跟在我左右向西门旁的湖南菜馆走去，显然她肯定来过多次，对校园环境很熟。一路上，我心里暗暗叫苦，身上仅有不足一百元，回头得向金布丁实报实销。

结账时女人抢着付钱，这让我稍稍有些宽心。我不愿独自一人带着一个年纪相仿的女人在校园里四处招摇，免得熟人尤其像李春闺这样的熟人撞上后流长蜚短。因此，一离开饭馆，我即三步并作两步向宿舍走去。路过楼下传达室时，我又不厌其烦地传呼金布丁，可金布丁还是一如既往坚决不复机。我只好又硬着头皮把她领回宿舍，李习科与王天乐也似乎知道今天会有这么一位贵客光临一样，铁了心躲在民族学院不回来，来个眼不见心为净。没办法，我只好又陪她聊天。

我从来没想到二人世界会有这么尴尬。我越是懒得搭话，女人就越来劲，话匣子一打开就像滚滚长江水滔滔不绝，女人时而喝茶，时而抹泪。从她断断续续的个人陈述中，我对金布丁和眼前这个人的过去有了一个大致的了解：

> ……多少个夜晚，万籁俱寂，金布丁熟睡后，我常常无端凝望床头的结婚照……如果听到女儿莹莹均匀的呼吸和一两声梦呓，幸福感一刹那就会充溢了我的胸膛。再看看躺在身边的金布丁，看他疲惫不堪的睡相，听他那一阵阵断断续续的鼾声，我就会满怀愧疚，独自饮泣。
>
> 平心而论，我自问无愧于"良母"这一称号。自从女儿呱呱坠地，孩子身上每一个秋毫般细微的变化都逃不过我的眼睛。为了孩子，再苦再累再委屈我也心甘情愿。孩子偶染小恙，好像病的不是孩子，而是做母亲的。孩子渐渐长大了，我回到家里，在劳累之余，辅导孩子写作业，总觉得是一种解脱，一种天伦之乐。星期日陪孩子去学钢琴，不但不觉得累，反而觉得如逛化妆品商场一样，绝对是一种享受。对于这一切，孩子是深有感受，常常写"我有一个好妈妈"之类的作文，字里行间流露着纯真的童爱，常常被老师当作范文。
>
> 但是，唉……残酷的生活中，确实存在着许许多多的"但是"！作为妻子，我是不称职的。尽管我对金布丁忠贞不渝，但在当今社会，要做一个贤妻，我确实心有余而力不足。
>
> 为了生计，我必须工作。我住的地方离上班的地方，要坐一个多小时的车，近一点的单位，不是不招女性，就是待遇不行。

每天天没亮，我就得起床，天黑才回来，每天回到家，在附近上班的金布丁已经将家里的活儿做好了。

为了处理好各种关系，在单位，我必须参加各类应酬，每次应酬，我不仅在外面吃饭，还不得已跟各种各样的男人喝酒，有时喝完酒，还得陪他们唱歌跳舞，常常深夜归来。因为治安欠佳，单位男同事们每次都坚决要驱车送我回家。妻子深夜由其他男人送回来，金布丁嘴上虽然不说什么，但我知道他的心里肯定埋藏着深深的苦涩。

男耕女织时代，女人成为良母的同时，可以做到贤妻。她们不用外出谋生，无须处理各种各样复杂的人际关系，只需在家操持家务，照看孩子，服侍丈夫，但在就业压力繁重的今天，女性为了家庭，为了生存，为了孩子，绝对不能只"守在婴儿的摇篮边"，或唱着"在家乡耕耘着农田"抑或"孝敬父母任劳任怨"之类的歌曲，女性也必须跟他们丈夫一样搏杀于社会，搏杀于官场，搏杀于职场，也必须疲于奔命。毕竟，就目前来看，我们的社会，一家三口的家庭，仅丈夫一人在外工作还难以支撑。

唉，我曾经海誓山盟要做一个贤妻良母，但社会环境只允许我做一个"良母"，我成不了"贤妻"，可是……这绝不是我的错……

"听说你们的婚姻原来挺好的，后来怎么破裂了？"我不能由着她的性子发挥，瞅准了一个停顿喝水的空当，赶紧见缝插针地问了一句。

"金布丁无情无义，考上了研究生就想抛弃我，我一时气愤，竟然同意跟他离婚……"

"唉……"我吐了一口烟雾，道，"如果两人没有感情，在一起也不是办法，俗话说，强扭的瓜不甜。"

"什么叫有感情？什么又叫没有感情？当初他没考上研究生的时候为什么不讲究这个？"

这个问题的标准答案就是——喜新厌旧。偏偏所有的男人都不肯承认是自己变了心，我见过无数这样的男人，落魄的时候和老婆相濡以沫举案齐眉，感情好得不得了，一朝出人头地了，却又能找出一万个理由达到辞旧迎新的目的。我无言以对，默默地望着她。眼前的这个女人虽然并不年轻，但哭起来梨花带雨的还挺招人心疼，身材还算窈窕，五官也还精致，相信年轻时候一定出落得楚楚动人。我心里暗暗地责备起金布丁来："这位老兄活脱一个陈世美再世，放着这么个大美人不要，到底还想图个什么呢？真他妈的畜生……"

骂着骂着，我自己的脸也红了，严格地讲，我和金布丁在性质上不分伯仲，我不过是五十步骂一百步罢了。

我赔着小心，小声安慰眼前的这个女人："天涯何处无芳草。过去的，就让它过去吧，忧伤的，就把它翻过去，美好的，就把它留在记忆里。合不来，那就分吧，分了也好，可以重新开始一种新的生活。你不必终日沉湎于伤心的往事，这样于身体、于家庭都是百害而无一利的。"

"金布丁早就把我糟蹋得不成个人样了，早就把家庭撕得支离破碎了，我还考虑什么身体和家庭？……"她的嘴唇开始颤抖起来，继而又像一个失去父母的孩子似的放声大哭起来。

"……不必再为过去的痛苦透支自己的情感，你应该为新的家庭着想……"我慌了手脚，一边给她递纸巾，一边忙不迭地安慰她。

"我没有家，金布丁害得我一直不能成家。"

"哦？……"

"一朝遭蛇咬，十年怕井绳。与金布丁分手后，也有许多朋友给我介绍过，但我始终鼓不起勇气……"

"条件太高了？"

"一点也不高。"女人说："我只求对方为人诚实，有家庭观念，能建立个安稳的窝就行。"

"这是很关键的，在选择对象时，首先要考虑这一点……"

女人莫名其妙地望了我一眼，突然低下头拭了拭红肿的泪眼，半晌，抬起头，两眼挂着泪光，突然改用一种温柔羞涩的语气，道："听说石先生也是西河省青翠坡县的？"

我点了点头。

"我是西河省黄翠坡县的，在北京这么大的地方，我们算是老乡啦。"

"以前曾多次听金布丁提起过你。"

"哦，哦，是吗……"我胡乱搪塞着，此刻我多么希望王天乐李习科或隔壁屋整天来串门讲荤段子的那几头毛驴突然破门而入，因为我担心，再谈下去很可能忍不住抖出很多高度机密的具有婚姻史料价值的东西。

"听金布丁说，石先生在婚姻方面……也有难言的苦衷？"

我吓了一跳，心里暗暗骂起金布丁来："莫非你小子把我的事张扬出去以佐证自个离婚的合理性？"

"怎么说好呢？本来嘛……唉，真是一言难尽。"

女人听我低着头吞吞吐吐的样子，突然如梦初醒地低下头，转过身去，从小坤包里掏出化妆盒，红着脸补妆，摆出一副跟我同是天涯沦落人的口气："石先生期望什么条件的人选呢？"女人脸上泛起一道红晕。

这个话题可不能再深入下去了，因为我分明从这个女人的眼里读出了些许"恨不相逢未嫁时"的意味。

"唉……"我一副有苦难言的样子，道，"怎么说好呢……反正……"

女人正欲追问下去，门外突然响起一阵急促的脚步声，我赶紧起身开门冲出去，可是已经晚了，李春闺像逃避瘟疫一般冲下楼去。原来，她在门外偷听多时了！

晚饭后，我路过李春闺宿舍，见门虚掩着，便轻轻叩了几下，没见回声，轻轻推门而入，不禁吓了一跳，李春闺躺在床上蒙头啜泣个不停。

男人的武器是拳头，女人的武器是泪水。我最烦最怕的就是面对女人的泪水。枉在尘世混了三十多年了，一见到女人的泪水，依然还是束手无策。

半晌，我小心翼翼地坐到床沿，赔着笑脸道："金布丁真不是好东西，考上了研究生竟连家庭也不要了……"还未说完，李春闺突然翻身坐起来，恶狠狠抢了我一个嘴巴，气急败坏地骂道："物以类聚，人以群分，你今天跟一个女人在宿舍鬼混一天了，你能好到哪里去！"

原来是为了这事！我暗暗松了一口气，苦笑道："那是金布丁的前妻，我还不至于那么花心吗？"

"啪！啪！"李春闺一转身，对着我又是两记响亮的耳光。"呸！你还不跟那淫妇睡觉去！滚！"

我心中"咯噔"了一下，心想，变态的老处女真是不可理喻。正欲解释时，李春闺又恶狠狠道："还有，你是不是还有过一段婚姻？为什么没跟我提过？给我滚！我不愿见你这个流氓！"前面一记勾拳是虚晃，后面这一记才是重拳！

我知道，这个时候再怎么解释安慰都是无济于事的，还是先让她冷静一下，过两天再找个机会跟她谈谈吧。

不料，前脚刚迈过门槛，身后便传来了"哇哇"的哭叫："让我去死，让我跳楼吧！"还有完没完了！我不知从哪儿来了一股子无名邪火，蓦地转身冲进房间直奔窗户，双手把两扇窗门"啪啪！"全打开了，指着楼下歇斯底里地嚷道："变态婆！跳下去吧！就从这里跳下去——我连拦都不拦的！"说完扬长而去。

李春闺一下子愣住了。显然，她没有料到往日对她唯唯诺诺的我，今天突然这样残酷无情地待她，她数个月来苦心营造的感情世界顷刻之间土崩瓦解了。此刻站在窗边的这个可怜的女人，连哭喊的基本技能都丧失了，她没有勇气跳下去。倘若我装出一副阻拦的样子，也许她倒有勇气试一试，但现在，我头也不回地离开了她的房间，她彻底崩溃彻底绝望了。想到这里，她止不住万分悲痛，双手捂着脸，"哇——"的一声向黑暗的走廊跑去。看着她远去的背影，我狠狠地回击她一句："变态！有病！"

回到宿舍，李习科和王天乐依然未归，我越想越气愤，李春闺这一次绝对不是考察我，而是一次变态的淋漓尽致的表现，若为了留在京城而跟这种人生活一辈子，绝对不会让我感到"人在京城贵三分"，而只能让我每天三餐以泪洗面！

我骂了半天，抹了一把泪，到隔壁敲门，推门进去，原来，一帮人正围着桌子打扑克，刚才阵阵的哭声已搅得这层楼鸡飞狗跳，大家都在谈论着我，突然见我推门而入，赶紧起身给我让座，赔着我说好话。我开口就是跟陈进林借钱，这位据说家里靠养蛇成为暴发户的款爷身边时时都备有几千元，当即掏出三张崭新的四人头，打着哈哈哈劝道："不会有什么事的，过几天就过去了，不要太难过，这不过是'老公穿错老婆裙，老婆穿错老公裤'，谁都可以原谅的……"

大伙听罢，皆掩嘴大笑，我却牛B烘烘地咆哮道："我难过什么！她说她要跳楼，我当即就给她打开了窗户，我跟她说，就从这里跳下去吧，我连拦都不会拦……怒！烦！老子要出去喝酒！"

我再次坐失了补救的最后机会，也再次印证了"牛气不是什么好事"那个思维定式。

"千万甭喝醉了……"众人关切地叮嘱道。

我快撞到楼梯拐弯处时，身后有脚步声追来，回头看时，陈进林已追到我身旁，未待我开口，他就把我拥入走廊尽头的电视机房，轻轻拍了拍我的肩膀，满面堆笑，好言相劝道："我都听见你俩吵架了，你不该使小孩子脾气。要说这事搁哪个女人头上估计反应都差不多，李春闺的反应是激烈了一点，但顶多也就到了个泼妇骂街的地步，还不算是太变态，在这件事上你的处理方式确实有些不妥，好好的人民内部矛盾一不留神就转化成了敌我矛盾。佛都说，怒心起时细思量。她说要跳楼，你千不该万不该冲着她说开了窗户连拦都不拦，难道你看不出她在考察你吗？这个节骨眼上，你不仅要拦着她，而且要紧紧抱住她，撕肝裂肺地求她千万别生气，要死的话，就让你先她而死，要让她知道你真的在乎她……"

"呸！有这样考察人吗！她那么丧心病狂地骂我羞辱我，我受得了吗？是人都受不了！甭说我替她开窗户叫她跳下去了，就算我亲手把她扔到楼下也不解恨……"我气急败坏地吼着。

男人的尊严有时候就是这么的虚伪，明明想这样做，但别人一劝就脑子发热，非要背道而驰，驴！

终于，我再也没有去找过李春闱。找了估计也没什么用，因为周素菊的事是无论如何也绕不过去了。

第8章

时光如水，转眼间，柳絮纷飞的春天过去了，蝉声阵阵的北京张开双臂迎接鲜花绿树的夏天。

早上起床后，我早早跑到北图看外文版录像。下午四点多，晕头转向的我拖着一身疲惫来到南楼大门边的走廊倚着门柱闭目养神，迷糊一会儿后，当我睁开惺忪睡眼看看手表，已经快五点了，又到了填肚皮的时间了。一想到吃饭，我就恨不得报复社会，人家三餐鸡鸭鱼肉，我却永远都不知道下一顿在什么地方。穷啊，我在心里闷闷地干号了一声，右脚狠狠地往地上跺了一下，咦，不知道谁往地上丢了一张报纸，懒懒地用脚趾夹上来，原是一张当日的《招工招聘报》。

报上说，每周一三五在月坛公园召开招工招聘会，还密密麻麻刊有近千个招聘职位。我顿时精神大振，深感这可能是一条挣钱的门道，便小心翼翼地将报纸卷起来塞进裤兜，揉揉眼睛，屁颠屁颠地到存车棚取了自行车，一路吹着口哨回校。

我按报上提供的信息，来到月坛公园参加招工招聘会。过了几天，物色到了适合兼职的几家公司。但每家公司都嫌我文凭太高，怕不好侍候，除了一大堆感谢之类的话外，什么都没表示。我回校后冥思苦想，总结了出师不利的两个主要原因。一是我学业在身，外出打工也只能是兼职。每天固定到写字楼上班的活儿显然不适合我。二是我文凭实在高得离谱。整个会场也没见有人亮出本科文凭，每每我告诉招聘方说，本人是在读研究生时，对方都几乎无一例外地竖起耳朵疑惑地道："什么？劳驾您大声点！"不过，话又说回来，这儿本来就是白纸黑字写着"招工招聘会"，压根就是面向外地进京农民工朋友开设的。

第二周星期一的招聘会上，我来到一家快递公司的招聘摊前。这一次，我吸取前几次失败的教训，自称初中学历且是自学成才。招聘小姐虽见我鼻梁上架着一副比洋酒瓶底还厚的黑框眼镜，但听我说的普通话又跟外地进京的农民工没啥二样，于是信以为真，连身份证也不看，当场表态可以录用。我欣喜若狂，痛快地应承马上可以上班。须知当时在北京这个政治文化中心，公开招人打工的公司还是凤毛麟角。

这是一家位于丰台区的私人快递公司，名叫"魁克丽"，大概取自英语"quickly"，即"快"的意思。我到公司上班两天后才知道，这个公司虽称为"公司"，其实仅仅有两名正式员工而已，一个是总经理，一个是出纳兼会计，其他全是外地来的民工朋友。

总经理是一位四十出头的中年女人，长得颇有几分姿色，每周上月坛招人。招聘时把稻草说成金条，但每到月底，总是绞尽脑汁找尽各种借口克扣六至七成的工资，因此，一到月底发工资那天，除了几个亲信外，其他人全都在一片骂骂咧咧声中离去了。

到快递公司打工后，凡是我没课的清晨，研究生宿舍楼那些有晨练习惯的同学，都会迷惑不解地伫立在存车棚前目送我奔向校大门，我身上印有"魁克丽速递公司"字样的黄色球衣以及挂在车把上同样印有"魁克丽速递公司"字样的白色纸袋，让他们好像不认识我似的。到了晚上，在路灯的映照下，那些有睡前散步习惯的同学，见我疲惫不堪蓬头垢面气喘吁吁地往楼前的车棚推着除了铃铛不响其他部位都响个不停的自行车，也无不目瞪口呆。

所谓的上班，无须太多的专业知识。但知识含量越低的活儿，其繁重和艰辛的程度就越高。上班时，我老实巴交蹬着一部锈迹斑斑的自行车，一会儿忽东，一会儿忽西，奔跑于京城各大写字楼宾馆酒店之间。按公司规定，每隔三刻钟须往公司打一次电话，报告最新方位，以便总经理遥控。有时刚到朝阳区的昆仑饭店，还未透一口气，公司马上指令赶到西三环的香格里拉，刚迈出香格里拉大门，马上又称丽都假日饭店有急件。一天下来，只觉得腰酸腿疼，浑身骨头散了架一样。回到屋里，我往床上一倒，就鼾声如雷。

虽然自己是被当作民工招录进公司的，但现在每天干的活儿却比民工的还累，整个人儿也比民工还落魄潦倒。每天上门服务时，我可谓斯文扫地，受尽了各种白眼和蔑视。但这一切，我都强忍着。毕竟，每月三百元左右的工钱，也勉强够开支一个月的伙食费。再说，每次到公司上班，不管业绩如何，敞开肚皮免费享用午餐便当也是无人指责的。

但后来的一次经历，让我改变了主意。

那天夜里，我离开公司后，蹬着车路过紫竹院公园南边的一个垃圾压缩站，刚好是下一个斜坡，暖暖的夜风从紫竹院里阵阵吹来，饥饿和困乏一下子掩埋了我的身心，我浑身只觉绵软毫无力气，踩着自行车也禁不住打起盹来，可刚一迷糊，就听"轰隆"一声响，我连人带车撞到了一部正徐徐地离开垃圾压缩站的垃圾车的车头。好在垃圾车刚刚启动，车速较慢，没有把我连人带车卷进车轮底下。

目瞪口呆的环卫大叔大婶们好久才缓过神来，他们赶紧围过来，小心翼翼地察看，我的额头鲜血如注，但还能勉强站起来，确认我并无生命危险后，长辈们纷纷戳着我的鼻子开骂了："你说你这小伙子，都说好死不如赖活着，你这么年纪轻轻的，就敢跑到我们面前来逞能找死，这、这不是添乱吗……你爹妈把你养这么大容易吗？得费多少粮食呀……"

回到宿舍，我才发现腕上的手表——因打工需要，我特地跟王天乐借的那只桂花牌手表，已经被撞得稀巴烂了。

王天乐一边替我擦红花油，一边红着眼睛对我说："手表坏了是小事，人能够回来就万幸了……"

夜里，我蒙着被子，咬着下唇，可依然泪流满面。

天亮时，我决定立即辞工。但到公司时，发现此时已是欲罢难休。原来，初进公司时，每人不仅被迫交了三百百元押金，还被迫签下"不做满两个月，不退押金"的合约。

一个铜钿逼煞英雄汉。无可奈何，我只好做够两个月了。

下午，我到朝阳区的渔阳饭店和中日友好饭店收了几个快件，觉得时间还早，故意不往公司打电话，因为一打电话，公司肯定又要派我的活儿了。

路过西城区阜成门内大街时，突然想起鲁迅博物馆附近的一家文化公司还欠一百五十元的款，眼看快到月底了，若不追回这笔欠款，按公司的惯例，必定从经手人的工资中扣除。

这家公司并没有跟我们订有长期合约，原本是一手交货一手交钱才能提供快递服务的，但我第一次去那家公司收两个快件时，经手人说："财务不在，下次吧，我们常发快件呢。"这样，过了十多天，这家公司又来电话说，有快件要送。刚好我在附近，公司又遥控我去取。

那一天，我又替那家文化公司送了三封快件，全是送到三环以外的丽都假日饭店，每封快件该收三十元，共九十元，加上上次欠款，总共是一百五十元，可经手的瘦个子仍然说财务不在，又让我下次来再一起收齐欠款。见我显得有点为难，他想了想，说，那就过两天来取吧。

现在离约定的时间早过好几天了，我想他们应该跟我结账。

到鲁迅博物馆旁，我又累又渴，抬头看看天空，天色不知什么时候变得灰蒙蒙的，看样子快要下雨了。

我来过几次，轻车熟路，很快就到了三楼公司所在处。我径直来到门边，举手在敞开的门板上敲了两下。正在电脑前玩扑克游戏的瘦猴闻声回过头来，见是我，便摆出一脸的冷漠，压根就没打算让我进门。我站在门边追问他欠款的事，可他还是冷冷地说，财务不在，下回来取吧。我说，快到月底了，我们公司逢月底都要结账，再说，上回你不是约我过几天来吗？瘦猴听了，一副无赖的样子，只顾继续玩牌，对我不理不睬。

沉默半晌，我又赔了一大堆好话：我来回跑一趟也不容易，你就想想办法吧。可瘦猴依旧一副鄙视的样子，不声不响继续低头玩扑克。正当我不知是继续等下去还是离开的时候，有一位小姐从走廊的另一头走过来找瘦猴，见我板着面孔站在门边，显然猜测到我遇上了什么跟她们公司有关的为难之事。她瞪着疑惑的眼睛，上下打量我一番后，又探头进去打量正低头玩扑克的瘦猴，然后转过头来问我："先生，你是不是找人？"我像遇到了救星一样，当着瘦猴的面，递给她两张收据，她抬头看了一眼瘦猴，诧异道："好哇你！背着公司发这么多快件了，快给人家钱哪？赖着干吗呢？"

瘦猴说："一百多块钱我还赖着他吗？我告诉他，过几天再来取快件时一起结账，可他偏不听，我也没辙……"

小姐看看瘦猴，又看看我，最后对我说，"那你过几天再来取成不？"

"我都来过好几回了，可他每次都这么说，再说，现在都月底了，公司也得结账了，收不回款子，那得从个人工资中扣除，我们外来打工也不容易。"

还未说完，瘦猴嘟哝道："我们是大公司，我们会赖你那百把块钱吗？真是，这种民工真是不可理喻。"

小姐抬眼看了看窘迫不堪的我，安慰道："没事的，你先回去吧，他不会赖的。"说罢，她将收据递还给我，笑着走开了。

我一声叹息，打算打道回府。刚到楼梯口，天下起雨来了，条条雨丝从天上直挂下来，看样子，一时半会还走不了。

我只好呆呆地在走廊旁的窗口前站着。

过了约莫半个小时，身后响起了脚步声，回头一看，是刚才那位小姐，她见我还站在过道里，默默地望了望我，半晌才道："你还不走啊？"

"走不了。"我苦笑着望望窗外。

小姐"哦"的一声，笑着点了点头，伸手推开楼梯正对面门板上写有"办公室"字样的房间门。进去一会儿后，她又开门探出头来，道："要不，你进来坐吧。"

我已经饥渴难耐得两脚直打哆嗦，听说让我进房里坐，我也没见外，进去一屁股坐到沙发上。沙发边有一个木柜子，柜子旁边有几个热水瓶，柜子里边的托盘上放着几个玻璃杯。

我两眼睁睁地盯着那几个玻璃杯，干裂的嘴唇不断咂着，喉结上上下下焦躁地抽动着。快一天没喝过水了，我不是沙漠里的骆驼，我真是渴坏了。终于，我红着脸，声音有些哆嗦地恳求道："小姐，我能喝一杯水吗？"

"甭客气，你喝吧，杯子都在柜子里面。"

我说了"谢谢"，便迫不及待地起身走到柜子边，急急地拿出杯子，一连喝了七八杯。待缓过气来后，我才认真打量起眼前这位女孩。她大约二十岁左右，个子不是很高，却长得挺丰满可人的，胸章姓名那一栏写着"伊小菲"三个字。

"你们什么时候下班？"我明知故问。

"五点。"

"那我该走了。"我抬头看墙上的挂钟，指针接近五点了。

"下雨你怎么走啊？你住哪儿？离这远吗？"

我暗自庆幸，她终于给了我一个自我介绍的机会。凭良心说，每次上门收快件，看到人们投到我身上的那种对做苦力为生的进京民工鄙视的眼光时，我恨不得立马三刻掏出我烫金的硕士研究生证"啪"的一声摔到他面前，厉声说："睁大你的狗眼看看，你以为我是什么人？将来我要是来这儿工作，你得叫我头儿！"

可是，从来没有人问我，人们除了说几句什么时候送到或是否超重会不会丢失什么的，别的一概不问，甚至连正眼也不望我一眼。

"我住京师文理学院。"

"京师文理学院？哪个京师文理学院啊？"伊小菲当然觉得民工住大学校园不符合逻辑，所以有点不解地道。

"就海淀区的京师文理学院。"

"听你说话就知道你是南边的，京师文理学院有亲戚？"

"不，我在那儿上学。"

"啊？"伊小菲突然抬起头，第一次正眼望着我，当她觉得我的年纪跟大学生显然不相符时，便道："你还上学？"

"我读硕士研究生。"

"读硕士研究生？"显然，她还不知道硕士研究生长个什么模样。她兴奋得站了起来，也不知是不是想考一考我，她笑道："你帮我看看这个，我真看不懂。"说罢，走到我面前，把稿子递给我。

我接过来一看，是一个电脑软件的英文说明书的中文译稿，这个软件我也玩过弄过，略懂一些，我粗略扫了一眼，里边错漏百出，便故作惊诧道："这谁译的啊？怎么这样错漏百出的？"

伊小菲红着脸说，就是刚才那瘦子译的。我一听说是瘦猴，气便不打一处来，成心要在伊小菲面前损一损他，于是清了清嗓子，指着几处明显的错误道："这都是常识了，Windows 怎么能译成窗口呢，photoshop 也译为相片商店了，全错了，这些名词都有固定译名，简直就是牛头不对马嘴……"

伊小菲赔着笑脸说："难怪我英文说明书看不懂，中文说明书也看不懂。"

我回头看看窗外，见雨还下着，便道："这样吧，我重新帮你弄一弄吧。"

伊小菲感激地望了我一眼，说，"好好好，真是太麻烦你了。"说罢，拉出一把椅子，又给我倒了一杯茶后，站在我身边看着，大概她也想学一学英语，她边看边说："我们公司没人会电脑，也没人会英语，真是。"

说明书大概五六百字左右，我一下子就译好了，手写在纸上，又改了几个字后，坐到电脑前面，拉开键盘，"劈劈啪啪"地敲着。伊小菲有点惊讶，开始显得有点不自在了。几分钟后，我问她打印纸在哪儿，没见答应，我一回首，却发现她站在身边呆呆地注视着我。

四目相对，伊小菲红着脸说，打印机前几天坏了，回头再打吧。我说："你能不能告诉我哪地方坏了？我来弄一弄。"伊小菲说不清楚。我于是揭开盖在打印机上的红绸布，这是一台惠普激光打印机，我打开前盖，拉出硒鼓，用力摇一摇，又放了进去，见指示灯闪烁了几下，最后变为绿色，便点击了"打印"命令。

文稿打印出来了。伊小菲都看呆了，说，"你对电脑真熟。"

我谦虚地笑着说，还凑合吧。

雨还下个不停，但楼梯口却不断有脚步声响着，人们开始下班了。

"雨还大呢。"伊小菲说罢又坐回沙发认真看着我打印出来的译稿，看完，赞叹道，"研究生就是不一样，这回我一看就懂了，原来怎么看都看不懂，哎，忘了问你贵姓了？"

我掏出一张名片双手恭恭敬敬地递给她。名片上姓名后边赫然写着"硕士"两字，尽管我还没有毕业，还没有拿到硕士学位，但跟所有正在攻读硕士学位的人一样，总是喜欢提前在名片上挂起这顶金帽子。

伊小菲双手恭恭敬敬接过名片，脸上绽出甜蜜的笑容。

"你们学校大吗？"

"还挺大的，去过吗？"

"没有。"

"找个机会去看看吧，挺好的，对了，我们那儿周末舞会挺有趣的。"

"我们没有学生证，能进去吗？"

"那倒不碍事，我带进去不就成了。"

两人会心一笑，心底都明白彼此作了约定。

不知不觉，外边擦黑了，伊小菲想了想，道："这样吧，你拿收据来，我先给你钱吧，回头我再跟他要就是了。"

"这成吗？"

"没事没事，拿来吧，免得你跑来跑去，从海淀跑到这儿可不近啊。"

伊小菲给了钱。我收了钱，活也干完了，再待下去不利于保持新鲜感，于是主动起身告辞。伊小菲站了起来，转身从柜子里取出一件红色女式雨衣递给我，说："你拿着吧，你骑车要用。"

"哪你呢？"

"没事，我住得近，两三站地。"

雨衣在手，就不愁没有下一次见面的机会。这就像是古代男女爱情故事里的男主人公偶得大家千金的方巾，抑或现代革命爱情剧目里女主人公掏出洁白的手帕给男主人公包扎伤口，一旦有这样的情节出现，两人的关系就八九不离十了。想到这里，我心里暗爽，虽嘴上推着不要，可心里还是担心她反悔，假惺惺地推托了两次便接过了雨衣。

"要不，我押个学生证给你吧！"我迅速从怀里掏出研究生证来，径直递到她面前，明知她不会收下，但我怎么会错过这样一个炫耀身份的机会呢。

果然，在不轻易被察觉的一瞥中，伊小菲看到了证件上那几个烫金的"京师文理学院硕士研究生证"，她两颊荡漾着两朵红晕。"算了吧，这破雨衣也不值钱，你要骗就骗吧。"

我信誓旦旦地说，过几天我一定亲自送还你。

第 9 章

不知什么时候起，我们五一四室的三人渐渐迷上了跳舞。有时跳上瘾了，晚上就四处外出到其他高校寻舞。

"要不要邀请我们班女同学？"

"全身一无是处，粗腿、大屁股、短脖子、大膀子，说话瓮声瓮气，还有狐臭，特恶心，甭提了。"一提起这事，李习科恨自己生不逢时。

李习科之所以对本班女同学如此反感并以精神槽践为乐，主要是有好几次我们三人请班上几位女同学到学校地下室舞厅跳舞，原以为替她们付了门票，她们中途就不便再跟其他男士跳舞了。但天下的女人都是一样的招摇，舞曲一响，尽往灯光最亮处招摇过去，专门恭候别人邀请，弄得我们反而坐冷板凳。如此几回，便极少邀请她们了，再说京师文理学院的舞厅里女同学多的是，不必抱着一棵树吊死。

晚饭后，我从饭堂回到宿舍，见门虚掩着，便轻轻推门而入。原来，李习科与王天乐正在宿舍里操练舞步。

我往碗柜里放好饭碗，坐到书桌前，桌上摆着李习科一本摊开的笔记本，上面龙飞凤舞地写着题为"中关村学舞"的一段话：

> 探戈舞，是一种国际标准交谊舞，起源于非洲，流行于欧美，四拍二或四拍四，速度平稳，多为滑步，很少有起伏。它的最大特点就是：当舞者朝着一个方向移动时，舞者的身体却朝着另一方向，故舞林高手戏曰："人跳探戈，身不由己"。

我和李习科早就和好如初了，甚至比原来的感情更牢固，这就好比断开的骨头，一旦接上就比其他地方更坚固。在我教训李习科后的第二个周末，在陈进林出面调停下，我当面向李习科道了歉，且请陈进林李习科王天乐三人到新疆街撮了一顿"负荆"酒。酒桌上,我又当着众人自罚了数杯。李习科见状不计前嫌,也当着众人的面,手端满满的一杯酒,引用陈进林的口头禅表态:"没什么大不了的事,不过是'老婆穿错老公裤,老公穿错老婆裙',用得着道歉吗?喝!"

我们三人舞技一般,甚至有些舞曲节拍还听不懂。我不知道这算不算是天妒英才,能考上研究生,在音律上三个人都算是先天发育不全,要我们准确无误地体会舞曲,尤其像探戈舞曲的韵味变化,那无疑难于上青天。所以,在舞会前作一番探讨性的操练是极为必要的。

舞曲一停下,李习科就不由分说推开王天乐,径直把我拉到面前,把左手搭在我的肩上,右手揽着我的腰,迫不及待地对王天乐道:"看我俩的……"

王天乐虽然三十出头了,但非常洁身自爱——到现在还是个处子。这小子不是不食人间烟火,按他的话说,宁吃仙桃一口不吃烂杏一筐,遇不上顺眼的坚决不下手。为了尽快解决个人终身大事,他听从我和李习科的建议,买了好几本《交谊舞大全》,课余时间埋头研读,虽然满腹跳舞经纶,但跟异性跳舞的经历却几近空白。

王天乐很有动力,也很虚心,捧着一本《交谊舞指南》,双眼左右前后地跟着我们的舞步移动,双脚和着录音机的三步舞曲节拍,边迈着舞步,边喃喃自语:"慢——慢、快,慢——慢、快,慢——慢、快……"间或又用英语解说:"slow——slow、quick,slow——slow、quick……"

即使作为一个旁观者,王天乐也很投入。他觉得我的步子迈得不够大,便反复高声嚷着:"注意旋转的步法,女的要叉开两腿,男的右脚往前移,哎呀,不对,男的右脚要插入女的两腿之间……"接着便是一阵陶醉的浪笑。

李习科忍不住松开我,气势汹汹地冲上前去推了一把王天乐,骂道:"俗!真的俗不可耐!"说罢,把磁带倒到了平四。

近年来,北京市开展全民健身运动,政府也支持百姓跳舞。北京的平四舞便是在这种社会氛围中热火起来的。北京平四跳起来欢快活跃,舞步匀称,花样多,难度不大,容易入门,比秧歌儿高雅,比探戈儿好学,而且有没有基础的人都能学,因而现在学跳舞的人也是学平四的多。

我是一个胖子,而李习科却是个小个子,两人跳起平四舞很不协调,特别是背后交手的那个动作,简直是滑稽透顶。

还没等一曲终了,王天乐就气势汹汹把两人掰开,拉起我的手,此时录音机响起了一曲快三舞曲，王天乐领着我东冲西撞，有时碰倒了墙角的酒瓶，有时踢翻了碗柜前的提桶……

正当我们玩得开心的时候，忽然传来一阵急促的敲门声。王天乐赶紧松开我的手，返身开门。门一打开，只听到"扑通"一声响，我们三人都愣住了。住我们屋下面的博士跪在门口，双手作揖，声泪俱下般求饶道："求求你们，求求你们，让我安静安静几天，我的论文实在是不能再拖了……"

可怜的博士。

夜幕降临，三人来到学校地下室舞厅时，空荡荡的舞池仅有三五对舞伴正在练习跳舞。李习科脸上流露出得意的神情，给我们指认了其中一位据说是上次在北外跳舞时刚刚认识的小裴，李习科说，上次跟小裴约好今晚来这儿跳舞，她果然赴约。言语之间，流露出些许兴奋与得意。

既然是新近认识的，又是北外的，三人都来了兴趣，边听李习科自鸣得意般的显耀，边移动脚步，如饿狼盯着羊羔悄悄包抄过去。快到小裴面前时，舞曲刚好结束了，跟小裴跳舞的男生见势不妙，扔下小裴闪身遁入黑暗处。

王天乐不停地夸小裴舞跳得好，小裴似乎觉得被夸是理所当然的，咧着嘴"嘿嘿"地笑着，身体作摇曳多姿状。小裴说话的声音格外响亮，像男人似的，间杂着大笑的爆发，牙齿黑而粗，似乎是一个黑洞，头发如马尾巴一样又长又粗又密。满脸涂着粉，一双眼皮晕晕地扑了一层胭脂，头发披在肩上。舞到卖饮料处时，我借着灯光，"喔霍"，两个老是仰向天空的鼻孔，正如驮负重物爬坡的马儿一样吁吁地透着粗气，让人联想起西北某条沟壑里某个荒芜了多年的窑洞。

舞曲又响了。李习科又以欧洲中世纪绅士风度单腿跪下邀请小裴跳舞。在他们两人起舞后，我和王天乐自我安慰道，这小裴的身材相貌跟想象中的北外女生虽有很大反差，但好歹也是重点大学，相貌的不足可以在才学方面弥补。

李习科和小裴两人舞罢，又回到原处休息，王天乐突发奇想，也想来搅这趟浑水，他径直走到小裴面前，强装笑脸道："Misspei，how nice to meet you！"

"啊……"小裴往前踏了一步，咧开嘴巴，耸起耳朵道。

三人不约而同地吓了一跳。虽说我们仨英语口语不是很流利很标准。但难道连这么一句日常用语还会念错吗？不可能。

王天乐转而又想，人家是北外英文系欧美文学专业本科学生……肯定是自己过于紧张，咬音不准，于是，他稍为清了清嗓子，字正腔圆地道："Miss pei，how nice to meet you！"

　　"啊！啊……"小裴这两声"啊"，吓得我们三人不约而同地"啊"了一声。是啊，外语大学英文系的学生，何以对这么一句极为普通的日常用语如此莫名其妙！正欲再问下去，瞠目结舌了半天的李习科，狠狠地抽了自己一个巴掌后，强迫自己摆出一副笑眯眯的样子问道：

　　"小裴，这学期开了什么课？"

　　"政治、语文……"小裴掰着手指，一科一科地数着，"还有算术、常识……"

　　三人面面相觑，李习科被人抽了一记耳光般羞愧难当，但他还是忍不住问了一句："没有自然吗？"

　　"……自然课改为科学课了。"

　　小裴说完了这一句，李习科"啧"了一声，腰板直挺点了点头，做出一副"原来如此"的姿态。半晌，终于忍不住跑到卫生间独自纵声狂笑。

　　那天晚上，经王天乐对小裴旁敲侧击后，小裴的身份终于水落石出，小裴目前虽住外语大学校园内，不过，她并不是学生，而是一户人家雇请的小保姆。

　　"你们这三匹毛驴真是饥不择食！连乡下来的小保姆也不放过。"陈进林笑骂道。

　　月底发工资那天，我蹑手蹑脚地从快递公司会计那儿签字领走了三百元工钱，又找到总经理，一脸悲戚地诉说家中老母病危，骗出了三百元的押金，这样，在快递公司打工便告一个段落。回到学校，得知研究生部学生会举办"五四"文艺晚会，就故意打电话问伊小菲什么时候有空我好送雨衣给她。伊小菲听说送雨衣，笑着说，别送来了，留给你作个纪念吧。我一听急了，那可不成。

　　认识伊小菲后，我做梦都想以还雨衣为托词跟伊小菲约会，只因这段时间手中没一分现钱，甭说请她吃一根冰棍了，就是万一自行车中途掉链或爆胎了也不敢在外边修理。现在我手里有了一些钱，便又开始想入非非了。

　　我漫不经心地问伊小菲周末都忙啥，她说，看电视呗还能忙啥。我不失时机邀请她，来我们这儿跳舞吧，周末我们研究生举办晚会，表演节目结束后开舞会。

伊小菲听说是研究生的晚会，便道，都是研究生，我哪好意思去啊。我说，研究生又咋的了，他们还能吃了你？他们个个都是凡人一个呀，都是全国各地来的，见你这么一位年轻貌美的北京女孩，说不准还自卑得抬不起头哩。平心而论，这话我倒没瞎说，研究生除了在学识上高于平常人之外，其他方面都是俗人一个，尤其在两性问题上，比一般人还俗不可耐。

伊小菲听到这里，赶紧笑着打断道："得了吧你，你总不至于损我吧？"说罢，又"咯咯咯"地笑着，笑了一会儿，话筒里传来另一位女孩"哼哼哈哈"打趣的声音，还未听清楚，话筒就没声了，显然，伊小菲用手捂住了话筒，正与旁人商量着什么。半晌，传来了伊小菲的声音："我带俩同伴去成吗？"我不假思索道："正好正好，我们屋有两位正为没舞伴发愁呢。"

放下电话，我脚板如装上弹簧一样跑回宿舍。李习科王天乐两人正斜靠在床头愁眉苦脸地商量今晚该不该参加部里的晚会。

王天乐说："研究生部的晚会，特没劲，跟那些结过婚或离过婚的女人或变态的老处女跳舞，不仅特没劲，说不准还沾上霉气哩。"王天乐对班上女同学怀着深仇大恨似的，这显然是李春闹严禁他在水房"裸体洗澡"留下的后遗症。

"浑身散发一股狐臭味还扭扭捏捏地作出未出阁的乖巧状，真他妈的腻味，就算杀了我N次也不会跟她们跳舞！"李习科因身材矮小在舞会上屡屡被班上女同学拒绝，他一直对班上女同学耿耿于怀。

"不过，这又是集体活动，我们几个都不参加怕影响不好。"王天乐又无可奈何地叹息道。

李习科听罢，提议到时大伙装模作样进去露个脸后，就脚底抹油溜去首师大。他说，首师大今晚有大型化装舞会。

我回来了，两人好像见到了主心骨，迫不及待地向我征求意见。我手舞足蹈说："快点准备吧，晚上哪儿都甭去，就专门参加部里的晚会吧！"两人听罢，莫名其妙地望了我半天，我正儿八经地告诉他们说："今晚有仨正宗北京胡同里长大的女孩应约来找我们跳舞。"两人开始还以为我开玩笑，见我越说越认真，两人神情激昂，忙不迭地说好好好。末了，又问我她们仨长得怎么样？我绘声绘色地说，有个叫伊小菲的长得特标准，其他两个我还没见过面呢。王天乐当即咧着嘴笑道："这样吧，伊小菲是石明雷的菜，谁都不得动，其他两个嘛，我和李习科一人一个。"三人一阵狂笑。笑罢，李习科高屋建瓴地提出了一个建设性的意见——请她们早点来，把她们引到菜馆撮顿饭酝酿酝酿感情。主意倒是不错，可要是那样的话，受伤出血的可能是我了，因为是我的客人，让他俩出钱也不合适。我赶紧推说她们住得远，而且又是第一次来，再说素昧平生的，恐怕她们的脸皮也还没厚到那个地步，还是下回吧。

两人点头称是。王天乐返身悄悄关起门来，开始搂着李习科操练舞步。

快到四点时，操练才结束，三人不约而同拎着水桶上水房一边纵情高歌，一边洗澡。

洗澡完回到宿舍，三人又众志成城开展一场爱国卫生运动。各人分别收拾各自铺位的杂物，平日里凌乱得跟狗窝似的宿舍经过三人一番悉心打理，还颇有点蓬荜生辉的气象。每个人把床上用品码得整整齐齐，把臭袜子、裤衩之类塞进塑料桶，盖上桶盖后，一脚踢进床底的最深处，之后又在屋里四周尤其是卫生死角洒了大半瓶香水。香水洒得太多了，以至于晚风吹来，把香味飘到隔壁，竟呛得隔壁正在看书的阿方和阿松如两匹受惊的毛驴一样撒开四蹄狂奔向露台。

屋里仅有三张椅子，椅子都放在书桌前面，三人又将书桌收拾干净整齐。考虑到伊小菲肯定会坐在我的书桌前，于是，我又额外花了点心思布置了一番，将近段时间发表的好几篇散文胡乱地摊在桌上，制造出在报刊上发表文章也毫不在乎的假象。

七点两刻左右，传来了轻轻的敲门声，我们三人互相使了一个眼色，各自整理衣服与表情后，轻轻开了门，果真是伊小菲她们。看得出来，她们三个人也都作了一番精心的打扮。

三人坐下，好奇地看看屋里，也不喝茶，显然她们担心唇膏与口红会在我们的杯沿印上印记。这种三对三的场面很容易陷入僵局，王天乐李习科这两头驴平时巧舌如簧，满口的锦绣文章，现在任凭我怎么用眼神启发硬是三缄其口。还是女孩大方，伊小菲坐了一会儿后，便笑着作了介绍，随来的一个姓张，一个姓王，都是一家公司的，三人都二十岁左右，都操着一口字正腔圆的京腔，用我们宿舍三人的话来讲，她们仨讲的话全是"美声唱法"。

我们三人都来自南方，我说话时她们都竖着耳朵认真倾听，这主要是她们听得很费力。我赞叹她们说，你们的普通话真好听。三人听了直笑，反而说喜欢听我们的话，纷纷笑着说，粤语歌可好听了。我讲了几句粤语，又唱了几句粤语歌,她们兴奋得笑弯了腰。六个人你一句我一句"叽叽喳喳"地打开了话匣子,冰封的僵局终于融化了。

伊小菲果然掉进我精心设下的圈套中,在小王与小张跟李习科王天乐他们谈话时,伊小菲在我的桌前坐下,漫不经心地翻翻报纸。当看到几张报纸上写有我名字的文章时,一边装着聊天,一边却低头认真看起来。我见此情形,心里特高兴,恨不得跑到她面前,亲手指点标题下面的名字提醒她作者是谁。

舞会在六号楼,我们带她们三人入场时,早在那儿恭候晚会开演的众人,都不约而同地将目光齐刷刷地投向伊小菲她们。凭良心说,伊小菲她们三人文凭虽比不上在场的各位女同学高,但她们的相貌身材却实实在在比在座的女研究生们远远胜出。据说,社会学家调查发现,身材相貌越是出色的女性,她们的文凭不会太高,因为她们面临的诱惑过大,大多在中学或大学时就被男同学或男老师掳走,而相貌身材越是欠佳的女同学,她们的文凭往往很高,因为她们在读中学或大学时,老是感受不到男性青睐而日益坚信"尘世无丈夫,书中有美男",这才一味发奋埋头苦读。民间的说法,世上有三种人:男人、女人、女硕士或女博士。也就是说读书多的女人是有别于正常人的。这些德才兼备的女同学苦心研读的最终结果,就是一觉醒来发现自己成了货真价实的女硕士或女博士。

我们一行昂首阔步走过众人身旁,李习科的脸上更是一副风光无限的神情,好像在场的女同学个个都欠他的债。我们来到里面一排空着的椅子坐下,不久,主持人宣布晚会开始。众人一边嗑着瓜子吃着糖果,一边认真地看着节目,伊小菲她们就像课堂上的小学生端端正正地坐着,劝了好几次也不敢吃水果,偶尔呷一小口茶也是矜持得不得了,生怕引起人们注意而来推测她们的身份。

不知什么时候,门外聚集了许多人,那是九号楼的女同学听到了舞曲便不约而同地来了。她们在场边提起了裙角,斜倾着身子,有些急不可待。只待表演节目一结束,便蜂拥而入。

舞会终于开始。我起身邀伊小菲起舞。王天乐李习科两人分别跟另外两位跳。当然,我们三人偶尔也大度地交换一下舞伴。

刚开始时,她们有点拘束,总红着脸笑着说,歇会儿吧。显然,她们是希望等到有人上场了,听清了舞曲的节拍,看清了是什么舞才怯怯上场。可我们这三个号称舞坛"三剑客"的就没什么好客气的,舞曲一起,便伸手抓住她们的手，将她们从椅子上拉起来，领着她们冲向舞池，用语言或身体引领她们。

伊小菲身材颀长，一双水汪汪的大眼睛像是苍山顶上的晨星又圆又亮，乌黑发亮的头发给人以朝气蓬勃的青春气息。她的神态与风韵，虽不是那种高贵不可接近的女孩，但恰恰是这一种温柔，反而使人感觉到一种不可抗拒的魅力。今晚伊小菲穿了一条黑色的牛仔裤，上身是一件粉红色的短衬衫，使得这位素净、秀气的姑娘显得有点俏皮可爱而又那样的青春焕发，总给人一种漂亮而健康的印象。

舞会结束回到宿舍，隔壁的陈进林阿方阿松等人大汗淋漓地闯了进来，酸溜溜地指着我们的鼻子骂道："你们这舞坛三剑客太卑鄙了！竟然明目张胆搞这种突然袭击，整个研究生部的女生这下可成了醋坛子了！这可不利于研究生部的团结稳定大局呀！"

第 10 章

一九九三年七月初，暑假如期而至，本欲留校不回家的我，在学校磨蹭了几天后还是决定回家筹措学费。我到人民大学附近的火车票代售点用学生证购了一张四十七元的硬座火车票，坐了近四十八个小时的火车到省城后，又转了七个多小时的长途班车，第三天掌灯时分，终于回到了青翠坡县那鸭村。

当我拖着疲惫的双腿蓬头垢面地回到家里时，眼前的这个家却让我黯然神伤，四壁残破，青灯昏黄，家里非但没一分现钱，还负债累累。

晚上，母亲坐在院子里，一边睁着昏花的双眼摸索着剁猪菜，一边唠唠叨叨地跟我说话。萤火虫般的灯芯，散发出忽明忽暗的光，飘忽不定地投映在母亲皱纹纵横交错的脸上，夜风掠过院子的墙头檐角，树叶"窸窸窣窣"作响。

"……你都三十出头了，还要上京城读书？"

我强忍着泪水。我千里迢迢到北京去读三年书，为的是弄回一些做官的资本，母亲肯定不会理解我的良苦用心，要真让她知道我付出如此巨大代价来求个一官半职，她肯定想不通。

"读书……总是有用的。"

"可你都读完大学了，还不够用吗？乡亲们种养什么的，遇到疙瘩，你还不能替他们解开吗？"

"这个……不一样的。"

"那你再去读三年书，到底有什么用？是单位让你去读还是你自己去读的？"

"算是单位吧，可也不完全是单位……"我不敢让母亲知道，我要掏近三万元的学杂费，这个数字对母亲来说可能很难直观地理解，反正是比天文数字还大。

夜风飘扯着母亲凌乱的白发，灯光下那纵横交错的皱纹不断地抽搐着。望着母亲日渐弯下去的腰脊，望着母亲日渐干枯的身躯，泪水在我眼眶里直打转。千经万典孝悌为先，不孝啊！

虽然家里的境况早在意料之中，但看到母亲忧心如焚的面容，听母亲在乡间寂静的午夜那一声声惹得鸡飞狗跳的剧烈咳嗽，我还是免不了彻夜长吁短叹以泪洗面。想起欧阳师傅放假前在宿舍大门边小黑板上写下的"石明雷，一分也还没有交"那句话，我倍感焦虑彷徨。眼下唯一可能筹到学费的，只有周素菊父母了。

虽然已很久没有联系，虽然周素菊也不在家，虽然周家对我有种种不祥的预感，但为了筹措学费，我不得不硬着头皮前往周家。

为慎重起见，我乘班车到那牛乡集市后，并不直接上周家去，而是先在乡集上的一个小旅馆住下来。一年了，不知周家发生了什么样的变化。我要观察一下周家有什么反应后再采取相应行动。

近乡情更怯，不敢问来人。夜里，我独自一人躺在寂静的小旅馆里，不禁又想起了去年进京读研前到周家的情景来了。

周家屋檐下，高高挂着几个大红灯笼。

我和周素菊进门时，迎出来的周父望着我手中的袋子，双手一摊，客气地说："贤婿，你、你……这就见外了！"

我愣了一下。周父平时都是直呼我的名字，想不到今天这么恭恭敬敬地称我为"贤婿"，这让我一下子联想到范进这位老前辈。范进中举前老丈人连猪下水都舍不得给他，中举后带着一扇猪肉登门还要赔着笑脸。而我的这位准岳父，在上个月他还在众人面前呼天抢地说他的女儿是"鲜花插到了狗屎堆上"，我是"癞蛤蟆吃上了天鹅肉"。

我拿出苏主任送的那床毛毯和两瓶西园家酒，说是特意买来孝敬两老，说罢，将毛毯捧给周母。周母没有推托，两眼眯成一条线。

我极少回周素菊老家，这主要是周素菊父母一直都极力反对周素菊嫁给我。周家认为，周素菊虽是中专毕业，但好歹也是端着铁饭碗的国家干部，而且长着一米七左右的个头，相貌身材乃至人品各方面在县糖厂子弟学校三十多名女教师中那是当仁不让的佼佼者。当初周素菊中专刚毕业分配到县糖厂子弟学校时，公安、税务甚至县委县府的不少大学生都常常三天两头到她宿舍门前转悠，周家父母更是期望借这个宝贝女儿能钓到一个金龟婿。

现实总是比预期要残酷。当周素菊领着我登上周家的门时，二老那副瞠目结舌的神情我到现在还记忆犹新。相貌平平，皮肤黑不溜秋，略显沧桑的面相，贫穷潦倒的家庭背景，周家父母越想越不是滋味。他们先是私下反复劝说周素菊，后来干脆就公开站出来横加干涉。周素菊倒是很有主见，跟我谈恋爱一个月后的一个周末，就义无反顾地跑到县广播电视局宿舍与我同居起来了。

晚饭时，周父特意把我拉到身边坐下。酒过三巡，周父已是红光满脸了，他捋着两撇山羊胡子得意地说："贤婿啊，当初我与你岳母把素菊托付给你就是看准了你肯定会有出息的。"

我差点当场喷饭。"这些年让素菊受苦了。"我还是尽量顺着周父的意思往下说。

"来来来，我敬岳父岳母一杯！"

在我起身举杯时，周素彪也笑着起身陪着一饮而尽，坐下后，咂了咂嘴，道："路遥知马力，日久见人心，姐夫你这回上京读书，北京离我们几千里，你在京城做什么我们都看不见，也管不着。但我敬告一句，你可千万别做那个让世人咒骂万世的陈世美……"

"住嘴！你小子狗嘴里吐不出象牙来！"周父"啪"一声摔下筷子，"我和你妈的眼力就这么差？你姐夫好歹也是个受教育多年的大学生。"

我赶紧打圆场："我家祖祖辈辈都是老实厚道的庄稼人，我若有二心，天诛地灭！"

"当初我们就看中你这一点，还是农村的可靠。"周母轻轻插了一句。

"万般皆下品，唯有读书高。"周父顿了顿，喝了一杯酒后，继续摇头晃脑，"过去我们朝中无人，做什么事都谨小慎微，树叶掉下来怕砸破脑袋。贤婿你这次进京深造，三年后毕业出来，我们周家也算有棵大树可傍了，到时呀，我们大树底下好乘凉……据说，恢复高考以来，全县考上硕士研究生的就贤婿你一个，将来毕业了留在京城或省城做官，家里有什么事，一个电话回来，县长乡长们哪儿敢怠慢？"

"岳父你越说越玄乎了。"架不住周父一口一个贤婿，我干脆也直呼岳父了，省得见外。

饭后，我和周素菊想到外边走走。两人前脚刚迈出门槛，在正屋里的周父站起来频频招手叫住周素菊。我抬头看见周父脸上神情有些异样。

周素菊跟着她父亲走进了正屋，她母亲早已坐在那里等着。既然没叫我，我也只好远远站着。大约过了半个钟头，周素菊板着面孔出来叫我，说是爸妈有事叫我进去。

说罢，向我抬了一下下巴，就望风似的站在门外。我意识到周父周母有话单独跟我说，赶紧诚惶诚恐地走进了正屋。

周父周母两人都端坐着，见我进来，周母赶紧站起来给我倒了一杯茶，好久没有人这么待见我了，我有点受宠若惊。

"贤婿，我们跟你商量一件事。这事本来早就该办了，可一直忙。你在山里，周素菊也整天上课，拖来拖去，都快五年了，也一直没有办下来。"

"什么事，这么……"

"还不是你们俩登记的事。"周母小声答了一句。

我恍然大悟。

一九八七年七月，我与周素菊开始同居，当时我还在县广播电视局，跟刚从县报社调进县广播电视局的老贾合住一间平房。一到周六老贾回到乡下老家，周素菊就来跟我一起过。当时，我们根本没有把结婚提上议事日程，想着过几年单位分了房子再考虑。后来，还是周父提出来，说我作为党政部门的正式干部，还是早点办了正式手续，免得日后提拔什么的给人家说非法同居影响不好。两人都觉得此话在理，便回各自单位开好证明，择一个吉日双双到城厢镇民政科办理。不巧的是刚好赶上乱收费乱摊派之风盛行，规定每对新人必须购买三百元国库券，民政科才给予办理婚姻登记手续。当时我和周素菊两人月工资加起来也才一百多元，哪有这笔闲钱来购买国库券。周素菊一气之下说，不办了，等这批国库券卖完了再来办。天知道，国库券卖完后，又来了国债。这样，两年时间一晃就过去了，后来，我被下放到萝卜山神泉潭培训基地之后，也曾到过周素菊老家几次，周父周母却好像忘记了此事，再也没提过这事。

现在，周父周母如此郑重其事地提起这事，显然是担心我进京读书后做了陈世美。这样也好，领了结婚证我就可以名正言顺地从他们家拿些盘缠进京求学。

"那这几天就办了这事再上京读书吧。"

见我答应得爽快，周父周母当时眼睛就活络得发亮，脸上也绽出了笑容。

周父双手捧起茶壶，给我小心翼翼地续茶。放下茶壶，周父向门外招了一下手，周素菊进了门，红着脸低着头站在她母亲身边，两只手玩弄着胸前的辫梢。

周父清了清嗓子，郑重其事地说："明天就回县城，回单位打张证明，之后就去办吧，现在不像前几年了，不会摊派什么，就是有，也不怕，我给你们钱就是了……"

周家屋后有一个水库，夕阳普照，波光闪闪。四周苍翠的青松倒映水中，碧绿幽深，如一幅让人赏心悦目遐思万千的山水画。那天我的心情好极了，娶完媳妇马上再去读研究生，这样的生活，夫复何求啊！

自从跟周素菊同居后，逢年过节，我偶尔也陪周素菊回她家，乡集上的人大都知道我是周家女婿。小旅馆老板娘原来也是认识的，在小旅馆住了一天后，我开始向小旅馆老板娘旁敲侧击打听周家为何不给我寄学费。

老板娘望了我一眼，苦笑道："这事……不知道该怎么跟你说。"

……你北上读书后，周素菊母亲为了弥补家中财政赤字，把自家的卫生间与厕所凿通，再加砌半米高的墙壁将其改造成了猪栏，希望通过养猪每年创收个几千块钱。周素菊的父亲也热情高涨，他闭门苦心钻研报纸缝的各类"致富信息"，几天后终于悟出一个养泰国斗鸡的门道。

照说老爷子也是交了三十多年党费的老革命了，但他的脑子却很活泛。他认准了小平同志的那句话——不管白猫黑猫，抓到老鼠就是好猫。下蛋的鸡赚钱，斗鸡也是赚钱，两者都是活跃社会主义市场经济嘛！周素彪更是煞有介事地将斗鸡归类到少数民族传统体育项目上，这下老爷子更是没什么顾忌了。他花了三百元购了两只全身光秃秃的泰国斗鸡，经村野老郎中指点，每天喂些麦乳精，又用螃蟹螳螂碎肉悬于高处，令其扑啄。经过两个月精心饲养与训练，适逢县里举行斗鸡比赛，老爷子手下两勇士果然在赛场上一鸣惊人。全县大小斗鸡莫不惨死在其锋利的喙下。短短几天时间，老爷子竟然赢了近万元奖金。老爷子初次出师告捷，尝到了甜头后，干脆办理了提前退休手续，终日抱着斗鸡走街串巷，以鸡会友，收入也颇丰。

乐极生悲。一天，老爷子外出斗鸡凯旋，两只斗鸡也是得意忘形，一路上频频引吭高歌。行高于众，言必诽之，木秀于林，

159

风必摧之。人如此，鸡也不能例外。在路过一小巷僻静处时，突然窜出一只狼狗。当时乡里还没有斗狗这个项目，我估计是大狼狗看不惯这两只鸡独领风骚不可一世的样子，汪汪狂吠直扑向老爷子怀中的两只斗鸡，老爷子以为是冲着自己来的，慌乱之中吓得扔下斗鸡大呼救命。

也不知道那两只斗鸡通人性还是不知天高地厚，纷纷引颈振翅，左右扑啄，跟狼狗展开殊死搏斗。老爷子情急之下飞身跑进附近的菜地篱笆，双手拔出一短棒，号叫着直取狗头。狼狗寡不敌众仓皇逃窜。在这场篱笆、男人、鸡和狗的大战中，老爷子和两只斗鸡再次赢得了胜利。鸣金收兵后，老爷子给鸡查验伤口，这一看不禁傻了眼，原来，两只斗鸡的脖子都被恶狗咬了几口，鲜血长流不止。于是，他赶紧抱起斗鸡直奔乡卫生所包扎输液。经过近两个月的精心医疗，伤势虽然康复了，但赔进了近一万元的医疗费，更为痛心的是，斗鸡斗志已不如从前。外出寻斗，往往输赢各半，这样一来，唉……这就是周家迟迟不给你汇款的原因。

我想起了"失踪"近一年的周素菊，便又追问起旅馆老板娘。老板娘支支吾吾安慰我说，出事倒不会，她那边有同学，绝对不会出事的，放心好了。据说，偶尔她也给家里写过信，但兴许是刚刚去打工吧，举目无亲，居无定所，说不准也还找不到合适的工作，哪有什么闲情跟家里联系，待她安定下来，有了工作，站稳脚跟了，她会写信回来的。

看老板娘支支吾吾左右为难的样子，我越发疑心周素菊在外面做了什么对不起我的事，外面彩旗还没飘起来，家里的红旗就先倒了，硕士帽没戴上就先戴上绿帽子，这样的结局我石明雷是万万不能接受的。

我决心不惜一切代价弄清楚周素菊到底在外面做些什么？

老板娘执拗不过，便给我透露了一个情况，说对面一家米粉摊有一位韦姓的女子，上个月刚从海城打工回来，据她说，她当初就是跟周素菊一起去海城的，而且在海城还曾经同住过。

晚上，老板娘把韦小姐叫到小旅馆来。在服务间里坐下后，我一边喝茶，一边打量韦小姐。她二十出头，身材匀称丰满。听说我要向她打听周素菊在海城的情况，她先是上上下下打量了我一番，当得知我就是周素菊老公时，她苦笑着摇了摇头。

"老公？那你凭什么还让她去过那种非人的日子？你又凭什么让她去遭那种罪？"她愤愤地质问我。

我叹了一口气。"我确实是周素菊的老公，只是后来我去了北京读研究生了，周素菊她们学校也动员教职员工下海创收，周素菊这才办了停薪留职手续，前往海城打工，哪知，她一去就音信全无……"

"那你干吗不上她家去打听打听呢？"

老板娘一副过来人的神情，责备起韦小姐来了，说："你呀，出了这种事……再说，她家人也未必清楚周素菊的情况。"

韦小姐低头不语，想了想，终于低低地说，不错，我是跟菊姐一起去海城的。到了海城后，我们两人也曾借住在菊姐一位名叫春梅的中师同学的出租屋几个月。那阵子，我只知道，她刚去的时候天天跑人才市场找工作，当中被两家公司以交押金买工装为借口，骗了好几百元钱。我准备回来的时候，从其他老乡那里听说，菊姐不是求财心切就是出于无奈，参加了传销，听说还发展了中师好几个同学为下线，那几个同学家属正找她算账哩。我就知道这么多了，其他的，我一概不知。

我听说周素菊参加传销，心里不禁一震。传销猛于虎啊，但我还是强迫自己镇静下来。我递给韦小姐一百元钱，恳求她把跟周素菊去海城打工的前前后后原原本本地告诉我。我对她保证说，不管你说什么，我都不会怪罪你。

站在一边的老板娘也说，周素菊去了海城，肯定是遇上什么难处，但不管遇上什么事，也不该连老公也瞒着，这样吧，你收了这一百元钱，把事情跟她老公说清楚，怎么着也好商量个对策呀。老板娘说罢，给两人续了茶，就带上门到对面搓麻将去了。

韦小姐双眼转了转，对我点了点头，开始述说她跟周素菊南下打工的经过。

一九九二年中秋节过后的一个周末清晨，菊姐和我踏上了开往青山铺市的火车。天亮时，火车到了青山铺市，我们两人在站台买了两个面包充饥。从出站口出来，就看到一部长途客车前挂着"青山铺——海湖"的牌子，还未招手，车已在身边停了下来，菊姐连忙问："到海湖码头吗？"

"这不写着吗？"一售票员模样的中年男人拉开车门跳了下来，一边指着挂在车前玻璃上的牌子，一边动手替我们将行李搬上车。

车又开走了，但并没有驶出青山铺市，而是在市区里走走停停四处招徕客人，只要见路边有人招手就停车，中年男人马上跳下车连人带行李推上车。班车转到火车站前停下，一群背着大包小包的北方农村男女正等车到海湖市去。中年男人跳下车，边跟他们说价，边动手将他们的行李扔上车。有几个旅客见车子迟迟不走，就抗议说要下车，可坐在门边的一个满脸横肉身穿迷彩服凶神恶煞的汉子伸出双腿挡住了过道，我们此时才知道上了贼船，无奈单枪匹马，行李又让他们塞进行李架并捆个结实，解下来不是那么容易，心里暗暗叫苦。

直到车上坐满了客人，班车才向海湖方向开去。

一路颠簸，到了晚上十一点左右，车停下了，司机高声道："到海湖的下车！到海湖的下车！"

我们从睡梦中醒了过来，车窗外亮着昏黄的路灯，四周稀稀落落围着一群拉客的摩托车，远处有几个卖玉米棒甘蔗之类的小摊。这就是海湖吗？电视上不是说海湖正在开发得热火朝天吗？怎么这里还像农村的集市一样？我们问身边的旅客，旅客也不清楚，又问司机，司机不耐烦地吼了一句："到海湖啦，下车的快点下！"

我们下车后一问卖玉米棒的，才知还没到海湖，离海湖还有九十多公里，菊姐他们一帮人过去与车主论理，车主说，本来我们的车就不是到海湖的。众人听罢回头一看车头的牌子，不知什么时候，已换成江海了。这时，一辆中巴停下招揽大伙上车，大巴车主说这是他们的中巴，众人已精疲力竭，只想早点到海湖，纷纷鱼贯而上中巴车，长途班车一溜烟开走了，瞬间就消失在夜幕中。

上了中巴，才知道上当了，中巴车主让我们另外买票。他说压根儿就不认识刚才大巴的车主，不买票就下车，外边黑咕隆咚的谁敢下车呀！中巴车主边收钱边说："以后坐车不要单看车头上的牌子，还得看看车号，看是那个地方的车，免得人家中途把你们当猪仔卖啦。"

车到海湖市后，我们沿着海湖大道找住的地方，问了好几家旅馆，全都客满。偶尔有一两家有床位的房价也都上百元左右，我们舍不得花这个钱。菊姐问老板娘，可否只要两个铺位，老板娘说，你只付两个铺位钱的话，我还得安排其他人住进去，男女都可能安排。我们只得继续向前走，又过了半天，最后在海边一家名叫"海湖人家"的旅社住了下来，房价三十元，安顿下来后，到楼下买了两包五毛钱的方便面，从箱子取出口盅，泡了一包。吃完锁了门和衣而睡。

约莫半夜两点多，突然传来轻轻的敲门声。我们花三十元包了一个单间的，难道店主还安排别人住进来？可分明只有两个铺位啊？低头从门缝往外看，正纳闷呢，外面传出一个女孩子的声音："老板，玩不玩？"

我们两人都吓了一跳，浑身起了一层鸡皮疙瘩，大声道："你找错人了！"外边一听，里边是女的，赶紧趿拉着鞋子"笃笃笃"地向走廊另一头跑去。

正要躺下，又听到有人敲对面房间的门，照例是轻声地叫着："老板，玩不玩？"原来也是做这一行的，好像十多人。她们很有耐心，一间挨一间敲门询问，显然她们宁可错敲一千间，也不放过一个嫖客。

我们蒙着被子躺在床上。但几乎每过半个小时，就传来奇怪的敲门声，后来，菊姐实在是忍无可忍了，当再传来敲门声时，菊姐跑到门边，正欲发作，门外却传来一男人的声音："小姐，我们房几个都想跟你做生意，快来吧！"我们吓得毛骨悚然。但也不敢声张，只是紧紧地检查一下门闩是否牢固，又用桌子往前顶了顶。

天一放亮，我们就迫不及待地搭一部三轮车向码头奔去，进了客运处一问，才知道原来每天都有五六班客轮到海城，但价钱不一样，从六十元至二百二十元不等，而六十元的是小客轮。我们都想，只要到海城就行。可售票员打量我俩半天，告诫道："今晚下半夜有台风，你俩这么斯文，就不要省那个钱了，坐豪华轮，平稳点，坐小客轮，台风一起，你们连苦胆都得吐出来。"

菊姐笑道："没这么夸张吧？"

八点整，开船了，我们虽然一夜没睡好，但吃了一包方便面，寄存了行李、到卫生间洗漱干净后，便到甲板上看海景。菊姐倚着客轮的栏杆，海风吹着她瀑布般的秀发，台风前的大海格外宁静温驯，天空晴空万里，浩渺的大海风平浪静，海鸥在轮船犁起的水道追逐着，初升的太阳万丈金光铺在海面上，一切都显得很华美。

半夜，轮船剧烈摇晃起来，在"突突"的马达声中，听到一阵阵海浪撞击着船身，整个船舱乱哄哄地狂躁不安。好不容易熬到第二天清晨，风停了，客轮徐徐向海城码头靠去。经过一夜的折腾，我俩头晕目眩，走路摇摇晃晃，一挤上公交车后，还未坐稳，就呼呼地睡着了。

"后来呢？后来你菊姐她怎么样？"

"后来？后来的事我就不太清楚了。不过，如果你还想听，我倒可以谈谈菊姐的同学春梅的一些事，兴许你听了就知道菊姐在那边不容易了。"

"听，那肯定要听！"交了一百元钱可不就是为了听这些个一地鸡毛的烂事。

韦小姐喝了一口茶，清了清嗓子，又接着讲了下去。

我和菊姐来到海城后，先在菊姐的中师同学春梅的出租屋住下来。住下几天后，我们骇然地发觉，春梅根本就不是做什么文员，而是昼伏夜行专做皮肉生意的。

每当夜幕降临，春梅就浓妆艳抹去椰林大道。在那儿做这一行的成行成市，在朦胧的夜色下，沿着人行道两边的草地上，密密麻麻地站着一溜烟的姐妹们，她们人人浓妆艳抹，夜风过处，阵阵爽身粉香水味夹杂着香烟味汗水味四处飘荡。她们有的依着树根，撩起半截裙子；有的一手叉腰，像木桩似的站在那儿等候男人来搭讪。只要一见男人走过来，就故意走过去用如小山包似的乳房撞人家。

春梅第一次跟姐妹们去做那种事的时候非常拘谨，由于不够主动，一连几个晚上都没接到一单生意。

一天夜里，春梅一直等到后半夜姐妹们快散场时，才发现有一男子从对面的阴影向自己走来，那个男人用手势向她招了一下，向附近的甘蔗摊走去，弯腰买了一截一尺左右削好了皮的甘蔗，退到路旁阴影下，连连向春梅举了举手中的甘蔗。

春梅一阵窃喜。姐妹们事先告诫她说，为防治安队员跟踪，做交易的人暗地里约定这样的暗号，若男女相互有意，即各买一截甘蔗，装出一副不相识的样子，吃着甘蔗一前一后走到安全的地方后再慢慢谈好价钱和地方。

终于有了生意，春梅抑制不住内心的兴奋，三步并做两步跑到甘蔗摊买了一截甘蔗，拿在手里，加快脚步超过男子走到前边，她边吃边走，向自己的住处走去。春梅听到身后紧跟而来的脚步声，她知道，那个刚刚买甘蔗的男人紧紧地跟在自己身后。春梅吁了一口气，心想，今夜捞上这么一单生意，明天总算可以交屋租了，这几天房东的脸孔板得如锅铲一样。

春梅边吃边走，不出半个钟头，手中的甘蔗吃完了，人也来到远离甘蔗摊的僻静路口，这儿很安全，春梅驻足等候嫖客，准备跟他谈妥价钱和做事的地方。不料待嫖客迎上来的时候，春梅却吓得浑身哆嗦！原来，嫖客手中削得发白的一尺多长的甘蔗还没有咬过一口，这个男人不会是治安队员吧？头一次卖身就被抓可也真够背的。

春梅怯怯地问了一句："我的甘蔗都吃完了，你怎么却一口也没咬？莫非……"

"小姐你放心好了，我不是治安队员……"阴影里传来嫖客委屈的辩解。

"做这事的规矩都以吃甘蔗为暗号，你为什么不吃？"春梅又大声质问。

"哎呀，我的闺孙女，你看看我，我还能咬得动甘蔗吗？"说着嫖客从阴影里磕磕绊绊地来到春梅面前，借着朦胧的路灯，春梅顿时吓得目瞪口呆。原来，这个咧开着嘴巴流口水的老爷爷已经没有一颗牙齿了。

"你不就是为了钱吗？我有钱。"

一听到"钱"字，想想这几天房东阴沉的面孔，春梅叹了一口气，伸手牵过了那位年逾七旬的老爷爷。

韦小姐讲到这里，低下头来汲着鼻子。我觉得韦小姐讲的故事可笑可悲，但我心有疑虑，于是问她："你怎么连这些细节也这么清楚？不会是编出来骗钱吧？"

"你放心好了，这绝对是千真万确，因为……"韦小姐说到这里，环顾一下四周，见周围无人，便压低嗓子道："因为那阵子我也住在春梅姐那儿，每天晚上我都跟春梅姐一起出去……"

"那……周素菊她？……"我浑身的血液快凝固了。

"你放心好了，菊姐她不是我们这种人，天地良心，我从不昧着良心说话的。"

"那她在海城到底是干哪一行的？"

"刚才我都跟你讲了，她刚到海城的时候，一直找不到工作，没钱租房子，只能借住在春梅那儿，那阵子，我只知道她每天都跑人才市场找工作，白天我和春梅姐都睡觉，晚上我和春梅姐又通宵达旦在外边游荡，所以说，我跟菊姐待在一起的时间也不多。后来，大概过了三个月，她就搬出去了。"

韦小姐说到这里，低头沉默半晌，汲了几下鼻子，又说："菊姐跟春梅不是一种人，你放心，菊姐绝对不会做出一丝一毫对不起你的事……至于她后来为什么离开我们加入了传销组织，那我就不得而知了，不过……她肯定也是被逼上梁山才去做传销的……"

那一夜，我辗转反侧，内心充满了内疚与恐惧，我不知道该不该上周家去筹措学费。

住了两个晚上，也没有听说对我有什么不利的议论，第三天，我心一横，决定到周家拜访。

虽然周素菊不在家，周父周母却对我的不期而至又惊又喜。周家人安顿我住下，即让人通知远远近近的亲戚，第二天晚上周家要大摆宴席。

翌日傍晚，太阳还没落山，周家远远近近的亲戚便挑酒挑米高高兴兴地来了。亲戚们听说我将来毕业后能分到中央某大部委，人人都眉飞色舞笑逐颜开。在那牛乡，大学生本来就不多，像周素菊这样能到县城工作的，都成了一种稀奇的宝贝，许多人见到她就如小孩第一次进动物园一样好奇。对于在京城就学的研究生，更是稀罕得不得了。村里的老老少少都找尽各种借口跑到周素菊家，都想亲眼看见从京城里来的研究生。人们一波又一波地从我眼前晃过，我很享受这种感觉，端坐着坦然地接受众人投过来的敬意，时不时地还给老者们每人派发一支带嘴的香烟。

周素菊家里摆了五桌宴席。我、周父周母和周素菊的外公，还有特意从县城赶回来的周素彪和周素菊的四位初中女同学，坐在客厅里的一张八仙大桌，其他四桌有的安排在厨房里，有的摆在天井里。

我平时嗜饮，但今天这个场合绝对要有讲究，怎么说咱现在也是有身份的人了。我努力地端着架子，总是以"不胜酒力"这样的雅言推托敬酒的人，不得已时才慢条斯理地舔着酒杯的边沿，一小口一小口地抿着。同桌的几位女同学有的频频颔首，有的掩嘴窃笑，有一位掩嘴小声道："读书人文质彬彬，就是与众不同。"

其实我也有自己的苦衷。一来周素菊在海城的事搅得我心神不宁，二来周家从未给过学费也让我觉得颇费思量，三是周素彪的两眼凶光让我隐隐地觉察到了一丝不祥。

一开始我不敢轻易开口说话，显得有些腼腆与拘束。但酒过三巡后，话越来越多。先是大谈一番国际风云，从美国出兵海湾争夺红海制海权控制世界石油贸易，到非洲百年未遇的干旱以及走马灯般的政变，再到索马里和平曙光；从苏联解体到美国总统克林顿连任俄罗斯总统叶利钦心脏病手术成功，再到中国国有企业的改革与宏观调控及财税分制金融改革云云。我虽不是国政系的研　究生，但"没吃过猪肉，也见过猪行路"，平时在京城耳濡目染的许多小道新闻或胡同里的各种牢骚骂娘，在北京人才众多的地方不敢轻易瞎说，可现在面对里三层外三层一年四季也难得见报纸电视的农村听众，我谈起来可谓是头头是道左右逢源。起初是"犹抱琵琶半遮面"，到后来是"大珠小珠落玉盘"。周素菊的外公一边听一边频频颔首，那神情，不仅仅是赞赏，更多的是羡慕与钦服。眼前的听众时而瞠目结舌，时而拍掌跺脚，仿佛初学功夫的徒弟观看师傅眼花缭乱的套路表演，虽有丈二和尚摸不着脑门的困惑，但还是为能开此眼界乐得心花怒放。

我巡视了一眼大伙，眼前的景象让我产生了极大的满足感——所有的人都放下碗筷，瞪着一双双灯泡似的眼睛看着我，眼神里充满了无限景仰，有的人甚至离席走过来围住我，那样的场面我只能用震撼来形容。

酒宴从开席到这个时候为止，应该说还算是一次胜利的宴会，一次团结的宴会，一次圆满的宴会。至少，我个人还是很满意的。

侃了半天，我觉得唇干舌燥，便捧起茶杯喝了一口茶，然后心满意足地站起身来说："就此打住！就此打住！不谈国事，不谈国事，菜都凉了，来来来，吃菜……"

此时，沉默多时的周素彪突然抬眼望望我，皮笑肉不笑地说了一句："划几拳怎么样？"

周母闻听此言骂了一句："你想喝酒就自个喝吧，跟文化人除了这个，难道就不能谈其他别的什么吗？"

周素彪面露愧色。我为了讨好周素彪，便端起酒杯站了起来，笑道："今晚我不当什么研究生了，坐到酒桌边，人人平等嘛，大家高兴。来，我敬你一杯……"

"不不不，你是研究生，是大学问家，应该是我先敬你。"

周素彪话音未落，我就把酒杯伸到周素彪面前，"我的学历虽比你高一些，但为人处世社会阅历等方面，你都是我的老师，来，我敬你一杯——"

见我这么放得开，周素彪显得格外兴奋，两人一连又喝了五六杯，由于喝得太猛，我咳了几声，不断打着酒嗝。

周母道："你姐夫就不能喝酒，别把他灌醉了，别让他再喝了。"

"你……真是妇道人家，喜庆日子大家一定要喝好为止，继续喝。我不会划拳，就不陪了。"周父放下碗筷，背着双手走出去了。

也许周素彪觉得不敬我两杯心里过意不去吧，他倒满了两大玻璃杯酒，捧一杯给我，自己拿一杯在手上，站起来道："咱俩是亲戚，来，喝一杯交杯酒！……"

周母听说又要喝酒，赶紧又瞪了周素彪一眼，道："他不能喝了！别把他弄醉了……"

一说是喝交杯酒，我登时觉得对周家示好的机会到了，兴许，就为这一杯交杯酒，周家就会给我一笔盘缠呢！

我赶紧站起身来说："交杯酒……我不能不喝，来，干——杯——"

两人酒到杯干。此时，我已有八九分醉意，说起话来都有点手舞足蹈了，我捋起衣袖，对周素彪大声说："今晚是个好日子，我就不要当什么研究生了，来，咱俩划两拳！"

"痛快！有风度！"周素彪一拍桌子站了起来，双手捧起杯子，"凭姐夫这一句话，我喝完再来划……"

我显然喝高了，"这可不行，我刚才说过了，酒桌面前人人平等嘛，干吗你先喝两杯？要喝，咱俩一起喝两杯再划也不迟。"

"中听！"周素彪一仰脖子，"咕噜噜"一大杯酒下了肚,向我亮了杯底。我也赶紧起身"咕噜噜"地喝了一杯，也拿着杯子向他亮了杯底，之后把杯子放在桌上，大声道："斟酒！"周素彪闻声，赶紧从桌子底下端起酒坛，"哗啦啦"地给我斟满了一杯，我又一仰脖子，又是一大杯下肚。

这两杯酒，合起来估计也有一斤多，虽是本地产的低度米酒，但后劲也很足，我喝下去之后，只觉喉咙似乎塞着一块火炭，极力咽了咽，才勉强将泛起的酒气强压下去。

"高兴来，四季发财，六六大顺，五子登科……"一开始，摸不着周素彪的路数，我输得一塌糊涂，后来好不容易赢了几码。两人越猜越兴奋，刚刚归位拨了几口饭的众亲戚闻声后，纷纷围过来看热闹。周素彪喝高了，话越来越多，舌头僵硬得不听使唤了。

周母劝我，无效。又劝周素彪，周素彪更是不理："酒逢知己千杯少！今晚我要跟姐夫来个一醉方休。"周母无奈，摔下碗筷，唠唠叨叨着向院子走去。

两人一边猜拳，一边聊，周素彪亮杯后，深有感触道："菊姐不在家……如果她在，就好了……"

"是啊，天晓得她到底在干吗？"我话里有话。

"一年不见，你咋一点都不在乎？"

"在乎又有什么用？只言片语都见不到，更别说……"我差点说漏了嘴，话锋一转："见到爸爸妈妈我就已经很高兴了。"

"你……你这是见钱就高兴，我早就说，路遥知马力，日久……见人心，一年时间你就他妈的全变了！"

"你、你这是什么话？我变什么变？"

"你以为……你在北京……我就不知道你胡作非为了？你今天就当着亲戚们说清楚，你凭什么去你们班一个女博士家做客？你这司马昭之心，路人皆知……"

我愣了一下，我们县交通局有一位女孩子也在京师文理学院读本科，莫非她回来把这事说了？应该不会呀，我和李春闰的事只有小范围的人知道啊。要学费的事和李春闰的事都是我的软肋，周素彪今天当着这么多的人揭我的短，我脸上登时就挂不住了，一拍桌子站了起来，指着周素彪的鼻子骂道："你把话给我说清楚……"

周素彪也喝高了，毫不示弱"啪"的一声把酒杯摔个粉碎。我也"霍"

地站了起来，摆出一副打架的阵势，亲戚们赶紧慌惶地上前拉住我。

周素彪喝道："你还敢在这撒野！"说罢，用力将我往后一推。

也顾不上斯文了，我挣脱众人冲上前去一把抓住了周素彪的衣领子，周素菊的一位女同学见状赶紧抓住我的胳膊，我回头就是一咬，那女同学"哎哟"一声惨叫，周素彪龇牙咧嘴喝道："你敢咬人？"

我怒不可遏，指着周素彪骂道："咬人？我、我、还要——宰你呢！"一抬手，"哗啦"一声掀翻了酒桌。顿时，碗碟乒乓作响，饭菜酒洒满一地。周素彪怒气冲冲地一挥拳，他的几位伙伴即挥拳冲上前来，拳头雨点般落在我的身上头上。一拳难敌众手，我见势不妙，只得夺门而逃。

逃到半路，我酒醒了一半，自知闯了大祸，回到投宿的小旅馆后，怕他们赶来追打，连夜又换了另一间小旅馆。躺下后，只觉头脑发胀，铅一样沉重，也许是喝不惯当地的米酒吧，头有些痛，干脆起身洗了个冷水澡。

洗完澡，我漫无目的地向外边走去，也不知走了多远，一脚迈进了冰冷的水里，借着冷冷的星光一看，竟是走进了水田。此时酒已全醒了，夜风不断拉扯着我那凌乱的头发，面孔冷得几乎像结了一层霜雪那样麻木，但此时脑海里的思绪却是异常的清晰，随着这种清晰的思绪的到来，我随即变得浑身不舒服起来了，一股潮水般的烦恼与懊悔疯狂地折磨着我。我一边走一边不断地责备自己：我怎么居然跟周家人打起来了？……怎么会当众咬人呢？当她们全家，不，当她家远远近近的亲戚朋友的面，我一个堂堂的研究生居然狠狠地咬了周素菊的同学一口！想到这里，我不断地对自己说，这不是真的！这不是真的！这肯定是在做噩梦！

我狠狠地抽了自己两个巴掌，但分明觉得两颊热辣辣地疼痛，分明不是在做梦。我不是上周家来讨学费吗？和气生财嘛！怎么就到了这份上了呢？我真浑啊……

我定了定神，昨天在周家所发生的一切又在我的脑子里清晰地过了一遍电影。是周素彪的挑衅吗？还是醉酒后暴力的一次迸发？我认真地想了很久很久，最后，我终于得出了一个结论，那就是周素菊对我已经不那么重要了，我的那个渴望飞黄腾达的官场情结决定了和周素菊分手是早晚的事，来到周家就是为了学费来的。有了学费，我们之间或许还有一丝希望，当然这要取决于我的良心还没完全被狗吃光。想到这里，我不禁流下了伤心的泪水。是的，我不希望这样的一个结局，即便决定跟她分开，也不必用此种残酷的令人讥笑的方式。

我赶忙向周家所在的村子急匆匆地赶去。穿过星光下灰白清冷的乡间小路，我一直来到周家门前，此时已是夜里凌晨三点钟了，街上连一个人影也没有。远远看到周素菊父母的房间还亮着灯，我心存幻想，他们一定在等着我回来道歉，可走近门前，却见大铁门被一把大锁锁住了，连叫了几声，也没有人答话，一条短小凶悍的黑狗恶狠狠地扑到铁门上，龇牙咧嘴地狂吠，吓得我赶紧逃开。

第二天，太阳还没有落山，我又来到村头。昨天在全村人面前丢了脸，村里人一定把我这个硕士看得扁扁的了。于是耐着性子待夜幕降临后，我才悄悄潜入村子里。我蹑手蹑脚来到周家门前几棵芭蕉树底下，借着朦胧的月光，注视着周家的动静。半天时间过去了，除了间或看到一两只狗的影子外，始终没有看到周家人的影子。

我心想，周家一定对我死心了，我这个曾让周家人引以为荣的硕士终于走下了神坛。身上的钱也快用完了，无奈，我只好搭班车回了老家。

第 11 章

一九九三年那个伤心流泪的暑假显得格外漫长。九月二日，我风尘仆仆蓬头垢面回到了学校。前脚刚踏入研究生宿舍楼大门槛，在门卫室守候多时的欧阳师傅即拖着木屐尾随来到宿舍。

欧阳师傅提醒我交学费，见我长吁短叹，也同情地摇了摇头，拖着清脆的木屐声走了，临到楼梯口，又折回来，附着我的耳根说：李春闺这几天即将移民到加拿大安大略省去了。

这个消息让我大为震惊。曾几何时，她可是我心中的正印前锋啊！悔不该当初对她是那种蛮横的态度，当初自己若能忍辱负重，对她骂不还口，打不还手，兴许现在我也能沾她的光跟她出国陪读什么的，今生今世倘若我也能做个假洋鬼子，那死也瞑目了。

我寄望于李春闺能够回心转意，尽管这种希望很渺茫，尽管很难开口，但为了那仅存的一丝可能，我还是以话别为借口厚着脸皮找到她宿舍。但每次我厚着老脸上她宿舍找她时，她都冷冷地说："我不认识你！"问及为什么时，她就愤愤地喃喃着据说自幼儿园起每逢骂人时就用的口头禅："因为所以，科学道理，蟑螂蚂蚁，懒得理你！"

直到李春闺出国那一天，我才彻底放弃了这种妻贵夫荣的念头。

李春闺走后不久的一个下午，持老突然约我上他家去。

"你的作业写得不错，我推荐给北京的一个社会学杂志，主编已同意刊用，但你先拿回去根据我的意见再修改一下，改好后再寄给编辑部。"持老说。

我的心为之一振，从暑假到现在，多长时间没有一件提神的事了。

那是上学期《社会学概论》这门课结束时作为考试的开卷作业。我写了题为《关于贫富差距的社会学思考》这么一篇作业。从社会分层理论来论述贫富差距在社会主义初级阶段的必然性，选题角度比较新颖，经导师推荐，北京的一个社会学刊物竟然答应刊用。当然，我心里清楚，导师是国内著名的社会学家，若没有这么一层关系，恐怕没有这么顺利。

读研期间，能在国家级学术刊物发表论文是一件值得可喜可贺的大事，毕业联系工作单位时，科研成果很重要，若没有发表什么作品，估计较难找到理想的单位。我眼见第一学年就能有一篇洋洋万言的论文在国家级学术刊物发表，心情很是高兴，当即忙不迭地感谢导师。坐下后，心中暗想，往后要加倍努力，争取有更多论文面世。

但我乐极生悲。我正沾沾自喜时，没等我高兴透，导师话锋一转："你上学期《社会学统计》卷面成绩虽然考了七十分，但我决定还是让你补考一次，当然，补考是一种手段，不是目的。这几天你抓紧复习一下，看哪一天我有时间给你出几道题考考。你是我的学生，我负责指导你的学位论文，我觉得你不应以发表一两篇论文为目标，你有必要花更多时间与精力重新读一读《社会学概论》、《社会学统计》以及《国外社会学史》这三门课。"

平心而论，认识持老后，我曾一度动摇了走仕途的初衷，也想过毕业后继承持老的衣钵，做一名为人师表学者，可后来发生在导师身上的一件事，将我这乌托邦式的理想彻底击得粉碎。

我有几次到导师家中上课，见导师与师母两人心事重重，长吁短叹。后来才知道，导师的儿子考了公费留学，但虽名为公费，个人还需付两万元的保证金。读书人只知道书到用时方恨少，却不曾想钱到用时也恨少。做了大半生学问的持老，竟无力支付两万元的费用。万般无奈之际，师母偶然想起了数年前持老曾带过的一名硕士生，那人现在北京某公司做老总，身家逾千万，当年读硕士时也常有事没事来家里聊天。眼看儿子出国留学的最后期限一天天逼近，师母顾不上面子，亲自找到那个学生借钱，没想到，当年这个一口一个老师一口一个师母的乖巧学生竟然一分不借。

回来后，师母愤愤地把那学生骂得狗血喷头。骂过之后，师母流着泪对持老说："要是当年你留苏回国后不做学问，做什么都成，现在也不至于这么低三下四为几万元求人家了。"

导师却不以为然。他曾在课前课后语重心长地告诫我说："人各有志，各人有各人的活法，但不管做哪一行，若功利心太重，终归成为一大重负。林则徐有一副对联这样说：海纳百川有容乃大，壁立千仞无欲则刚。这副对联形象生动，寓意深刻。上联谆谆告诫自己，要广泛听取各种不同意见，才能把事情办好，立于不败之地；下联砥砺自己，当官必须坚决杜绝私欲，才能像大山那样刚正不阿，挺立世间。我希望你甘于清贫，切切不要过于沉湎官场功名。男儿膝下有黄金。要做一个有骨气的男人，不要为了仕途轻易放弃做人的原则。"

在为什么为官以及如何做官这话题上面，我与导师有原则性的分歧。师母大概以前也不屑于做官，大概这些年反省过来后，一涉及这个话题，师母就站在我的立场上。但是，我深知导师终日不闻窗外事，不屑经商做官。我理解导师的牛脾气，当他苦口婆心劝我耳根清净一心做学问时，我总装出一副洗耳恭听的样子。导师十七岁就到苏联留学，学成归来后，先后在国内好几所名牌大学任教，可三十多年过去了，一心做学问的他，现在还住在黑不溜秋的四十多平方米的筒子楼里。而像陈成三这种连二十六个英文字母都认不全的地方小吏，出入都是小车，出远门来回都是坐飞机。

我替导师的清贫难过，同时也对自己爱莫能助深深内疚。

对于持老作出的让我补考的决定，我有点想不通。我考了七十分了，凭什么还让我补考？这简直是鸡蛋里挑骨头。就算把官司打到联合国安理会，我也不会输……可胳膊拧不过大腿……持老在京师文理学院，号称是长白山的人参——越老越贵，只要他决定了的事情，谁也不敢让他改变，也不会有人劝他改变。万一他发起牛脾气来，就连校长也惧他三分。

我只有自认倒霉，这样的事情确实很让人窝火，我给老独头打了个电话，一吐心中的郁闷。

老独头听罢，略微沉思了一下后问我说，班上同学是否给导师们送礼？我一愣，便说，其他专业的同学开学时都是大包小包地给他们的导师送礼。

"问题就在这里！亡羊补牢，未为迟也。你不但要送，而且要多送。"老独头认为"扬手不打送礼的"和"有钱好办事"这种道理到哪都走得通。

世上没有不透风的墙。我与老独头密谋送礼之事不知咋的竟让我母亲发觉了。

有一天，我到导师家中上课。课间休息时，导师从公文包里取出一封挂号信递给我，我接过来一看，落款是母亲的名字，不禁有些惶惑。母亲斗大的字不识一个，从未给我写过一个字。我惊讶之余，当着导师面，迫不及待地拆开了信封。

这封信是母亲托别人给我写的，信是用快件寄到导师办公室的。母亲在信上说，送些心意给导师是应该的，但千万不要冲着考试来，学问不是花钱就能买来的，还说，我们石家世代为人诚实正直，劝我千万不要学会了奸诈……

也许是导师发觉我神情有些异样吧，在我看完信后，凑过来追问家中出了什么事，我不敢隐瞒，只好实情相告。

"你读党政管理这个方向的，毕业出去为官，切记将品行放在重中之重。品者，品德、品格、品位、品行也。人品之中，官品为最。何故，皆因官者管也，为官的一言一行、一颦一笑、一举手一投足，不仅仅代表为官者本人，而且会直接间接地影响他人、影响社会。古今中外，有作为的政权都十分强调为官之德、为官之品、为官之道。中国儒家讲究修身齐家治国平天下，强调民为重，社稷次之，君为轻，也就是民本、民生思想。在当下中国，就是强调全心全意为人民服务，强调共产党员不谋私利。当代中国正是因为拥有了许许多多有德有品之官，才使得社会蓬勃发展，才使得国泰民安……"持老点了一支烟，从沙发上慢慢地站起来，背着双手，在房间里踱来踱去，半晌，板着苍老的面孔，一字一板道："你母亲虽斗大的字不识一个，可她对你讲的话字字在理。有个别所谓的导师，还真不如你的母亲识大体，你母亲她老人家才是名副其实的导师呀……"

我听罢，心情异常激动，泪水也止不住在眼眶里打转。在泪眼迷蒙中，仿佛瞬间被吸入了时空隧道，回到了家乡，回到了村口，远远看见年老的母亲一手倚着门楣，一手拊着额头，苦苦地盼着她远游的儿子的身影……

周素菊没了音信，周家人又跟我闹翻了。李春闹出国留洋，成了一去不复返的黄鹤。

"东风恶，欢情薄，一怀愁绪，几年离索。错！错！错！"我终日长吁短叹。

寂寞难耐的我，常常情不自禁想起伊小菲。

我终于鼓起勇气打电话给伊小菲，告诉她说，我不在那公司干了。伊小菲惊讶地问道："为啥呀，不会是跟我们公司欠你们债有关吧？"我笑说："那倒没有，我当初到那家破公司，不过想体验一下打工生活罢了。"

约过了一个月的一天晚上，伊小菲突然来电话。她告诉我说，她也离开了那家文化公司。我无不惊讶地追问原因，她笑着说，也没啥呀，我表姨叫我过去帮忙。原来，她表姨在中关村黄庄附近开有一家文化公司。

两人聊了许久，伊小菲又问我近段时间忙不忙，我说不忙不忙，她试探我是否还想出来打工？我支支吾吾不置可否。她笑着怂恿我说，来我表姨公司吧，现在正招人呢。

说实话，我到外面兼职打工实属被逼上梁山。读研究生的所有开支均是东借西凑的，所以但凡能来钱的活儿，再苦再累再丢人现眼，我也会认真考虑的。若能到伊小菲她表姨公司打工，不仅天天见到伊小菲，还能解我经济上的燃眉之急，这一箭双雕的美差真是打着灯笼也难找。

我当即满口应承了下来。

报名的人很多，门前人头攒动。我没见过这场面，不禁有点怯阵。但隔着大门我看到里边几排崭新的桌椅，桌椅上摆着崭新的电脑，心想这公司好歹位于有中国硅谷美誉的中关村，跟丰台区那家专门榨取外地民工剩余价值的快递公司不可同日而语，再说，还是伊小菲介绍来的哩。思前想后，终于决定斗胆进去瞅瞅现代公司的白领们到底是个什么模样，也算开个眼界长个见识吧。

九点整，一个保安出来，拍了拍巴掌，大声喊道："诸位！诸位！应聘的请跟我来！"众人随他来到一间明窗净几、散发着香味的大会议室。保安让大家分开坐下，给每人发一份简历表和一份试题。试题是关于 IBM 手提电脑使用及维修的英文说明书，要求应聘者译成中文。许多人当即就傻了眼，当中就有几个刚才一起坐电梯上来的艳光四射的漂亮小姐，红着脸"蹬蹬蹬"地跑出去了。

这不同于学校里的考试，学校里的考试大家相互关爱，是一种大家好才是真的好的过场赛，现在每一个都是竞争对手，是你死我活的淘汰赛。

我暗自庆幸，前段时间常有事没事到计算机专业的同学那里聊天，人家玩电脑时也东瞅瞅西摸摸，近朱者赤嘛，所以一些基本的电脑术语还是难不倒我的。再说了，考试就是我的看家本领，三十出头的人有着二十年的考试经验，大大小小的考试测验我自己都数不清经历过几百次了，研究生大考都见识过了，还怕你个小公司的笔试？再说，看看考场各位对手，大都摇头晃脑，憋得相当难受。而坐在我前面一位简历上写着某大学新闻系毕业的小姐把万维网的简称三个 W 译成了"三个为什么"，简直让人忍俊不禁。

虽然我信心爆棚，但毕竟不是这个专业的，大概做了近一个小时，总算勉强做完了。心里总觉得十分窝囊，妈的，老子擅长的一点也没考，也懒得检查了，于是低着头红着脸交了卷，悄悄走出门口。出了大门，来到人行道边存车处取了车，跨上车，一路狂奔，大约过了五六站地，一直到人民大学时还不敢回头，总觉得身后追赶着一群嘲笑者。

回到宿舍，见李习科王天乐东倒西歪在床上天南地北地瞎说胡侃。这样的卧谈会每天至少要举行一次，就像传销公司的例会，一天不开会大伙就浑身不自在。

见我从外边空着手回来，李习科问道："嗨，石明雷，整个上午都玩失踪，搞单独行动可不好啊。"

我苦笑着说，生计所迫，到中关村应聘去了。

听说应聘，这两匹驴顿时两眼放亮。

王天乐流着口水发问："啧啧，这么说，您千不该万不该搁下我俩独奔，啧啧，公司的小姐怎么样？"我故意夸大其词神吹公司的美女如何貌若天仙，两人听得直挠墙。聊了半天，才问录取了没有。

我说："近百人应试，仅录三人，甭说老总了，连人事经理的影子也没见，是个保安接待我们的，拿试卷分给各人做，一发下来，当场就'嗡'地走一半了，余下的装模作样，我看也好不到哪儿去。我的外语基础差，估计也够呛。"

李习科抢过我的话："我去还差不多。"李习科英语是过了六级，但从没摸过电脑，看到电脑，远远就绕道而走，生怕不小心把电脑碰坏。我听了李习科的话，笑道："李习科，你会电脑吗？我问你，网上的三个 W 什么意思？"李习科想了想，笑道："这玩意儿还真不知道，是不是打招呼的三个喂喂喂啊？"

"得了吧，不懂就别在这里乱放毒。"王天乐骂道。

隔壁的陈进林大概听到阵阵笑声，忍不住扔下手中的活儿，嘴里叼着一支烟踱进我们的屋："你们这三剑客，到舞厅与老人抢菜吃我都不说了，这回还真跑到公司与小青年抢吃，告诉你们吧，电脑是年轻人的玩意儿，你们就算了罢。简直是牛不知角弯，马不知脸长！就你们这破水平，还胆敢在外边招摇过市到处吹嘘是京师文理学院的研究生，唷，诸位，快行行好啦，拜托你们快收敛收敛吧，别害得我们将来毕业出去找不到工作。"

"林子大了，什么鸟没有？你以为个个都像你这样正人君子呀？"

众人大笑，最后都说，石明雷啊，你还是做快递吧，不用考试，更不用计算机，一部破自行车足矣。

我越想越为这次应聘懊恼不已。录不上事小，把京师文理学院的脸丢到外面毁的可就不只是我一个人的事了。

星期五上午没课，我因为头天晚上到首师大跳舞，回来后又与李习科他们打了半夜的扑克，上午十点多了还躲在被子里，正在盘算着该如何向伊小菲交代这次应聘结果时，门顶上的传呼器突然"吱吱呀呀"地传出一阵电流声，"有人吗？有人吗？"我赶紧掀翻被子，跳下床，跑到门底下亮开嗓子大声道："有——"

"石明雷——电话！"传声器里传来了欧阳师傅的阵阵吼声。

凭我的直觉，这个电话带来的应该是一个好消息。我披上外套"蹭蹭蹭"蹿下楼去，拿起话筒一听，果不其然，来电话的不是别人，正是前几天去应试的那家公司人事部一小姐，她请我去跟老板面谈。

放下电话，我兴奋得原地蹦了起来，想不到，我自认为今生考得最窝囊的一次考试也有这么个结果。公司老总约我面谈，那就有戏唱了，我仿佛看到了伊小菲正在含情脉脉地向我招着她那柔软的小手。

跑回宿舍，胡乱洗了把脸后，打开剃须刀"吱吱吱"地刮胡子，响声弄醒了被窝里的李习科，他伸出头来问我要上哪儿去。我不无得意地告诉他，中关村那家公司女老板约我去面谈。李习科听罢，一把掀翻被子，一拍大腿，道："成，你先去，完了拉我和王天乐一把。"末了，又上下打量我一番，最后认真道："石明雷同志，不行啊，你就这样打扮？第一印象很重要的！没准老总还是个未婚的女孩呢！"

李习科说罢就跳下床来，穿着裤衩，跑到隔壁把门板擂得震天响，边擂边大声嚷道："驴，还不快点起床，赶紧拿你那套'梦特娇'西服来，石明雷有重要外事活动！"不一会儿，陈进林把门开了一条缝，探出头来，大声骂道："你这叫驴瞎嚷嚷干啥呀？"见我正站在过道里，他放低了声调道："喂，一大早有什么重要外事活动呀？"

"中关村一家大公司老总约去面谈，少废话了，快拿来吧，石明雷同志进了大公司，以后周末下馆子进舞厅所有费用他全包了。"李习科抢着说。陈进林听罢，赔着笑脸对我道："你不早说，昨天我拿去干洗了。再说，杀鸡焉用牛刀？"

"毛驴一匹！"李习科抬头挺胸骂道。

来到公司大厅，一名衣着光鲜的小姐传话进去，待里边的核实后，小姐又笑盈盈地领我到最里面的一间办公室。

果真还让李习科言中了，老板果然是个女的。后来我还知道，这位老板果真还是单身状态，不过已经不是"女孩子"了，而是一个积累了丰富婚姻经验的离异三次的女人。不过，话不能说得这么绝，北京人所讲的"女孩"，其内涵外延都超过一般人的想象，正如在广州话里，不管是咿呀学语的女婴，还是牙齿剥落步履哆嗦的老妪，都一概可以称为"靓女"，对方听了也高兴。北京话里所谓的"女孩"，绝不是未婚女性特有的尊称，因为许多女本科生也常常"这个男孩"、"那个男孩"地称我们这些胡子拉碴的已婚男研究生们。

坐下后，小姐给我倒了一杯茶后就退了出去。女老板看完我的简历，沉思一会儿，抬起头，笑着问："你现在还读研究生？"

我点了点头。

"是正式考上的，还是……"

"正式考上，参加全国统考，计划内招生，统考统招。"我想，她未必查出我是自费生。

"研究生不容易考吧？"

"是有点难度。我那一年全国才招两万五，竞争特激烈。"

"什么时候毕业？"

"快了，后年七月。"

"那你……有时间出来打工？"

"研究生上课时间不多，主要靠自学。当然有时间。"我又补充道，"不过，有时候导师要找一下。"

她笑笑，说："那倒不碍事。"

"简历上所写的都属实的吗？"

"千真万确。"

其实，简历上并不全是属实的，我在北京仅送过快件，但我在送快件过程中，认得几家公司名称，知道它们位于什么地方做些什么业务，便写上在某某公司实习过之类。

"按公司惯例，凡新进公司人员，入职前我们都要调查清楚他的有关背景，特别是住址和文凭是否真实，所以呀，待会儿让人事助理跟你回学校一趟。"说到这里，生怕我误会，女老板最后站起来郑重其事地说："以前聘了一个会计，中途卷款走人了，公司四处找都找不到人，损失惨重。"

中午开饭时候，李习科王天乐等人突然见我领着一个陌生女孩回宿舍来，全都丈二和尚摸不着头脑。我道明女助理的来由，他们相视一笑心领神会。接下来，双方就公司所关心的问题进行了友好而热烈的磋商。我很感谢这两头驴，关键时刻还真给我长脸，一年多来，除了泡妞，在正经事上我们几个还真是头一次这么默契。末了，李习科作了总结性发言："请您一千个放心！一万个放心！石先生真要把你们公司公款卷走逃跑了，我们屋不仅负责加倍偿还，而且还要把他送上法庭，断他前程……"

逗得女助理眉开眼笑。

上班后不久，伊小菲告诉我，我的考试成绩确实不太理想，比我好的还有好几位，人事经理也向她表姨提意见说，如果一定要录取我，那就不算择优录取。她表姨却说，如果按笔试的分数从高到低录取，这对我是不公平的。

她表姨这样反问人事经理说："两匹马在同一起跑线上起跑，一匹驮着几百斤重物，另一匹啥都没驮，结果，驮重物的马慢了几分钟才赶到终点，你说，给你选马，你选哪一匹？"人事经理哑口无言。她表姨又说："两人同时参加高考，一个是大学教授的孩子，吃住不愁，功课有专人辅导；另一个是下课后还要去割猪菜或者放牛，家人全是斗大的字不识一个的泥腿子。结果，在高考中两个人分数相当，你说谁更有潜力？谁更有培养前途？"

看来还是我的简历起了作用。在"家庭成员职业"这一栏中，我全部如实填上"务农"，政治面貌全填上"群众"。我还庆幸面试那一天，我穿了一身不入时的衣服，如果我真的穿着陈进林借给的那套"梦特娇"西服，可能就适得其反了。

上班后不久的一天上午八点半，我准时来到公司。伊小菲迎了出来，把我拉到一边低声告诉我："待会儿会议结束后你留下来，赵总还要开中层干部会议，你也参加。"

我生怕听错了，连忙摆摆手："不用了吧？我才来……"

伊小菲一副公事公办的模样，"你作为中层干部，必须参加，我可通知到了，啊！"原来，我不但被录用了，而且一进公司，就被定为中层干部。我不禁心花怒放。

开会前，我发觉大伙都不断地交头接耳窃窃私语议论着我。直到老总赵兰春到场干咳几声宣布开会后，众人才安静下来。

开会前，赵兰春把我介绍给大伙。我站了起来，大伙一个劲地鼓掌，我向四周频频笑着点头致意，开始了简短而热情的讲话。这种场合，上研究生前我已在官场中耳闻目睹甚至亲力亲为多次了，闭上眼我都知道该怎么说。

"大家好！今天，很高兴能够成为这个公司的一员。我要说的有三点：首先，我要感谢赵总慧眼识珠录用我，对此我感到非常荣幸；其次，作为文化工作的一名新兵，在座的各位无论年龄、学历、职位高低都是我的老师，以后还希望各位在工作上指导我支持我；再次，我对中国文化产业的未来充满信心，我相信我们公司能够抓住社会大发展的有利际遇努力再上一个新台阶。因此，我们要携起手来紧密地团结在赵总的周围，力争在一个比较短的时期内把公司的业务做大做强！"

我话讲得很到位，还未落座，赵兰春即带头鼓了掌。在落座的那瞬间，我下意识地瞅她一眼，发觉她对我笑得很亲切。

赵兰春今天刻意作了一番打扮，虽四十出头，但看起来要比实际年龄小得多。赵兰春当场宣布："石明雷是人才，享受中层干部待遇。"听了这话，我心里美得"滴答"水，但表面上我还是不露声色。待会议结束，赵兰春走到我面前，笑着对我说："你先到编辑部熟悉熟悉情况，待你熟悉公司运作后，再安排你其他工作。"

贵人啊！还有什么好说的呢？以死效命都不足以报答呀。

伊小菲在办公室上班，负责公司财务。编辑部在四楼，办公室在三楼，只有在每天中午我到办公室领盒饭时才有机会见到伊小菲。每次跟伊小菲四目相接时，我脸上都禁不住流露出喜悦的神情，有情人啊，离成眷属就隔那么一层窗户纸了。两人心照不宣，没有把两人之间的特殊关系公之于众。因此，无论是初来报到，还是平时其他公事，两人都一副公事公办的模样。没有人看出我们之间有什么微妙的关系，更没有人知道是伊小菲介绍我来公司应聘的，至于她是否向她表姨要求关照我，我就不得而知了。

编辑部主任原是河南某县报的主编，他显然不知我与伊小菲有那么一层关系，见老总突然安排一名硕士生到他身边，不免对我起了戒心，生怕我日后抢了他的饭碗。我到编辑部后，他只安排我做校对的活儿，每天总是板着面孔对我发号施令，处处找茬，想尽办法把我挤走。我不是坐班，有课的时候在学校上课，没课的时候才到公司上班，工资基本上按件计酬。校对这活儿的计酬标准是每千字五角钱，通常一本书，要校三遍才算完成。也就是说，每一千字要校三遍，经编辑部主任审定合格后，我才能拿到五角钱。这样一来，就算我当牛作马般校对得两眼昏花，每月冒顶也只有七百多元进账，跟我期望相差甚远。

名义上，我是作为人才招聘进公司的，但编辑部重大决策以及编辑选题策划的事儿从不向我透露蛛丝马迹，有时心里闷得慌了，就跟几个打字的女孩聊几句也会遭编辑部主任的呵斥。这样，每天到公司也只有低头看稿的份，偶尔跟打字的女孩聊几句天也是小心翼翼。只有中午到办公室领盒饭见伊小菲时，我紧绷的面孔才阴转晴，满面春风。

伊小菲每次总笑着问我怎么样？习惯吗？有一天，两人吃完饭，不约而同地边聊边向楼下走去。我告诉她说，我不太习惯这儿的工作，并抱怨说校对这活儿真的用不着我这种人来做，高中生做起来都绰绰有余。伊小菲安慰道："我理解你现在的处境和心情，但我建议你再忍耐一段时间，待你熟悉情况后，情况肯定会有所改观的。"

我长叹一声，苦笑道："但愿如此吧。"

后来的发展证实伊小菲说得不错。不过，这个改观不是往好的方向改，而是编辑部主任直接设套炒了我的鱿鱼。

约两个月后的一个晚上，编辑部主任要招待几位重要客人，要我作陪。到了酒店，编辑部主任让我点菜，我正欲征求客人欲点些什么，编辑部主任格外热情，大手一挥，高声道："不必问了，菜要点最好的，酒要喝最贵的，要吃好喝好。"虽然主任发话了，但我毕竟第一次参加，也不敢点太贵的酒菜。

第二天，编辑部主任召开编务人员会议，会上对我横加指责："昨晚业务谈不成，主要是接待方面出了问题，我让点最贵的最好的，可石明雷偏偏不听，自作主张，净点些上不了大雅之堂的酒菜，人家还以为我们公司穷困得连饭都开不了，那人家还跟我们谈什么合作……"

我吓得当场作了检讨。

大概又过了一个星期，又来了一大客户，编辑部主任还是让我作陪，到了酒店，还是让我点菜。主任定下的调子依然是菜吃最好的，酒喝最贵的，确保吃好喝好。我有点为难，主任老大不乐意："还犹豫什么！龙虾洋酒尽管点！"见主任这么坚决，便吸取上一次的教训，咬咬牙关，往最贵最好的点。

第二天早上，编辑部主任照例又召开编务人员大会。会上主任对我大发雷霆，"我让你点最好的，最贵的菜，你竟然当真点了龙虾和洋酒！难道我们这儿是金山银山吗！"

"你不是让我……"

"当着客人的面，难道我能说不要点太贵吗？难道要我说不能点龙虾不能点洋酒吗……"

我算是领教了什么叫强奸民意了，怎么说都是他的理。世上唯小人和女子难养也。士可杀，不可辱。好歹我也是个堂堂研究生，为几个小钱跟这个小人与伍也太掉价了。

会还没开完，我就气急败坏地拂袖而去。

第 12 章

　　入冬后的一天。下午三点左右，我们宿舍三人还躺在床上说些荤段子，突然，门顶上的传呼器传来欧阳师傅熟悉的怒吼："石一明一雷一长一途一快！"我猛地弹跳起来，跳下床穿衣蹬裤后，匆匆跑下楼接电话。对方不是别人，正是我的老对头陈成三！

　　电话那头，陈成三说为了提高自己的综合素质，现在来京师党政大学联系报考一九九四年度在职硕士研究生，已经来几天了，这几天跟姚趋势撮好几顿了。因为太忙，抽不出时间来向我汇报，现在事情都办完了，打算明天坐飞机回去，票都弄好了。想约我今晚到京师党政大学附近找个酒家坐坐。

　　陈成三提到的姚趋势是我来京读研后通过金布丁认识的一位来自绿翠坡县的西河同乡。姚趋势堪称奇人，从县师范毕业后，分配到城关小学当教师，三年后通过自学考试考取了政治专业的本科文凭。由于平时喜欢写些报刊屁股文章，后来调到县报做记者，时不时地鞍前马后为县领导吹吹打打，几年后，竟成了县里的一大红人。后来，做了县报的主编，又过了两年，调到县党校任常务副校长。党校的工作比较轻松，姚趋势趁机埋头苦读，在我考上研究生那一年，姚趋势也考入京师党政大学攻读党政专业硕士研究生。

　　我和姚趋势认识后，来往频繁。有一段时间，每逢周末，姚趋势都蹬着一部锈迹斑斑的自行车，迎着车流里的滚滚尘土，蓬头垢面地来到我们宿舍，一来就跟我们聊个通宵，聊的话题无非是谁又升了处级，谁又升了厅级，谁又升了部级。

　　李习科是本科毕业直接考上研究生的，没多少社会阅历。偶尔碰上姚趋势这样的老江湖抖点猛料，那简直奉为神明，佩服得不得了。偏偏姚趋势就好这个，扯起这个话题就欲罢不能。每每谈起谁，什么级别何时提拔都了如指掌，至于省里几套班子的常委会所做的决策什么的，基本上跟他的家庭会议差不多，姚趋势几下子就能把底子筛出来。久而久之，李习科他们倒记不起姚趋势的真实姓名了，倒给他取了个"老级别"的绰号来了。

我放下电话，心里暗暗思忖：陈成三这个丧门星怎么想起了约我喝酒！不会是黄鼠狼给鸡拜年吧？不过，刚才他在电话里说话的口气倒是跟平时判若两人，不仅是温和，甚至还有点亲切……再说，陈成三已经被提拔为副县长了，而且眼下还要到京师党政大学读研……冤家宜解不宜结，看在姚趋势的分上不就吃个饭嘛！管他以前的是非恩怨呢，有钱就是爷，有权就是娘……陈成三也要读研究生？这事听起来像是天方夜谭。但转念一想，也不奇怪，这年头，连二十六个英文字母的顺序都弄不清却能拿上硕士博士学位的领导干部大有人在，谋事在人嘛。美不美，山中水；亲不亲，故乡人。不管怎么说，他好歹也是家乡的父母官，来京公干还不忘在百忙之中跑来看我……说不准，他会给我几个小钱用哩！

回到屋里，李习科和王天乐还躺在被子里，两人都眯着眼睛，神情诡秘地笑问："哪儿的菜呀？"不知什么时候起，我们宿舍几个把异性朋友戏称为"菜"了，住四楼美术专业的一位哥们三天两头就带回一个女孩子，我们背地里都说他是吃"五菜一汤"的厅级干部。

我苦笑着说："哪里是什么菜，不过是老家一位副县长来京师党政大学联系考研，今晚约我过去吃饭。"

"又攀上了！又攀上了！"王天乐无不羡慕道。

李习科听罢，激动得一掀被子抗议道："副县长算个啥？石明雷将来毕业出去当的官比他还大呢，还不知道谁攀谁？"

我穿好衣服，到隔壁笑着找陈进林借钱，不遇。陈进林上卫生间回来，听说我找他，赶紧叼着烟到我们屋。李习科听到我要借钱，又一把掀开被子怒斥道："什么？难道还要你埋单？"

"手中有粮，心中不慌。"陈进林笑着从裤后袋掏出钱包，笑道："要多少？"

"二百或三百吧。"

"干脆一点，三百！"陈进林扔给我三张伟人头。

"你该尽地主之谊，请他来京师文理学院，到饭堂打几个菜。花个二十元钱，他的饭碗就盛不下了，哪用花那么多钱？"李习科一边挥舞着手中的书本，一边嚷嚷着。

三百元对我来说无异于心头的一块肉。我母亲早出晚归含辛茹苦，一年到头也弄不到这么多钱，现在要让我一顿饭花掉这么多钱，我于心何忍？想到这里，我自言自语道："理应是他请的，我一个穷学生，凭什么叫我埋单？"

陈进林倒是不以为然："家乡父母官来，切勿怠慢。记住，还是老话一句，舍不得孩子套不住狼，舍不得银子进不了官场。别心疼这几个小钱，一本万利的事要舍得投资，多少人削尖脑门想做这方面的投资还找不到门路呢！"

"莫非石明雷硕士毕业后还回那个山沟沟？"李习科还是不认同陈进林。

"你呀，嘴上无毛，办事不牢。啥都不懂，别到处乱放毒。石明雷当然不用回去，但老家那里还有他的家人，就算他家人也来京城，老家也还有三亲六戚七大姑八大姨什么的，有父母官关照，比一年多打几车谷子都强。"王天乐起床抖着被子嚷道。

"出入京师党政大学那地方都是当官的，再怎么也不会榨我一个穷书生几百元钱吧？点菜和埋单时决不能主动。"我边想边往楼下走。

快到传达室时，敞开的门又传来欧阳师傅英雄一般的怒吼"石明雷，电话——"我推门进去，又是陈成三打电话找我。陈成三在电话里说："干脆到你们学校算了，这边太远了，你来回不方便，再说，我也没到过你们学校看看呢！"

半个小时后，陈成三乘坐着一部桑塔纳出租车径直来到校东门。看他钻出车门，我心里踏实了许多。毕竟是领导，我连每公里一元钱的天津"大发"都不敢打，人家连每公里两块六毛钱的桑塔纳也敢打，不用说，下馆子的事自然由他搞定。

时间是医治情感创伤最好的药品。他乡遇仇人，干戈早被乡情化为玉帛了。我伸出右手准备上前握手，谁知陈成三却给我来了个结结实实的拥抱。啥也不说了，一切一切都在晚上的酩酊大醉里了。

两人在校园里走了半圈，看看离吃晚饭时间还早，陈成三提议到附近大商场转转，于是两人即打车到当代商场。在一楼转转，走到食品柜台前，我咬咬牙，花了五十多元买了六斤果脯，让服务员包成三包。我打算一包送陈成三，另两包分别送办公室苏主任和支部书记老贾。

陈成三说要买衣服，两人就坐扶手电梯上到六楼，那里是世界各地名牌服装专卖场。陈成三选了半天，花了三百多元买了一套西服，付款装入袋子后，却递给我，说："小小意思，不成敬意，祝老弟日后平步青云，衣锦还乡，哈哈……"我是彻底服了陈成三，曾经横亘在两人之间的巨大鸿沟被他这两句话抹得严丝合缝。我心中大喜却故作客套说："你这么破费，我可受不起。"陈成三笑了笑，"傻样"，便在我眼前晃了一下手中那张特意吩咐服务员开成办公用品的发票。显然，他肯定拿回单位报销。

买完衣服，陈成三将手提包递给我，让我到一楼等他，他要到四楼买些东西。四楼是专卖名贵化妆品的，我对化妆品一窍不通，跟去也没用，便独自下楼，来到二楼电梯口左边的一排椅子那里等他。

我坐了一会儿，陈成三手提包里的手机突然"滴滴滴"地响个不停。上世纪90年代初期，手机可是个金贵东西，那是身份和地位的象征。我倒是见过几次手机，但从来没摸过，见那"滴滴滴"的声音似乎很急促，我却不敢动手。铃声响了几次，我终于按捺不住拉开拉链，拿出手机，但还未打开盖子，手机又不响。拿在手上等一会儿，也不见再响，便塞入包中。

离开当代商场时，天快擦黑了。陈成三问我上哪儿吃饭为好。我想了想，便道："怎么样，吃点新疆风味吧？"陈成三表示同意。两人便打车到魏公村的新疆街。进了一间酒家落座后，两个喝着茶拉起了家常。陈成三问我家中今年收成如何？母亲身体可好？末了，又问我在京读书一个月开支多少？我眨了眨眼睛，装出一副痛苦无奈的样子，摇头叹息道："唉，怎一个穷字了得呀！戒烟戒酒，三餐减为两餐，中餐吃粥，晚餐啃馒头，干稀结合，每月八九十元勉强将日子对付过去。"

其实，每月八九十元对我来说远远不够，每月实际开支不会少于五百元。吃饭、跳舞、抽烟、AA制搞豆腐鱼，还有上李寿昌家时也不能空手而去……所有的一切都离不开钱，这些钱大都是东借西筹的。

陈成三听罢，打开手提包，从中抽出三张百元大钞递给我，说："这次出来也没带多少钱，你先用着。"我接过来后，一个劲地点头称谢。

菜端上来后，陈成三一直没动筷子。每上一道菜，他便睁大眼睛端详着，一会儿就摆了满满一桌。陈成三便"啧"了一声，用嘲讽口气笑道："看来你这个穷学生穷怕了，怎么带我上这种地方来？还替我节约啊？反正是阿爷的钱嘛！"说罢，他以商量的口吻问我："这样好不好？我们换个地方吧，附近总该有像样点的馆子吧？"说完就要起身埋单。

我连忙拉住他，笑说，你还没尝过一口，怎么就知道不好吃呢？我把他按在座位上，用筷子从一盆孜然炒羊腰子夹一块送入他的嘴里。陈成三细细地咀嚼着，我满脸坏笑地望着他，"你可别小看它，壮阳功效可不错哩。"

陈成三拿起筷子，一连揸了几块还沾着血丝的羊腰片塞进嘴里，边吃边嚷嚷："是真是假，今夜就见分晓。"

陈成三起身给两人斟满了酒,双手恭恭敬敬地把酒杯捧到我面前。

"硕士,来,我敬你三杯。第一杯,为了告别不愉快的过去干杯!"也不管我喝不喝,他一仰脖子一饮而尽。

"第二杯,为我们往后天长地久的友谊干杯!""咕咚"一声又见了底。

"第三杯,为我们更上一层楼干杯!"一连干完三杯,陈成三才坐下来。

想走仕途,陈成三身上确实有很多值得我学习的东西。为人处世,不管是真心实意还是虚情假意,他都会拿捏得让对方感觉很舒服。从见面到现在不过三个钟头,我是已经爽歪歪了。

两人不断地放下酒杯拿起烟枪,如此反复,一瓶新疆伊犁特曲饮完了,又要了一瓶,两人又喝了几圈,陈成三便有了些醉意,一大杯下肚后,陈成三重重地放下酒杯,说:"唉,其实,我们哥俩过去实在不该闹出那么多误会来。"

"这是什么话,也没什么误会,不过是老公穿错老婆裙,老婆穿错老公裤嘛。"我想起了陈进林的口头禅,也打着哈哈道。

陈成三又跟我碰了一杯,说:"兄弟啊,还记得县长带大队人马到那猪村打假的事吗?我暗地里给那猪村长通风报信,想让你下不了台而提拔无望。在你考上硕士后,我千不该万不该从中作梗,怎么说也说不过去啊!我有愧于你啊,兄弟……"陈成三说罢,又举起杯子,两人杯到酒干。

那一刻,我被陈成三感动得差点掉下眼泪。当初拿着那些照片诈唬他是不是有点太过分了?不过话又说回来了,没有那一次也不会有今天啊!这些事,哎,是非对错谁又能说得清呢?趁着几分醉意,我也斟满了一杯,端起杯子,感慨道:"我也有错啊兄弟,组织提拔你任局长前,找我了解情况,我千不该万不该伙同老独头向组织部门反映你的作风问题,那纯属个人生活,个人隐私嘛……"一不小心,我把老独头也说漏了。在"艳照门"之前,我也没少捅陈成三。

"哈哈哈,还提那事干吗?怪只怪我当年胆子太大,把那几个小蹄子带回办公室……"陈成三说到这里,突然一脸坏笑道,"不过,话又说回来,那几个小蹄子如花似玉……"

"英雄难过美人关啊!"两人放荡的笑声在饭桌上空回响不绝。笑过后,陈成三举起酒杯,道:"为我们化干戈为玉帛,为我们又结成同一条战壕里的战友,干!"

放下酒杯,陈成三用袖子抹了一下嘴角,拿起身边的皮包,伸手进去倒腾半天后，抽出三张纸递给我，我接过一看，原是三张发票复印件，我正疑惑不解时，陈成三指点着说："背后经办人那一栏里有你的亲笔签名。"我翻过来一看，终于想起了怎么回事。

一九八七年春节前几天，局里决定给上级送钱，经局班子集体研究后决定，从办公经费和基建费中抽出二十万元，作为贺年薄礼分头送上级分管领导，这一决定虽说是"班子集体研究决定"，但并没有发会议纪要。当时的局长李局长悄悄找到我，吩咐我到财会室领了二十万元。我莫名其妙，这事不找财会人员，也不找办公室苏主任，为啥找到跟此事毫无瓜葛的我呢？我刚刚提出疑问，李局长瞪了我一眼："你真不识抬举，这事能公开说出去吗？局领导有意抬举你，才让你亲自出马去办，上级领导收到重礼，自然会记住你的好处。"这话好像也在理，我只好照吩咐去办。

根据李局长的吩咐，我和局长司机以开会的名义去了地区行署。我记得到了地区后，挨家挨户找到有关领导的家，这些领导收到厚厚的信封时，都板着面孔训斥我说，搞这种歪风可不成。可当听说是"班子集体研究决定"时，全都无一例外地笑纳了。为了答谢我，几位上级领导都回送我一些小玩意儿，有一位送我一些纪念币，有一位送我一条金利来领带，还有一位除了送我几斤腊肉粉丝之类的年货外，硬是拉我到地委对面的酒家撮了一顿。

回来后，李局长让我做账，考虑到发票数额过大，难过审计关，李局长授意会计找来三张发票，一张填上九万元，一张填六万元，最后一张填五万元。各张发票的日期间隔几天，但"项目"全写为"在广东湛江修车"，经手人全写成我的名字。

"你可能还不知道，上个月地区里有人出事了，可他们没承认收过我们的钱，而前任李局长前几年车祸死了，前几个月地区纪委来人调查……"

"啊？"我吓了一跳，额头沁出了一片汗珠，下意识地拿着纸巾擦拭着。

"查来查去，也没结果，最后不了了之。"

"是吗？"

"你知道为什么查不出来吗？你当然不知道……"说到这里，陈成三故意凑到我的耳朵，道："我听到风声后，就让人抽走了你经手的那三张发票，重新作了技术上的处理，并把经手人全改为李局长。这回死无对证。这样，他们再怎么查，也注定是竹篮打水一场空。你想想，如果查出你在湛江修车，几天时间就修了二十万元，而且你还不会开车，地区纪委哪肯轻饶过你？以后还谈个屁前程！"

我沉默了。若不是大厅里这么多人，我会毫不犹豫地给陈成三下跪。李局长因车祸死了，陈成三拿出一个死人来替我遮掩这一招实在高，我真不知道此刻应该怎么感谢眼前的这个曾经的冤家对头才好。

不对！我的心又悬了起来，还有我当年签字的三张发票原件在他手里呢！这不会是针对他的艳照底片所做的反要挟吧？他若交到纪委，我即便最后把问题说清楚也是铁定要坐牢，到那时这个研究生身份就一个大子儿也不值了，可怜我那白发苍苍的老母亲哟……

"不必担心。"陈成三仿佛看穿了我的心思，"你仔细辨认辨认，这是不是你签字的那几张？"陈成三又从包里掏出三张发票，我睁大眼睛辨认发票上签名的笔迹，果然全是我当年签字的那三张发票，我点了点头。

"这就好，这就好，是你的亲笔字就好，我就担心不是你的亲笔字。"说罢，陈成三拿起桌上的打火机，"咔嚓"一声打着了火，将三张发票伸到火苗上，一股淡蓝色的火苗瞬间就把三张发票烧得灰飞烟灭。

"来，干杯！"陈成三端起酒杯，高声道。

"来……谢谢陈副县长！"我流着泪，端起杯子一饮而尽。小人之心度君子之腹啊，我在心里默默地抽了自己无数个耳光，放假回家无论如何也得把藏在周素彪那里的底片彻底销毁，即使是放火烧了照相馆也在所不惜！

陈成三又给两人倒酒，语重心长地说："俗话说得好，二人同心，其利断金。我们两人联合起来，你好我好，你京城有关系，我在家乡有基础，你要活动，我来埋单。"两人点了一支烟，吞云吐雾起来。陈成三突然转了话题，道，"家里都好吧？你母亲怎么样？你将来毕业留在北京，不用回去了，可家里人也不能不管哪？以后还多多联系，你家有什么事，我能关照到的绝无二话。"

"谢谢！谢谢！你要写文章就吱声，你也知道，我一个穷书生，除了这个，别的事我可是心有余而力不足。"

"这就对了。"陈成三环顾一下四周，见全是操京腔或新疆话的人，便压低嗓子道，"不瞒你说，县主要领导今年以来，不断给我压担子，个别领导向我透露，地委打算在明年换届后破格提拔我为县长。为了明年作准备，我反复考虑了，唯有来京读个在职硕士，才能叫众人心服口服。这几天，我找了你那位在京师党政大学读硕士的朋友姚趋势帮忙，见了姚趋势的导师，姚趋势的导师看了我的简历，听了我的汇报……"

"你现在是大专还是……"我打断道。

"县党校函授大专毕业。现在正读本科函授，明年七月就毕业，如果考上研究生，那入学时会有本科毕业证的。"

"……有学位吗？"

"学位那玩意儿还真不好弄，还考什么外语。你知道，英语二十七个字母它们认得我，我却不认得它们。"我差点喷饭，我第一次听说英语有二十七个字母。不知第二十七个字母形状发音如何？

陈成三笑过之后，突然一副若有所思的样子，望望我，做出一副虚心请教的样子，用筷子蘸着茶水，在桌面上画了个"＆"，笑着问："这个字母怎样念？是什么意思啊？我还真不知道哩……难，难，真难！"这个符号原来就是陈成三不认识的第二十七个字母！我差点喷饭，却强忍着不笑，故意点点头后，转移了话题。

"考研这事啊导师的意愿很重要，能否报考，导师一票否决。"

"导师说，得看看我发表的文章后再定夺。我想，这段时间劳烦你帮忙写几篇文章，我拿到地区里找人尽快发表……"

"我写倒不难，只是时间紧，发表恐怕来不及了。"

"我自有安排。你尽管帮我写出来，另外呢，周末你有空就到京师党政大学去找姚趋势，喝酒跳舞泡妞全凭你们高兴，机会成熟了，上姚趋势导师家去坐坐，帮我美言几句。当然，我知道这费钱，但请你放心，我随时会跟进落实的。"说到这里，陈成三有点自嘲自讽，"听说考硕士跟导师感情投资很重要，姚趋势导师虽很严肃，一副正人君子模样，不过，精诚所至，金石为开。就劳烦你和姚趋势多费心了，钱的问题当用则用，横竖都是拿回去报销。"

我摸摸屁股后面陈成三刚刚施舍的三百元钱，有钱的感觉真好。"高飞之鸟，死于美食；浑水之鱼，死于香饵。"收人钱财就要替人消灾。其实陈成三说得也在理，双方互利，何乐而不为？

我想起了那省曾经拿来向陈成三叫板的"三级照片"，于是摆出一副诚恳的面孔道："我手头里的那些相片，回头我连底片一起交给你吧。"

"别别别，你把我看成什么人了，我信你，那玩意儿放哪儿都一样，真的，放哪儿都一样。"陈成三说这话的时候有一种君子坦荡荡的仕人风范。他笑呵呵地望了我一眼，"对了，你怎么弄到哪些相片的？我到现在还蒙查查的，是老独头吧？"

陈成三又喝了一杯酒，自言自语道："老独头啊老独头，真是难为你了，都是我不对，拖了几顿饭钱就弄这个，不怪你，不怪你……"

"不是老独头的，这事跟他没一点瓜葛。"我突然记起曾向老独头发过誓，在老独头手上还有我一张白纸黑字的保证书，再说，我跟他还是"同饮鸡鸭河水"哩，万万不能出卖他。

"算啦算啦，这陈年谷子烂芝麻还提它干啥？别提了，别提了，这事到此为止，到此为止。"陈成三打着哈哈道。

从魏公村出来走到民族学院东小门旁，醉眼蒙眬的陈成三招了一下手，一部红色富康出租车在我们身边停了下来。两人上车刚坐定，陈成三就迫不及待卷着舌头拗着嘴形操着京腔对司机说："师傅，带我们哥俩奔好玩的地儿去吧！"

司机是一位理着板寸头的中年男子，侧眼望了一下坐在副驾驶室的陈成三，皱了皱鼻子，道："二位喝了不少吧？"见陈成三点点头，便笑道："二位南边来的吧？还不怕二位笑话，在北京还真不容易找到二位想去的地儿。"

"你天天开出租车能不知道吗？我说哥们儿啊，你就别跟我们玩这个猫腻了，敢情你还常背着老婆自个偷着乐哩。"

"成！我今儿就捎二位到好玩的地儿去，比一比到底是你们南方的好玩，还是我们北方的好玩？"司机听罢，露出一脸坏笑，把玻璃摇下一丝缝隙，让冰冷的夜风冲淡车内的酒气。

"哥们儿，你要确保那地儿安全啊！"陈成三赔着小心道。

"又不是头一回领客人去，下回二位来京，敢情还传呼我。"司机说罢，从车前一盒子里掏出一张名片递给陈成三。

"那地儿在几楼？有电梯吗？"

"十五六楼吧，当然有电梯……哎，我说哥们儿，安全不安全，这跟有没有电梯有啥关系啊？"

"在楼上好，有电梯更好，万一警察来了，有回旋余地……"

司机听罢，睁大眼睛瞅了一眼陈成三，一边打着方向盘，一边道："今儿我可是遇着大师了。"

车到首体南路，往右打个转，往西驶去，上了西三环，过了航天桥不久，又转入西边一个岔口，上桥后又转了几个弯，弄得醉眼朦胧的我连方向都不辨了。半个小时后，终于在一富丽堂皇的酒店前停了下来。

陈成三摇下车玻璃，看了看酒店前出出入入的小车与浓妆艳抹花枝招展的小姐们，笑着递给司机一张百元大钞，"哥们儿，甭找啦，啊！"

我喝高了，一切听从陈成三的安排。迈入大厅后，陈成三引着我直接进入了电梯间，按了十五楼。电梯里只有我们两人，陈成三便笑着说："兄弟，我们先洗个桑拿浴，然后再狠狠爽一把。"

跟领导去消费，永远不要担心钱的问题。因为这一点，我显得格外亢奋。

两人到了桑拿部的更衣间，陈成三一边更衣，一边打着酒嗝谆谆教诲我，要放开手脚爽一把。末了，又笑着对我说："嗨，我这么大老远来教你学坏，不好意思，不好意思。"

其实我很想跟他说，我早就想学坏了，眼下正缺个启蒙老师呢。撇了撇嘴却只吐出了三个字："男人嘛……"

去桑拿室的路上，陈成三又特意拉住我，教我如何洗如何蒸如何选小姐如何签小费。又笑着提醒我说，一粒钟是四十五分而不是六十分，一条龙服务就是什么推油等五花八门的项目全都包括在内。

业务没见陈成三这么熟练，业务之外的花活倒是玩得炉火纯青。我情不自禁想起了陈成三的一则笑话。

一直到现在，"桑拿浴"这玩意儿在我们老家青翠坡还没有。陈成三有一次到广西某市出差，接待方询问他晚饭想吃什么风味？陈成三扳着手指如数家珍般，说："什么鸡肉鸭肉鱼肉都吃腻啦，就没吃过桑拿肉。"原来，陈成三在县城老听一些老板说"桑拿肉"那玩意儿怎么怎么好，但苦于一直没有机会吃上，当然，他把"浴"误为"肉"，因为在老家的方言中，这两个字的读音是一样的。

接待方因担心带陈成三去泡桑拿浴犯错误，推说没有桑拿肉，但这事被随行人员传开了。后来，县里的人渐渐了解到桑拿浴是怎么回事后，"桑拿肉"便成了陈成三的一则笑话。

想不到，几年时间过去，当年连桑拿浴为何物都不懂的陈成三，现在泡桑拿浴竟到了泰斗级的地步了，要是桑拿也有职称评级，陈成三拿个教授肯定不成问题。

洗完桑拿换好衣服，我按照腕上的门牌号码找到了房间。

推门进去，一位穿工装的小姐正在调着空调音响灯光，一张双人席梦思上平排摆着两个枕头，一股浓浓的香水味扑鼻而来。

服务员刚退出去，门外就传来轻轻的敲门声，我知道按摩小姐来了，我应了一声，小姐便轻轻推门而入。

小姐似乎觉得房里的灯光过于暗淡，问我要不要调亮一些，我说："没事，就这么着吧，我想睡一会儿。"

小姐笑笑，道："你是不是喝了很多酒啊？酒味特冲，我给你泡杯浓茶吧。"说罢，也不问我同意与否，就一溜烟转身跑出去。

不一会儿，小姐捧着一杯浓茶回来，放在床头柜上，笑着说："茶还烫，待会儿你再喝吧。"

小姐走到床沿，俯下身来开始给我按摩。

我打着酒嗝告诉小姐说，轻轻地给我按吧，要是我睡着了，你可以到大厅看录像或休息去，一粒钟后再进来按。我要了三粒钟。

小姐笑笑，说："好好。不过，你睡着后，我还是守着你吧。我若到大厅去干坐着，部长看见了，会扣钱的。"

我说："那就随你吧。"

见我不断打着酒嗝，小姐又转身出去弄了一条湿毛巾回来，轻轻抹着我的额头，我喝一杯浓茶后，感觉好受一些，但还是不想讲话。一讲话，我恐怕就会呕出污物来。

不知过了多长时间，我醒了过来，见小姐还在轻轻地捏着我的太阳穴，时而换湿毛巾抹抹我的额头，时而轻轻捏着我掌上的虎口，见我动了一下，轻轻道："你醒了？"

我"嗯"了一声，小声道："我睡着了吗？"

小姐笑道，"睡好久了，快一个小时了。"

"真的吗？好像没睡着吧？"

"你呀，呼噜震天响，还说没睡着呢。"小姐笑着说。

"那你没到大厅去休息一会儿？"

"没有。"

"我睡着了，你守着我干吗？"

小姐这才告诉我，我睡着后，曾吐了三次，都是她拿盆子来接住污物的。听说自己吐了，我这才感觉肚子空空的。

"真难为你呀小姐。"

两人聊了起来。我说："听口音，你好像是南方的。"小姐说是西河的，我惊讶道："这么说我们是老乡了？我也是西河的。"

"可你讲话京味挺浓的。"

"来京好几年啦总有点变化的。"

"你做哪一行的？"

"做房地产的。"在这种场合，天下的男人十有八九信口雌黄。"你呢？"

话一出口，我自己都觉得傻。这不废话吗？她不就做按摩吗？不料，她却笑着说："我来这里是兼职的。"

"每天都来吗？"

"不，周末才来。"

"做到什么时候？"

"一般天亮才回去。后半夜客人多一些，有时天气不好什么的，没客人的话我就早点回去。"

"住哪儿？"

"菊园。"

"喔，住菊园啊，那地儿我特熟，不就是上地马连洼再往前一站地吗？"

小姐的话越来越多了。我说："你留个地址，赶明儿我去找你。"小姐笑笑，道："我快换个地了，那太远了。"我知道，做这一行的，一般也不愿给客人留地址。

小姐边聊天边给我按摩。可过了一会儿，她却说，"我们还是少说话吧。"我问为什么，小姐说，一说话她思想就不集中，按摩效果就不太好。听她这么说，我便静静躺着。

小姐的手艺确实很好，轻重缓急粗细恰到好处。

当她的双手轻轻按到我的大腿内侧时，我不禁有些心猿意马。按完了前面，她让我翻过身来，面部向下趴着，她就屈膝骑在我脊背上，对着背脊的各个穴位，时而用膝盖蹭着，时而用脚跟推着，我觉得全身心得到了放松，格外舒畅。

虽隔着一层薄如蝉翼的工衣，我还是感受到她大腿的温热，我蠢蠢欲动，禁不住伸手轻轻抚摸她的小腿，边抚摸边笑着说："你都出汗了，我也给你按摩按摩吧。"

见她没有拒绝，我心中窃喜，开始得寸进尺。将右手从她的小腿渐渐往上滑，当她移步到前边，我的手够得着她的臀部时，我感到按摩室里一片寂静，突然，她正在我身上按摩的双手如触电般传来一阵颤抖。

"别、别这样……"

"我们那个吧！"我忍不住哀求道。

她的双手突然抽离我的肌肤，站直了身子，坚决地摇了摇头，道："不行！"

"为什么？"

"我……例假来了。"

我的手刚触过她的那个部位，我觉得她在撒谎。

"你骗谁？"

"……别胡思乱想了，还是按摩吧，我尽我的能力按好，这样你会很舒服的。"她有点哽咽地哀求道。

"……我太难受了。"被情欲折磨得浑身火烧火燎的我，横下心来，开始有点无赖了，"你不答应，我就不签小费，你的钟点费我也不付。"

"我这么认真这么投入地给你按，我全身都出汗了。"

"如果你答应我，我会签六百元小费给你。"刚进来时，陈成三为防上当，特意跟大堂经理了解行情。经理伸出三个手指头，意思是说，做爱一次三百元。这个数目跟出租车司机说的大致一样。

"我只按摩，从来不做那种事。你就是给我一千元一万元，我也不做，我绝不骗你！"说到这里，她还是耐心地给我按着，见我长吁短叹，便换了缓和的语气，"如果你太难受，我们聊会儿天再按吧。"

这不是扯淡么！房子着火了，大家转过身去不看，权当什么也没发生，这不是自欺欺人吗？靠转移话题来浇灭欲火，你当我是三岁小孩呀。

我摇了摇头，伸手握着她的手，恳求道："来吧，这是缘分。"

她奋力挣脱我的手，摇了摇头，又想起什么似的，说："你如果再这样，我就走了，我的钟点费如果你愿意，付一半也可以。"

朦胧的灯光下，我看不清她的面孔，但她苗条性感的身材还是深深地吸引了我，我说："不！我不让你走！这里再也没有人比得上你了，我就要你，我谁也不要！"

她依然坚决地摇了摇头，道："你真会说话。"

但她显然又顾虑我这位上帝生气，过了一会儿，她轻轻在床沿坐下来，伸出双手轻轻按着我的两肩。我一计不成，又生一计，故意说："按按我的胸部吧，胸部有点郁闷。"她听罢，俯下身来，伸开两手认真地按我的胸部，当她靠近我时，这个诱惑终于点燃了我压抑了一年多的欲火，我冷不防伸出双手，强行把她揽到自己的身上。

"请放开我！要不，我喊人了！"小姐极力挣扎着，挣脱后，边向门角退去，边颤声道。

我的脑子里只剩下兽欲的理智了，我跳下床，冲过去拦腰把她抱起扔到床上，可她的身体一碰到床铺，她就使出全身的力气挣脱我，声泪俱下地大呼："来人啊！救命啊……"

喊声在寂静的午夜如一磅重磅炸弹般炸响了，门外的走廊旋即响起一阵慌乱而急促的脚步声，两人正愣怔的当儿，一经理模样的男人推门进来，高声嚷道："怎么回事？"

我恼羞成怒地坐了起来，怒气匆匆道："问问这位小姐吧！"

经理转身盯着躲在门角的小姐，不问青红皂白，一个巴掌劈过去，只听到"叭"的一声脆响，小姐欲夺门而逃，可经理把住了门："还不赶紧给客人赔礼道歉！"

这时，我的气也差不多消完了，折腾我的情欲也消退了，我站了起来，摇摇手，道："算了算了。"便低头拧亮了床头灯，在消费单上胡乱画了一百元的数字，抬头递给小姐，可经理却一伸手抢了过去，冲着小姐吼道："你算什么东西！还好意思拿小费，你这不是成心砸我的店吗！"说罢将纸条揉成一团，摔门出去了。

我起身穿衣服准备出去，发现哆哆嗦嗦抽泣不止的小姐却迟迟不走。心想，莫不是因为这一百元小费要跟我玩命吗？我把房间的灯拧亮，从床头柜上拿起眼镜戴上，一仰头，我突然浑身触电一般失去了知觉。我呆若木鸡地站着，我想说些什么，但嘴巴抽搐半天，却没有发出一个音节来。我想逃，但双脚却如注铅般沉重……

在洁白的灯光下，我看到了一张如白纸一样苍白但却刻骨铭心永世难忘的面孔！

"……是你！"不知过了多久，两人不约而同地惊叫道。

两人怔怔地望着对方足足有一分钟！风月场上初识，又在风月场上重逢，真是苍天弄人啊。

似乎过了一个世纪，对方突然冷不丁"哇"的一声纵声大哭起来，但很快，她用手紧紧地捂住了嘴巴，强迫自己不哭出声来，但她无法抑住那火山爆发般的哭声。半晌，她猛一转身，向敞开的门外冲去，跌跌撞撞地穿过铺着红地毯的走廊，穿过寂静的大厅，最后消失在车流滚滚的马路尽头。

第 13 章

李寿昌突然约我到他的办公室。闩好门后，他非常严肃地跟我说了一件事情。

李寿昌压低嗓子告诉我，我上学期末英语考试不及格，本来要补考，但他私下悄悄跟英语老师李正儒打了招呼，说我来自老少边穷地区，底子薄，基础差，情有可原。这样，李正儒背地里给我加了十分，我的英语期末考试分数摇身一变为六十一分，最终免去了补考的厄运。

补考是免了，但李寿昌板着面孔一本正经地告诫我："这回我们是大事化小，小事化了。但你务必要吃一堑，长一智，务必把英语当一回事，否则，下不为例！"

英语是我一生都无法回避的一块绊脚石一只拦路虎。在中国，不管你从事什么职业，你要升学考研，你要评职称，你要晋升，过不了英语考试这一关，一切都是空想。高校里英语课是名副其实的一票否决制，考试不过你就休想拿到学位。我私下里经常冷静地思考这样一个严肃的问题，作为资本主义领头羊的英美，当他们洞悉自己最大的敌对国正在史无前例绞尽脑汁地学习他们的母语时，会做何感想？

晚上，我的床铺"吱呀吱呀"响了半夜，卫生间的门也"噼啪噼啪"地开了七八次。一想起这门该死的英语课，我就恨不得把脑瓜子对准一块三尖八角的石头，以百米冲刺的速度撞上去算了！

其实，我又何曾不想学好英语这门课呢？考研时，我因为英语分数过低，比别人多付了一万多元的学费，这教训是刻骨铭心的。从我接到录取通知书的那一天到现在，我发的誓不比我吃饭的次数少。可是，李正儒这位英语教师兴许是水平太高了，底子薄基础差入学考试仅二十分的我，拼尽了吃奶的力气也听不懂他的课。

据说，李正儒年轻时候也曾留过洋。但岁月不饶人，一双老迈的双腿，双手有些颤抖，苍老干裂的嘴唇常常抽搐半天，才迸出一两个单字。我听了几次课，深感李老先生的发音管道似乎有些漏气，常常把 Z 读成 S，把 b 读成 p。他常挂在嘴边的一句话是"No Problem！"只要被提问的学生道一声"Sorry"，他便张开门牙松动的嘴巴，打呵欠般，鼻子一皱，一股冷气便从山谷中直冲而下："No problem！"也许这一动作还偶尔引起大伙的注意力之外，其他都索然无味。

有一次上听力课时，我戴着耳机听着听着竟然睡着了。后来，不知怎的，身子一歪，摔了个四脚朝天，众人哄堂大笑，我站起来后，揉着惺忪的睡眼，也学着李正儒的口吻，道："No problem！"

李正儒扶了扶滑到鼻尖上的眼镜，有些惊讶，半天也喃喃自语道："Yes, no problem！"

李正儒虽常常把"No problem"挂在嘴边，但因为他长期从事的是外文编辑工作，教学经验及身体乃至记忆力是有问题的，如果不是出于对这位白发苍苍的老专家的尊重，如果不是顾及研究生部教务处领导的面子，相信李正儒的课肯定上不下去了。几乎每到英语课，陈进林王天乐阿方阿松等一大帮毛驴就同时请假，有一次，班上有十多人不约而同请假，这个数字占了总人数的三分之一，一下子缺这么多人显然是交代不过去的。班长挨家挨户苦口婆心动员大家不要在同一个时间请假，费了不少口舌，最后请假者终于同意上课，但条件是下周必须让他们连续请两次假。

想起英语这门功课，我就如热锅上的蚂蚁团团转。这样下去，我的英语肯定没戏唱了。在焦虑与不安中，我骑着自行车到附近各校转悠，希望能遇上个什么英语补习班招生。有一天晚上，我终于发现了一个好去处。

京师民族师范学院校部办公楼前面，有一个很大的花园。花园的中心，七八棵玉兰树下，错落有致地铺着几十张石桌石凳。不知从哪一年开始，这里便成了人们聚会的地方。

我发现该校外语协会每周五晚上在这里聚会，搞了个"English corner"，虽号称是"corner"，其实面很广，说是"Park"也不过分。

海淀许多高校的男同学都纷纷传说，京师民族师范学院女生多于男生，男女同学的比例如何严重失调，女同学又是如何朴实、热情和大方。舞会固然热烈，但英语角男女之间毫无顾忌地聊天，也渐渐地吸引了许多人。那些平时仰着尖下巴走路的英语系女生，一到了英语角，便如饭馆酒家门前的迎宾小姐一样，满面笑容地主动跟人搭讪攀谈。

"Welcome to english corner，say you，say me，say her……"

我站在布告栏前眯着双眼笑了，我仿佛看到了学习英语之外的附加产业——泡妞。我的这种想法虽然拿不上台面，但也是大实话，设想一下如果英语角只有男同学参加，那我敢肯定这样的英语角必然会像农村的集市——白天吃喝夜里散场。

月亮升上来了，向花园洒下一片银辉。时间还早，花园里还没有什么人，我在花园里一边踱着，一边漫无边际地想："虽然我发现英语角迟了一些，但亡羊补牢，犹未为晚。"我有了新的期望与等待，伸手扯了一下路边的树叶，颇为得意地笑了。

远远听到前面有人用英语交谈。我加快脚步来到一棵玉兰树下，几个男女同学正在兴致勃勃地谈着，我迎上前去，清了清嗓子，道："How do you do，may I join your talking？"回答虽都是"yes"或"welcome"，但人家一男一女正谈得起劲，总不好插嘴，我只好赔着笑脸站在一旁，有一句没一句地答着，很快我就一句也搭不上了，情形相当尴尬。正当我东张西望时，一女孩从玉兰树的树影下走出来，道："Hey！ Are you waiting somebody？"

我觉得声音有点耳熟，抬头看时，女孩已从玉兰树的阴影下走了出来，我不禁怔住了，这女孩好面熟啊！

女孩抬头的刹那，不禁失声惊呼："啊……石大哥！"

月光下站在我面前的窈窕淑女不是别人，正是我收到研究生入学通知书后，在老家县城舞厅唱歌时被醉酒的罗大牛抢了一巴掌，上个月又在按摩室跟我邂逅的秋月！

秋月在这种场合出现，说明她绝不是来京打工的民工，而肯定是哪所大学的大学生。

"……不好意思，上回我、我喝多了，请、请原谅……"我有点语无伦次。黑夜给了我黑色的眼睛，也给了我逃避丑恶的勇气和信心，感谢黑暗掩盖了我的狼狈。

秋月似乎忘却了按摩室里的难堪，她笑着告诉我，她是京师民族师范学院外语系三年级学生。秋月并没有骗我。第一次在老家的那家餐厅见面时，她确实告诉我说，她还在上学，只是当时我不相信在那种场合会有大学生罢了。

一个研究生跑到这里学习英语，秋月对这事颇费思量。兴许打死她都不相信，研究生学的大都是哑巴英语，李习科上学期末虽然过了六级，但至今仍不知元音的拼法，二十分的听力全凭感觉瞎蒙胡猜，得分还是主要在阅读理解和作文上，六级考试其实也考不出什么真正水平。难怪李习科捧着国家教委印发的烫金英语六级证书，独自跑进卫生间里掩嘴狂笑了半天。

几句极为平常的日常用语之后，两人谈到了学业上有关问题，我开始有些招架不住了，不断"Pardon、Pardon"。秋月很有耐心，可我却窘迫得满头大汗。

也许见我应付不下去，秋月便带我离开了热闹的人群。月光如水，两人在撒满银辉的校园漫无边际地走着，聊着。这次我们用的是家乡话，沟通无障碍无极限，畅快极了。秋月身材很标致，不高不矮，不肥不瘦，面部轮廓温润秀美，瀑布似的秀发在肩上来回荡漾着，一双温情脉脉的大眼睛如苍穹上的星辰光芒闪亮。穿过葡萄架下蜿蜒曲折的小径时，两人的手偶尔不经意地碰到一起，我便浑身触电般酥麻不已。

天生尤物啊，我感叹这样一个女孩儿怎么跑到那种藏污纳垢场所打工。眼前这个搅得我心旌摇荡的女子究竟是天使还是魔鬼？尽管这个问题庞杂得可以和教授与禽兽这样的问题相媲美，但我依然为在千里之外的京城与一位相识的年轻貌美的老乡相遇而高兴。

秋月了解我学习英语的苦衷后，当即表示她愿意免费为我辅导英语。我求之不得，信誓旦旦地说，若你助我英语顺利过关，我会永远记住你这位老师的恩情。

两人相约每周五在英语角见面。

那次跟秋月在英语角邂逅给我留下了后遗症，秋月的影子在脑海里怎么都挥之不去。以前也认识不少女性，也为她们动过真情，但不管是同居了几年的周素菊，抑或是昙花一现的李春闺，都算不上是最理想的终身伴侣。直到遇见美貌与智慧的化身——秋月，我脑子里关于女性的标准形象才终于定格，理想的光与现实的影才真正得以重合。

夜里，我彻夜难眠。眼前总是浮现与秋月面对面交谈的情景，她那鲜艳润红的嘴唇，她那扑闪扑闪的眼睫毛，她那清晰甜润的声音，她的一举手一投足，她的一颦一笑，她的一切的一切，都越发变得清晰起来了。

一个星期总是那么的漫长。好不容易才能盼来一次短暂的会面。好几次，我趁她埋下头的时候端详她，觉得她的面孔比往常看到的还要动人，在她脸上一切都显得那么文静，那么聪明，那么可爱。月光透过玉兰树的叶隙，把几抹柔和的光照在她那蓬松的头发上与那洁白的颈项上，她那微抖的肩膀上与那丰满的胸脯上。

每次英语角活动都显得那么匆忙，目送秋月的离去，我却像丢了魂一样呆呆地坐在凳子上，久久也不愿意离去。我明白，自己是在恋爱了。直到月亮落下去许久了，我才极不情愿地用双手撑着膝盖，慢慢地站起来，踮起脚尖，沿着草坪间的小径，一步一步地走回来，好像害怕剧烈的动作会惊扰了那个溢满内心的甜蜜、美好与幸福。

自从在外语角与秋月相遇后，每每听到王天乐李习科他们谈论其他女孩时，我总是以不屑的口气打断他们的谈话。王天乐因此多次嘲笑我"五岳归来不看山，西子归来不看水。"李习科更是以"曾经沧海难为水，除却巫山不是云"告诫我，越精彩，越空洞。可是，我不能自已。

周末晚上，我和王天乐李习科到中央财大跳舞。舞会上的女舞伴实在少得可怜，三人站在舞池旁守候了半晚也抢不到一个，心灰意冷之余三人悻悻而归。路过京师民族师范学院时，我止不住对秋月的思念，撇下王天乐和李习科，独自向花园那株玉兰树走去，人还未到，一阵幽香已飘然而至。

忽然，在离开我几步远的地方，一个女孩的影子闪了过去。

月光下那个婀娜多姿的女孩正是秋月，秋月也认出了我。她笑着和我打了招呼，用手指了一下旁边的石凳，示意我坐下。

秋月说，看书累了，到花园来散散步。两人一番寒暄后，又用英语谈着各自的一些趣闻逸事。教学楼的灯光熄灭了，四周渐渐归于宁静，月亮也从云层里钻了出来，花园里弥眼都是醉人的银辉。月光下的秋月人如其名——清皓而优雅。

正当我沉醉在月光下的浪漫中难以自拔的时候，秋月突然用一种沉痛的语气问道：

"你知道我的痛苦与烦恼吗？"

我轻轻地摇了摇头。

"你知道我为什么这么拼命地学英语吗？"秋月的声音里有一种幽怨和痛楚。"我学英语是因为在九泉之下的妈妈……"说到这里，秋月的眼睛湿润了。

"……妈妈原是西河大学英美文学专业的高才生。一九五〇年，朝鲜战争打响时，妈妈十八岁，正在读大学二年级。妈妈响应祖国号召，踊跃报名参军参战，一九五一年冬天，妈妈作为一名战地翻译随军参战。在著名的云山战役中，与我军对峙的是一支欧洲和非洲几个国家军队组成的混成旅。这支部队除了战斗力不强外还有一个重要的特点，那就是英语讲得比他们的战斗力还差。在我军取得了绝对优势后，妈妈手持话筒向战壕里的敌人喊话，劝他们放下武器，停止无谓的抵抗。敌军'呜里哇啦'喊了一通，停止了射击，志愿军迅速靠拢过去。孰料，在接近敌人的瞬间，意外发生了——几十支卡宾枪吐着火舌向我军开了火，冲在前面的战士纷纷倒在血泊里。志愿军果断地予以还击，强大的炮火终于把这股敌人彻底消灭了。战斗结束后，部队首长下令追查此事。在审讯战俘时，才知道原来敌人喊话的意思是可以考虑投降，不过要给他们一点时间请示。妈妈没有完全弄明白他们的意思就转告首长可以受降，于是……"

看来学好一门外语确实很重要。要是我和李习科这种水平的人在战场上相遇，假如只能说英语的话，估计根本就不会有劝降这么一个过程，就算是给我们两天两夜的时间也不可能搞清楚对方想说什么，费那么多口水劝降，不渴死也急死了。

"……在'文革'中，妈妈为此被造反派多次批斗。在我两岁的时候，爸爸妈妈被迫离婚，爸爸带着姐姐到了广西的一个林场，妈妈则抱着襁褓中的我继续留在绿翠坡。我四岁那年，贫病交加的妈妈含恨去世。临终前，妈妈把我叫到床头，拉着我的手，要我答应长大后一定要学好英语，彻底征服英语这门语言，我含泪答应了她，她才艰难地闭上了眼睛……"

我久久不敢说话，连气也不敢喘，月光默默地照在草地上，花园四处静悄悄，周围的一切似乎也沉浸在对悲伤往事的回忆中。

"为了学好英语，实现妈妈的遗愿，我发誓一定要考上大学学习英语，这些年，为了学费，我每个假期都到外边打工，有时上课时也到外边兼职，我也知道，这样影响不好，可我别无选择……"

秋月说完，转身就走了，很快就消失在朦胧的月光下。

我肯定我是爱上秋月了，因为我不仅快乐着她的快乐，我还忧伤着她的忧伤。

北京人至今还清晰地记得一九九三年那场旷日持久的鹅毛大雪。这场大雪规模之大，持续时间之长，据说破了北京地区近二十年的历史纪录。

早上起床睁开眼睛，我惊奇地发现窗户上竟然贴了一层晶莹美丽的冰花，推开窗户，雪花如一群群调皮捣蛋的白色精灵漫天飞舞。窗下柏树上的积雪压弯了枝条，校园四处白雪皑皑，放眼望去到处是一片银装素裹的世界。

秋月突然来电话，问我周末能否带她到金布丁兼职的那家文化公司用一宵电脑？

我打电话询问金布丁，金布丁爽快答应，但又压低嗓子笑道："我兼职的文化公司的员工都回家过年了，这可是个千载难逢的好机会呀。不过，若只是你桃花有意，她流水无情，你可别胡来，否则，逮不到狐狸落下一身臊，那可就狼狈了。"

金布丁兼职的那家文化公司在苹果园的南边，离北京工大还有一个多钟头的路程。我们出了苹果园地铁站后，就径直向南边走去，很快就来到了河堤。因为这场大雪，昔日清澈见底的小河变成了一条蜿蜒回曲的银蛇。我曾在夏天多次来看金布丁。有好次适逢太阳落山的时候，我独自一人骑着自行车在河堤上蹓达，河床长着一丛丛水草，河水柔情地抚弄着水中碧绿的水草，水草像婴儿的小手上下乱抓，河水总是左躲右藏，结果抓了一个夏天又一个秋天，还是什么也没有抓到。两岸矗立着两排高大整齐的白杨树，倒映在河里更显得河水幽静、四周群山苍茫。这里远离都市，与风水宝地的八宝山相邻，没有水土流失，没有工厂三废的污染，没有开发的痕迹，没有都市的喧哗。我每次身临其境，都不由地哼起《莫斯科郊外的晚上》：

> ……小河静静流微微泛波浪，水面映着银色月光；一阵轻风，一阵歌声，多么幽静的晚上……

沿着河堤的乡间小路过于偏僻，平时出租车也不愿光顾这里。附近农民的马车，每天运载着大白菜和苹果水蜜桃之类的农产品到苹果园出售，每隔一两个钟头，便有一辆四轮马车来往于两地。我们拦下了一辆进城送完货后返村的马车，向着金布丁兼职的文化公司进发了。

马儿昂着头，蹄子"踢踏踢踏"地探入积雪中，车轮偶尔溅起白花花的雪粒，脖子上的铃铛在空寂的山谷显得格外清脆悦耳。路边冻得僵硬的麻雀听到铃声，非但没受到惊吓，反而扑棱棱地追逐我们，落在马车的前边，侧着眼睛好奇地望着我们。

沿着河堤走了将近一个小时，终于来到一个山坳，下了马车，向山上走了两刻钟，翻过一座山坡，便看见公司几座红砖砌成的房子，静静地躺在积雪怀抱中，群山环抱着，松柏全都穿上素白的衣服，一片洁白的世界。

推开房门，秋月看到一台台联想电脑，高兴得如同小孩发现了许多新奇玩具一般，说："这下子我可以尽情地享用一夜了。"那个时候，电脑比现今的汽车还要金贵，有些学校教学设备落后，学生都快毕业了还从没摸过一下电脑。

刚开始时，秋月一边敲键盘，一边有一句没一句搭着我的问话，后来渐渐地进入境界全身心投入到论文修改，完全把我晾在一边。

雪越下越大。清冷的月光映照着无边的雪夜，到处都透着明晃晃的妖娆。窗前那一排柏树枝丫承受不了积雪的重量，不时抖动几下，积雪便"哗啦啦"地翻落下地。

灯光如雪，我注视着秋月，灯光下的她就如一尊大理石雕塑那样纯洁。

渐渐地，我发觉秋月放在键盘上的手指僵硬得不听使唤。尽管她不断地向手心呵着热气，但是速度还是明显慢了下来。我起身用手探了探墙边的暖气片，早就像冷铁条一样冰凉。

"我有地方休息吗？"秋月突然一脸惊愕。

我顿了一下，思索片刻，说："应该有吧。"

趁秋月进卫生间洗漱之际，我进了金布丁的房间，掀起床头席子，这厮果然给我备了一盒避孕套。

我心口"怦怦"直跳，开始臆想着与秋月上床的种种可能性。我有个直觉，今夜银装素裹的世界一定给我绘上熊熊燃烧的回忆。

我从抽屉里拿出一把改锥，到另外两间卧室的门锁上胡乱倒腾着。

"我在哪儿休息？"秋月洗漱出来问道。

我吓了一跳，慌忙掩饰心中的不轨，以一种平淡的口气道："原以为能撬开另外两间房，可弄了半天，也没办法弄开。"

"那怎么办？"秋月神情紧张。

"这样吧，你睡床上，我睡大厅。"

"大厅没暖气，大雪天你会冻坏的。"这房子平时虽住三户人，但各人各管自己的小世界，大厅的暖气片锈迹斑斑，常年无人理睬。

"没事，我身体还不错，大雪天也常洗冷水澡。"

"洗冷水澡是一会儿的事，睡觉是几个小时的事。睡着了，血液循环慢，更要注意保暖。"秋月最后说："这样吧，我们还是睡在一个房间吧。"说这话时，她脸上掠过一丝红晕。

正中下怀。我内心狂喜，嘴上却扭扭捏捏，"那我睡地板，你睡床铺，地板是木的，挺干净的。"

"还是我睡地板吧。"秋月跟我争。

经过一番争执，秋月同意我睡地板，她睡床铺，但当她铺开被子时，又瞪大眼睛问道："就这么一床被子？"

"没事，我盖这床毯子，再盖上军棉袄，没事，真的没事。"我拍打着薄薄的毛巾毯子说。

两人睡下了，谁也没有提到熄灯，刚开始时，两人有说有笑，熄灯后，两人突然一时找不到话题而沉默下来，房间里的空气凝固一样令人难堪。

"雪好像越下越大。"

"越下越大。"

"没来北京前，见过下雪吗？"

"没有。你呢？"

"也没有。"

木地板似铁案板一样冷冰冰的，阵阵的寒冷直穿过衣服，侵入肌肤。浑身止不住如筛子般打抖起来。很快，我连连打了几个喷嚏，眼泪都流出来了。

"你上来吧，别冻坏身体。"

"没事。"

"上来吧，我又不吃你。"

秋月从床上坐了起来，道："你不上来，那我干脆回学校了。"

我也坐起来，说："深更半夜，地铁停了，马车、出租车也不见踪影，街上除了纷纷扬扬的雪花，大概什么都进入梦乡了。你现在回学校，说不定，冻死在八宝山这块风水宝地也挺合算的……"

秋月笑了，她往里面靠了靠，给我腾出地方来，用手拍着腾出来的空地，道："上来吧，有啥不好意思的。"我只好站起来，走到床沿，我正要睡下去，她却道："你还是脱了衣服吧，像个粽子似的，你睡得着，却影响我啊。"

我脱了衣服，仅穿着内衣内裤，刚一躺下，冰冷的脊背触到了一股温热。

黑暗中，我把手轻轻放下并伸直，可还是碰到了秋月的胸部，我赶紧缩了回来，慢慢躺下，伸直腰身，不料，我的大腿又碰到了她滚烫的臀部。

"我不用枕头，你别推过来。"

"别，枕头挺长的，每人一半吧。"

凑着窗外的雪光，我看见秋月枕边有一堆乌黑秀发四处散开，有一绺滑落在我的脖子上，有几条还缠住了我耳朵，蜇得我心里痒痒的。

被子原本是单人床用的，两人却不能搂着睡，只能背靠着背睡。秋月身体上的温暖透过衣服一阵阵传到我的身上，胴体发出的诱人芳香搅得我意乱情迷，好几次，我真想以迅雷不及掩耳之势把她扳过来，把那对坚挺的乳房结结实实地据为己有。

我是一个三十一岁有着正常生理需求的男人，正处于如狼似虎的年纪，我离开周素菊已经快两年了，一连好几个月，那久违的遗精又光临了，对性的渴望常常折腾得我欲火焚身。

编辑部有一位年近三十的东北小伙子，常与我外出散步喝酒，他也是有妻室的人，单位散伙了，只身来到北京，一年半载才回一趟家。那次我与他在小白杨超市喝啤酒，他向我详细罗列了每月的各项开支，其中有一项是每月二百元雷打不动，即发工资后在夜幕的掩护下，潜入发廊……

"我说老哥，你没这项开支，那可不成。"他这样告诫我。

东北那哥们常常在女职员面前伸伸虎背熊腰，抽出一支烟塞入嘴角，狠狠地吸了几口后，眼睛怔怔地望着袅袅的烟雾，半晌，长叹一声"唉，孤独！寂寞！——唉！"小伙子那种近乎呆痴的目光，对女职员，尤其是两地分居的已婚的女职员具有很大的杀伤力。

秋月现在就与我同床共寝。

难道她就没有这方面的欲望吗？她是含苞欲放的妙龄少女，"哪个少年不钟情，哪个少女不怀春？"黑暗中，我想象着她那坚挺硕大的乳房，我深信她发育正常，生理的渴求肯定格外强烈，可是她……女人是干柴，男人是烈火，烈火干柴放在一起能毫无声息吗？

我渴望两人会擦枪走火。

"别老动来动去，好吗？"秋月侧过身，对我的表现有点不满。

"我……很难受。"我再次感激黑夜给了我低级趣味的胆量和勇气。

"天气预报说，今夜的大雪将带来零下十六度的低温哩。"

在铁架床的弹簧钢丝上面铺了一张床垫。这样的床平时一人睡时，老是"吱呀吱呀"地响，现在两人挤在一起，响声更大，但细细听来，这响声却颇富节奏感。我尽量不让它发出这种令人难堪的响声，但床铺似乎也抑制不住阵阵的兴奋，大概它突然盼来一双男女在它怀中睡觉，也觉得是它一生的福分，而能让我们在它怀里尽鱼水之欢，那大概是它梦寐以求的。"为了成人之美，哪怕完事后我从此就散了架，结束我作为床的性命，我也心甘情愿。"铁床"吱呀吱呀"的响声，似乎唠唠叨叨地恳求我。

"……床小一些，被子小一些，凑合着睡吧。"秋月说。

我听了她的话，恨不得掀起被子向她扑去，我实在想不通这个小妮子哪儿来的这么大的定力。

"其实，我也感到有点别扭。"秋月终于也承认了。

"何苦自我折磨呢？……"

"……"秋月咂了一下嘴，欲言又止了。她没有转过身来，大概她也明白，她一旦转过身来，就可能陷入难以自拔的欲望深渊。

"与其压抑折磨自己……"

"我明白你的意思，可我们俩目前还不至于发展到那种地步，所以你什么也别想，闭上眼睛睡觉吧！"

万籁俱寂。许久许久，两个人再也没有说一句话，我终于忍不住轻轻叹息一声。秋月也没有入睡，听到我的叹息，转过头来，道："要不，这样吧，我给你讲一个童话吧。"

……你知道冬天为什么会下鹅毛大雪吗？其实，那不是雪花，是天鹅的羽毛。在雪夜的高空上面，总有一群群的天鹅，它们排成一个个"人"字，它们要飞到一个很遥远的地方去，那个地方山川秀美，四季鲜花不断，没有苍蝇毒蛇，没有害人的野兽，天空中弥漫着醉人的芳香，因为那芳香，那里的人们不知道什么叫忧郁，也不知道什么叫快乐，他们悠然自得地生活着。他们最喜爱天鹅，他们说，天鹅是远方来的贵客。天鹅来了，就让出最美的山川让它们栖息，天鹅们为了答谢他们，每晚就在江河湖畔跳舞，那舞很美，人们叫天鹅湖舞。

天鹅要去的那个地方很遥远，天鹅们从春天开始起程，每当夜幕降临时，就开始飞翔。东方吐出鱼肚白时，就躲到树林里栖息。一俟夜幕降临，它们又朝自己认定的方向飞去。

冬天到来的时候，就快到目的地了，可是，那个地方实在太美了。天鹅们一路飞，一路就脱下衣服，那衣服就是羽毛，因为飞了春夏秋，飞过了许多人烟，飞过了很多污染的地方，有时候，她们就栖息在乱坟堆里，有时睡在江河畔的垃圾堆上，它们的羽毛变脏了，它们不忍心这么脏兮兮地飞到目的地，它们要盛装在身到达那片乐土，于是，它们一边飞，一边用嘴一口一口地拔出脏羽毛，这样，天上就下起了鹅毛大雪。

"可鹅毛大雪很洁白的呀。"

"在人类的肉眼看来，一点都不脏。可在全身洁白的天鹅们看来，就觉得脏不可耐，当然，从万米的高空飘下来，经过空中的水汽洗涤，落到地上时已变得很洁白了。"

"那我们住的城市有天鹅吗？"

"我们这个地方太脏了，天鹅不敢来，路过我们城市的上空时，它们就纷纷嚷着，呃——呃——呃——"

"什么意思？"

"就是恶心的意思……讲完了，睡吧，梦里听到天鹅叫，天鹅飞在云霄，飞到遥远的梦乡……"

其实我很想对秋月说，我带你来这里真的不是为了听童话，虽然我小时候生活在一个既缺钙又缺故事的环境中，但是我今年三十一岁了，以前缺乏的我现在也不追究了，我现在一门心思想要的就是你的身体，童话真的不那么重要。

但是，我不敢讲。

后半夜，我醒了过来，发觉房间里弥漫着一股沁人心脾的芳香。这芳香太特别了，我微微转身时，借着窗外的雪光，我看见被子不知什么时候悄悄地从秋月下巴滑落下来，那馥郁的芬芳正是从秋月胸脯里散发出来的。

我想起了京师民族师范学院行政办公楼前面的那七八株玉兰。有一次我从北图回来，路过京师民族师范学院，转入校园走走，在行政楼前面的花园里见到七八株玉兰，当时寒风料峭，玉兰还未长出树叶，满枝洁白花朵便绽开了。我从玉兰树下穿过后，径直向西校门走去，快到西门时，好几个女同学与我擦肩而过的刹那，她们都不约而同地驻足回首。我怔了半晌，最后听到她们当中有人说："哗塞，好香啊。"闻声后，我皱起鼻腔嗅一嗅，原来，我身上果然带着一股玉兰花香。

要不是今晚与秋月同床共寝，今生也许不相信人世间还有这么一种美妙的芳香。这绝对是处女特有的芳香。

闻香识处女。秋月虽因生计所迫，到过那些藏污纳垢的场所打工，但我敢肯定她还是一个处女之身。

正胡思乱想时，秋月翻了一个身，右手伸出被子外边去，我轻轻把它搬回被子里，放在她胸前，在抽回手时，我的手背从她丰满高挺的乳房上带过，只觉全身一阵麻酥，好像有一股电流击打我的心坎。

正当我呼吸急促时，梦中的秋月突然翻转过身来，咂了咂嘴，伸开双手抱着我的脖子。那一刻，我多想就势把她紧紧搂住，但由于我的右手伸出被子外面太久，就先缩进被子里温暖一下，免得太冰冷吓坏了她。

我慢慢地把双手在胸前摩擦着，就如面对一只羔羊"霍霍"地磨刀，殊不料，远处的天空突然传来几声深邃悠远的声音："呃——呃——"声音穿透雪夜。

"啊，是天鹅——"

"嘻嘻。"秋月梦呓中笑了。我吓了一跳，悄悄欠起身子，借着窗外映进来的雪光，欣赏秋月熟睡的脸蛋，雪光映照在一张雪犁般的脸上，偶尔从嘴角向两边耳根传送着阵阵的笑意，满脸荡着安详甜蜜的笑容，两个酒窝很深，再细看时，却见她长长的睫毛仍盖住眼睛，显然，她正沉浸在甜蜜的梦中。

不知怎的，我打了退堂鼓。

我多次酒后告诉金布丁，说自己跟秋月在苹果园雪夜同床共寝一夜，但自己始终不敢越雷池一步，两人关系至今也毫无实质性进展。金布丁每次听罢，都郑重其事地望着我："老哥呀，这么说吧，我宁愿相信伟大的导师马克思复活了，也不会相信你石明雷能憋一宿……"金布丁每次说这话的样子都很认真，即便是在餐馆里吃饭也是如此。

同宿舍的王天乐李习科得知这事后，也捧腹大笑半天，最后提醒我说："不是我军无能，而是敌军太狡猾了，第二回合且看你如何分解了。"

李寿昌教授要出版一部政治学方面的著作，让我帮忙通读稿子。宿舍里几乎不分白天黑夜都有人聊天打牌谈女人，在这种场所我很难潜下心来完成李寿昌交给的重任。时间紧，任务重，正当我急得团团转的时候，金布丁那边传来了出差半个月的消息。金布丁硕士毕业后，分配到某研究所工作，单位给他在筒子楼里安排了三分之一间单人房，即在不足十五平方米的房子里住了三人。三条汉子住在一起拥挤一些倒也无所谓，可致命的是另外两位仁兄都处有女朋友，他俩隔三岔五就带女朋友回来，各人把床帘一拉上后，凭着各自占据有利地形把金布丁夹在中间，金布丁就算在耳孔里灌上蜡，听不见心为净，但鼻孔嘴巴却不能堵住的，小小房间里的骚腥味熏得他生不如死。无奈，半年后，金布丁只好落荒而逃，到海淀上地北边一个名叫"菊园"的村子重新租了一处房子。每逢无课时，我就跑到金布丁的出租屋刻苦攻关。

四月的北京绿树鲜花柳絮纷飞，有一天，我突然收到了周素菊的一封长信。周素菊在泪痕斑斑的信笺上这样写道：

> ……我感受到了我们之间确实有距离，而且这距离与日俱增，为了不拖你的后腿，我经过深思熟虑，决定主动提出与你分手，我已委托我的家人帮助办理离婚手续……你不用道歉，如果说道歉，我也得道歉……此刻的我，虽然伤心欲绝肝肠寸断，但我深深理解，我能成为你实现你自己的远大理想的一块砖头，一片瓦片，我无怨无悔，毕竟，我是真爱过你，爱你胜过爱我自己的生命……

信的最后还说：

> 为了给你筹措学费，我辞职下海打工，但现实并不是我想象中的那样容易，我一心为了给你筹钱，甚至误入传销歧途，出来近两年了，但至今仍身无分文……但请你相信我，既然我承诺给你筹措学费了，我就拼尽我的身心去做……

虽然跟周素菊分手已是意料之中，但这一天真正来临，我还是神情恍惚。

周末，秋月突然来访，见我神情有点落寞，人也瘦了一圈。秋月关切地询问我是不是病了，我摇了摇头，低声说，我与周素菊正式分手了。

"什么时候的事？"

"上星期。"

秋月听罢，默默走向窗前，望着远处的月光，久久沉思不语。我走过去，轻轻拍了拍她的肩膀，她回过头来，我发现她眼睛里红了一圈，忙问道："秋月，你怎么了？不是在哭吧？"

她慌忙用手揉了揉双眼，道："呵呵，我怎么会哭呢？不知道为什么最近眼睛很涩，容易流泪。"

我马上接口道："就是嘛，这事你应该高兴才对。"

秋月听罢，反而双手掩面止不住"嘤嘤"地哭了起来。

"我一点都不高兴，真的。"秋月又哭了起来。"因为我，伤了另外一个人的心……"

我反复声明说，这是我与周素菊两人的事，与你无关，就是不遇到你，我和她早晚也会走到今天这一步的。

秋月渐渐停止了抽泣，回过头来呆呆地望着我，她那双明亮忧郁的眼睛，让我浑身止不住来了阵阵的冲动，突然，不知从哪儿借来了一股勇气，我张开双臂从背后抱住她，反反复复地说："别哭，别哭，你高兴才对，你高兴才对。"见她毫无反抗，我把她扳过身来，将滚烫的嘴唇堵住她鲜红的双唇，她挣扎一下后，就闭上了长长的睫毛，整个儿瘫到我怀里。

苹果园那个雪夜里所有的遗憾在今夜得到了彻底的完美弥补。

第 14 章

秋月因生计所迫，在课余时间偷偷到藏污纳垢的色情场所打工，但她洁身自爱出淤泥而不染，自从委身于我后，却似乎一夜之间完全变了个人。这不由得让我想起《西厢记》里的那句："问世间，情为何物？直教生死相许。"我啥时候变成催情老手了？每个周末两人相会时，她周身弥漫着"纵有千种风情，更与何人说"的情调。

一九九四年六一节过后的一个周末，备受春情煎熬的秋月如期而至。王天乐和李习科见不得这样腻歪的场面，都吐着舌头找借口让出去了。耳鬓厮磨过后，我责备她不该跑来找我，秋月有点奇怪，我解释说快要期末考试了，这样会影响学习的。

秋月泪眼汪汪地望着我，哽咽着说："都一星期了，人家太想你了……"

说到这里，她情不自禁如胶似漆地紧紧抱住我，我浑身顷刻间融化了，双手横抱着她把她放到床上，转身到床头的箱子里翻箱倒柜。

"……怎么会没有了呢？"我在箱子里翻找避孕药膜，很不巧，不知什么时候药膜已经用完了，我问她说，是不是安全期？她屈指算了一下，疑惑道："不对呀，都一个多月了，怎么还没见来……"

秋月一骨碌从床上爬了起来，满脸的疑惑和恐慌。

"平时也都很准吧？"我心存侥幸。

"这你也知道呀，或迟或早不会超过一周。"

"你这段时间有没有吃什么药？比如感冒发烧之类的药？"

"没有，真的没有。"秋月睁大眼睛想了想，道。

"那可能是……"

"什么？你是说我怀孕了？"她脸色"刷"地变得像纸一样苍白，长长的眼睫毛扑闪扑闪几下，两串泪珠便如断了线的珍珠扑簌簌滚落下来。

"也许不会的。我们平时不都用了药吗？"我极力安慰她。

"……可是，有好几次药膜没融化你就……"我记得有几次我跟她在我屋里做爱，虽然塞进了药膜，但我刚进入她的身体就有人敲门，门反锁了，但那阵阵的擂门声还是催得我们心神不定猴急了事，那几次药膜压根就没有溶解。

"以前都很准时，这回一个多月都没来，估计……你得有思想准备。"

"啊？……"秋月吓得一下子瘫倒在床上，浑身冷冰冰得如筛子般阵阵哆嗦。我后悔自己这么武断，便安慰她："你别担心，或许不是呢，我们明天去检查一下吧。"

"这回怎么办？这回怎么办？……"秋月忍不住掩面抽泣，很显然，她担心被学校发现，那样的话肯定会被开除的。

"你先别害怕，也许不是的。"我一时也不知道怎样安慰她，只好一味地抚摸她，吻她，连说："都怪我，都怪我，都是我的错，以后我会注意的，以后我们不用这种药，以后我一定戴套再做，好不好？"

"万一真的有了怎么办？"秋月哭着说。

"别想太多了，等检查结果出来再说好不好？说不定真的是晚来啦！早点睡吧。"

那天晚上，为了成全我和秋月的美事儿，王天乐和李习科两人双双抢着抱被褥枕头跑到电视机房里避难。

第二天是星期日，我们打车到公主坟地铁站，然后倒地铁去了苹果园。选这个地方主要是避人耳目，因为学校规章制度明文规定，在校女生若肚子大起来，无论主动被动一律开除，当然女研究生例外。

接诊的是一位中年女医生，她见我领着一学生模样的女孩进来就立刻明白了是怎么回事。此时，秋月比先前更紧张，神情憔悴、目光呆滞、手脚如打摆子一般哆嗦个不停。

医生简短询问几句后，便低头一声不吭地开了处方。走出诊室，我指着走廊两边的长条椅子给秋月，自己拿着处方跑到一楼交费，交费的人不多，但收费的中年妇女在接电话，好像在跟丈夫争吵着什么，电话打了许久，一直等到窗前站了七八个人，才"咔嚓"一声挂断了电话。

交费后，我快步跑上四楼来，见秋月怔怔地站在过道里，手里拿着一只小瓶子，正不知下一步该如何办。我牵着她的手，领她向走廊尽头的卫生间走去，到了卫生间，便向她抬了抬下巴，她会意了，可满脸流露出惊恐与痛苦的神情。

我见她半天都傻呆呆地站着，不免有些生气："这一点都不懂，什么都要人教你！"说罢，我把她推进女卫生间。我正要离开，没想到秋月转过身来幽怨地嘟哝道："你怎么这么熟呀？"

都什么时候了还计较这个。唉，女人真是烦！

验尿要两个小时才出结果。我领着秋月到附近的泗海公园走走。在公园里默默地走了两圈，谁也没有言语。后来两人又心事重重地走进了附近一家商场，漫无目的地转了几圈，两人依然沉默不语。好不容易熬足了两个钟头，回到医院取出结果一看，果然是有了，且快七周了。医生说，如要堕胎就要趁早，现在都七周了，肯定伤身子，但拖得越久，就越伤身子。

秋月像是被电傻了，坐在长椅上久久不言语。在她的脸上丝毫看不出母性的喜悦。兴许，在她看来，为理想学业抱负奋斗了二十多年的所有努力，都有可能因这一张化验单而付诸东流。

堕胎是两人唯一的选择，秋月当然清楚这个结局。两人商定下星期日上午再到苹果园医院做人流。堕胎这事对秋月有危险还是其次，我最担心的是，万一走漏风声，秋月被学校开除，肯定也拔出萝卜带出泥，即便不对我作处理，闹得满城风雨对我往后踏上仕途肯定也是一颗隐形炸弹。

我把秋月送到了上地附近的蓝旗营公交站，上车前，我再三嘱咐秋月，回校后要放松点，千万别这样哭哭啼啼，这事打死也不能让别人知道，否则学校会出重拳严厉打击的。现在只能是舍掉一个小的，保住两个大的，不然三个都得完蛋。

秋月忍不住又"嘤嘤"地哭了起来。

周日清晨，我们三人还蒙头大睡，门外有人轻轻叩门。

"有没搞错啊，这么早是不是有点夸张啊！"李习科大声嘟哝着。

我起身开门，原来是秋月。秋月把门推开一条缝，轻轻说了句"我到露台等你"，便向露台走去了。

露台的风很大，我不忍心这么一大早就让她去受那份罪，我对她说，到楼下传达室等我吧，外边风大，我马上就下去。

王天乐也从被窝里钻出个脑袋，问："又上哪儿风流去？晚上回不回来？"

李习科也在一旁打趣："数风流人物，还看今朝，注意找个避风的地方，啊……"

我恨不得马上掐死这两头驴，但是今天我不敢发作，或许是做贼心虚的原因吧，我结结巴巴地说："她家有几个亲戚来，陪他们到明陵和八达岭走走。"

还好，这两头驴没听出什么破绽。

欧阳师傅打水去了。灰白的晨光，透过楼梯窗户斜射进传达室里来，秋月独自一人默默地呆坐在欧阳师傅的床沿，两只苍蝇在她面前飞来飞去，不时落到她苍白憔悴的脸上，她也懒得伸手驱赶。

我说："先去吃早餐吧？"

她摇了摇头，说："你去吧，我不吃，我等你。"

"到苹果园很远，还是吃点吧。"

"算了，我不吃。你快去快回吧。"

"走吧，一起去吧，吃完我们不回来了，直接到校西门打车去公主坟。"

秋月站了起来，两人一起向饭堂走去。到了饭堂，我问她吃些什么，她又摇了摇头。

"吃点吧，总不能空着肚子做手术吧。"

一听这话，秋月的泪水又止不住流了下来，说："我吃不下……"

我赶紧好言相劝，旁边桌子的几个人不断地朝这边看，我的心不由得紧张起来了。

"不会有事的，一个小手术。"我轻声安慰她道。

她疑惑地望了我一眼。我从没有说过我有这方面的经验，也从未对她提起过曾陪周素菊去做过两次人流。她以为我是在哄她，就像大人哄小孩子说打针一丁点儿也不疼，所以她听了我的话反而哭得更大声了，说："我怕……"

我很想找个被子把她捂住，我脆弱的神经被她的哭声折磨得快要崩溃了，因为我分明看到了更多的人频频朝我们看过来。但是咱不能那么做，憋出人命了可是要枪毙的。

"姑奶奶，求求你了，快别哭了，求求你了……周围的人都在看你呢，多不好意思……"好不容易秋月才忍住了泪水，我赶紧把豆浆递给她。

吃过早餐，两人赶到了公主坟地铁站。车厢里多少有点冷清，只有七八个旅客，车顶上两排用于扶手的吊环随着列车震动的节奏整齐地左右摆动，如两排翩翩起舞的小人儿。坐在冰冷的椅子上，秋月又一次紧紧握着我的手，把脸贴在我的脸上，恳求道："以后你要对我好一点……"

我有点不高兴，说："我什么时候对你不好了？"

"反正……你要对我好，要不……我会……"秋月摔开我的手，眼泪就像拧开了的水龙头哗哗地流了出来，为了避免食堂里的那一幕再次上演，我赶紧手忙脚乱地把她揽进怀里，并俯下头来，用嘴唇轻轻封住了她小巧却如冰块一样冰冷的双唇。

到了医院，我以"秋香"的名字给她挂了号，在四楼的妇产科检查后又下楼交费。秋月拉了一下我的袖子，还未待我问话，她就从怀里掏出一个京师民族师范学院的信封塞到我的手里。"拿着吧，别分你呀我的。"我想想也是，便拿着下楼。手术费检查费一共八百多元，我打开秋月给我的信封，天哪，这个玩笑可开大了，厚厚一沓子钱居然没有一张是百元面值的，全是五元十元的，一共才三百多元，显然是跟她的穷光蛋同学借的，还好，我事先有准备，不然这脸可就丢大了。

交完费，我领着秋月向手术室走去。一个戴眼镜的男医生看了一眼手术单，说："嗯，秋香，这名字有点意思。"他又看了我一眼问，"你是她什么人，你不是叫唐伯虎吧，哈哈……"

把你的快乐建立在我们惶恐上，你还算什么白衣天使。虽然很生气，我还是不敢撂脸子，唯唯诺诺地在"同意手术"的表格上签下了我的大名——丈夫，石明雷。

秋月抬起头来望了我一眼，脸上掠过一丝不易察觉的欣慰。

秋月被医生带进手术室时，噙满泪水的双眼连连回望着我，有点不耐烦的医生安慰道："没事没事，一会儿就过去了。"

手术间的门轻轻关上了。我默默走到走廊，在一张长条椅上坐下来，在静静等候中，思绪又止不住穿越时空的隧道。第一次认识秋月，是跟老独头他们在老家县城歌厅唱歌时罗大牛抢了她一个耳光；第二次邂逅她，则是陈成三来京时带我到西三环边一酒店按摩……去年冬天在苹果园的那个雪夜，我跟她同床共寝一夜，两人竟然相安无事，那时她是那样的清纯，那样的天真，对未来充满了憧憬。秋月是一个良家女孩，是一个洁身自好的女孩，纵然因生计所逼，出入过酒楼歌厅，她却出淤泥而不染。那天夜里，在金布丁的出租屋，我之所以敢拉下脸皮强行跟她发生性关系，多半是不相信她能洁身自好守身如玉，认为她不过在演戏，而当阵阵的撕裂声让她抓破我的双肩，看到她事毕后为自己下身那一摊鲜红的血污哭得如泪人儿时，我才愧疚难当。

……

正当我胡思乱想的时候，紧闭房门的手术室里传来几声撕心裂肺的哭声，我浑身起了一层鸡皮疙瘩。那年在老家陪周素菊去做人流手术时，周素菊疼痛得大哭起来，周素菊当时都二十六岁了，对这事看得还开一些，而秋月还是个在校生，除了生理上的痛楚外，还要承受心理上的痛苦。

秋月，我会好好报答你的。

看看墙上的挂钟，时针已指向十一点，我突然想起秋月手术后还要躺好久才能走路，于是赶紧跑到楼下给她买些吃的。

医院门口不远处有一小餐馆，现在还没什么客人，我花十元钱买一碗鸡蛋面。在等师傅煮面的当口儿，我又想到了秋月这段时间的进补问题，学校饭堂都是大众菜，不适合术后进补，还是开小灶吧。主意打定后，我借用酒楼电话传呼金布丁，金布丁很快就复机了，我开门见山地对他说："这几天我要带秋月到你那儿住几天。"

金布丁笑道："又耐不住了？"

我把事情如实跟金布丁说了。现在的金布丁，早就不是当年寒窗苦读的那个朴素少年了，这种事儿在他身上已是见惯不怪了。他当即爽快地答应下来，"那不碍事，我尽量提供方便。弄些土鸡鸽子斑鱼之类给她补补身子。不过，她们学校方面你得替她找个借口请假几天，而且这事绝对要保密。"我谢过金布丁后，金布丁又问我打算什么时候带她过来，我说现还在苹果园做手术哩。

金布丁叹息道："还在手术啊，太遗憾了。"

我听出金布丁话中还有话，就追问他什么意思。

"你不知道啊？省里的剩副主席来京师党政大学培训，剩副主席打算写一篇党员领导干部廉洁自律方面的论文，但大秘书不在身边，姚趋势原先自告奋勇执笔写，前几天交给剩副主席看，剩副主席不太满意，过几天剩副主席的学习就结束了，姚趋势急得直撞墙，这才想到你，你不是党政管理方向的硕士吗？不也在《西河日报》发表过大作吗？剩副主席听姚趋势介绍你的情况后，就说，好哇，那就让小石帮忙看看吧。哥们儿，这可是十年逢一闰的良机呀，听说剩副主席两届任期满后就进京城……"

"成，那我马上去。"我不等金布丁说完，便激动得气喘吁吁地一口应承下来，这可是接近地方核心领导层的大好良机呀。

"唉，怎么讲你才好呢！我问你，秋月咋办？她还在做手术哩，你总不能扔下她不管吧？……"金布丁没想到我答应得这么痛快，不免一时牢骚满腹。

金布丁这么一说，我心情又沉重起来。说实话，就凭我的条件能找到秋月这样的女孩确实是上辈子修下来的福分，但是对一个有远大抱负的男人来说，京畿大员万里封侯这样的美好前景显然更有诱惑力，我绝对不甘心老婆孩子热炕头默默无闻地过一辈子，男人嘛，谁不为了奔个前程呢！

"学位诚可贵，老婆价更高，若为官阶故，二者皆可抛。"我很快坚定了我最初的想法——照顾秋月重要，但为剩副主席写文章更重要。若为了照顾秋月而失去了为剩副主席效劳的机会，我会后悔一辈子的，欠秋月的，只有等到出人头地的那天再加倍补偿了。

"喂，兄弟，你到底还来不来？"金布丁在电话那头高声嚷道。

"我看这样成不成？我把她送到你那里后我就去京师党政大学，你先替我照顾照顾她……"我以一种乞求但又很坚决的语气说。

"喂，兄弟，这……恐怕不妥吧？这事好说不好听啊……"金布丁有点慌乱。

"没事没事，这事算我求你了。"

金布丁沉默半晌，最后笑着说："照顾倒不敢当，帮她弄点吃的倒没事，可明天我要上班啊，她怎么办？"

我说："晚上我就回来，明天的事儿我自个弄。"

金布丁说："别这么乐观，姚趋势也是硕士，可为了写五六千字的小文章都快神经错乱了，也没见写好，你敢保证一夜成名？没写好你敢走？"

"不让我走，那晚上总不至于叫我跟姚趋势两个大男人挤一张床睡吧。"

"你啊，真是个书呆子。你也不想想，你给剩副主席写东西，你还他妈的怕没地方睡，我就怕他到宾馆开了一个总统套房后，让你两耳不闻窗外事埋头苦写三五天，这样，你就脱不了身了。"

我告诉金布丁说，船到桥头自然直，走一步看一步吧，我过两个小时就送她去你那里，完了我先去京师党政大学看看。末了，我又想起了秋月请假的事，我请金布丁出面找他那当医生的哥们儿帮忙给秋月出一张肝炎或胃炎之类的病休证明。

"这事你放心好了，不过是小菜一碟……兄弟，剩副主席日后要是提携你当个什么钦差大臣，你他妈的可别忘了报答我，要不我会和你翻脸的，呵呵……"

我回到医院妇产科,刚上四楼楼梯,一眼就望见走廊尽头的一张长条椅子上躺着一个人,我知道那是秋月。

秋月如僵尸般静静躺在椅子上,凌乱而灰暗的长发披散下地。我轻轻走近她,只见她脸色苍白得可怕,交叉搭在腹前的双手毫无血色,条条青筋历历在目,两边眼角无声无息地流淌着泪水。我的心一阵阵抽筋,泪水也在眼眶打转,我止不住俯下身,旁若无人地轻轻吻了吻她的面孔,觉得她的面孔如铁板一样冰冷。

"你去哪里了?"秋月毫无气力地埋怨我。

我指了指提在手上的塑料袋子,道:"我下去给你买吃的,你刚出来吧?"

秋月点点头,示意我坐下来,我在她腰际空出的位置那里坐了下来,用手抚摸着她的手,她的泪水又像决了堤的河水,"哗啦啦"地流淌个不停。

我半跪在地上,轻轻扶她坐起来,帮她擦拭着泪水,又把饭盒打开,放在自己的膝盖上。她却将饭盒推开,我劝她说,早上就没怎么吃,这可不行,待儿会还要赶路回去呢。可没待我说完,她却突然双手掩面止不住呜咽着说:"我、我吃不下……我、我没有心情……"

我将马上要到京师党政大学去给剩副主席写文章的事跟她说了。她听罢,慢慢止住了呜咽,抹了抹横流的涕泪,瞪着疑惑不解的双眼,愤愤道:"剩副主席?……他又不认识你,你又不是他的什么人,凭什么叫你去?"

"哎,怎么说好呢,你们女人真是头发长见识短,这事我一时也无法说服你,不过,我已经答应京师党政大学的姚趋势了。"

我看看时间差不多了,问她现在走好不好?秋月惊愕地望着我,说:"医生叮嘱尽可能躺时间长一点,说是怕血流出来。"

再不走恐怕就要误我大事了,我急得蹲在地上直挠头。秋月看出了我的心思,缓缓地站了起来,我赶紧上前搀扶着她。我俩来到楼下时,妇产科一名医生气喘吁吁追下楼来,问道:"有什么事这么急?再休息一会儿不成吗?"我苦笑着摇摇了头,她递给我一张假单证明后,转身上楼去了。我想,这种人流休假证明拿回学校去只会惹出大祸来,待那医生脚步远去时,我将其揉成一团,扔进了墙角的垃圾筒里。

我们坐地铁到了公主坟,出了地铁站打一部面的直奔菊园,到金布丁在菊园的出租屋已经快下午一点了。

我扶着秋月进了屋,金布丁已到东北旺菜市场买回宰好了的一只鸡和几只乳鸽。他把里间腾给了秋月，自己打算在外间睡沙发。

我把秋月交给金布丁后，就打算出门前往京师党政大学。

秋月听说我要出门，良久没有言语，当跨出门槛的那一刻，她突然哽咽着叫了一声，从床上艰难痛苦地用手撑着床沿坐起来，勉强挤出一丝惨淡的笑容，说："你总是这样，我看你想当官想得都走火入魔了。"说罢，她侧过身子，从裤兜里掏了半天，掏出几张皱巴巴的小面额票子和好几张卷成一团的毛票，低低地说，"这些你也拿去吧。"我当然不忍心拿她这几十元钱，再说这点钱还不够给剩副主席买串冰糖葫芦的呢，我上前按住她的手安慰她说，我还有钱。

出了出租屋，我迈着说不清是兴奋还是内疚的复杂心情向对面的菊园饭庄走去，在那儿吃了一碗炒面，然后头也不回地踏上了开往京师党政大学的公交车。

第 15 章

京师党政大学大门两边各站一位雕塑出来一样荷枪实弹的武警。我往姚趋势宿舍打电话，但一直无人接听。出门时过于仓促，身上什么证件都没带。磨了半天，接待室的工作人员也不开条子，京师党政大学是国内著名的政治摇篮，戒备森严，没有条子，把门的武警连只蚂蚁都不会放进来，更别说我这么个大活人了。

一直等到下午快三点才打通姚趋势的电话，原来是上图书馆查阅资料刚刚回来。

姚趋势放下电话后，一路小跑着来到校大门外把我领了进去。

京师党政大学的条件不错。姚趋势是一人住一间十五平方米左右的房间，条件要比京城其他高校好多了。姚趋势用口盅给我冲了一盅茶，寒暄几句便开门见山直奔主题，拿出一篇已打印好的文稿给我看，题目是《高级领导干部一定要旗帜鲜明地反对腐败》。我认真读了一遍后，又回过头来仔细研究几个小标题。

我吸了几口烟，抬起头来说，这文章写得不错，站得高，看得远，前瞻性针对性实践性都强，就如何防治党的高级领导干部腐败问题提出了一些高屋建瓴的新观点，应该说很有现实指导意义。

姚趋势听了我的话，狠狠地咽了一口唾沫，他有点无奈地笑了笑："老兄，你就别卖关子了，我十万火急地把你请到这儿来，可不是请你来拍我马屁的。我前几天这样交上去，剩副主席说再改一改。我已是江郎才尽了，实在没辙了，整个上午我到图书馆查阅了这方面的评论，可也没啥收获呀……今天，你可不能见死不救啊……"

"我水平也没你高啊。"我把我党务必保持谦虚谨慎的优良作风拿了出来。

姚趋势急得差点哭出声来，说："老兄啊，你就别跟我玩太极了，现在是人命关天的事呀。"姚趋势的官瘾其实一点也不比我小，他把仕途看作比自己的性命还重要。

"《西河日报》都刊过你的大作了，你就甭客气了，再兜圈子我可就报警告你侮辱人格啦……"这小子山穷水尽之际还挺幽默的。

姚趋势额头上沁出了密密麻麻的汗珠子，看得出来他是真的急红了眼了。古人云"伴君如伴虎"，这话一点不假，这篇论文你要不接什么事都没有，接了就一定要搞好，否则，他这一辈子就很难再从剩副主席那里得到一丁点儿实惠。

帮人也是帮自己，自己不也一直想通过姚趋势打入高层吗？见火候差不多了，我也不再谦虚了，问剩副主席什么时候要用。姚趋势说，后天高级班就结束了，肯定在结束前用，并说这篇文章剩副主席一来作为高级干部培训班的结业作业，二来作为某报的社论发表，一箭双雕。

我又跟姚趋势要了一支烟，边抽烟边思考关于如何防治高级领导干部的腐败问题。姚趋势见我吞云吐雾，知道有戏了。为了让我全身心地投入到事关两人前途命运的事业中，姚趋势在桌上放了一包精制的铁盒装的刘三姐香烟，一个打火机，又给口盅里添满了茶水，然后做个鬼脸，蹑手蹑脚后退到门边，笑嘻嘻地带上门出去了。

姚趋势走后，我抽了几支烟，喝了几杯茶，又认真读了几遍姚趋势的文稿，联想到自己所接触的陈成三之流的腐败典型，灵感很快就来了。我一边铺开稿纸，一边用手不断摸着下巴，半晌，用力将两指头的烟头掐灭，猛然提起笔，在姚趋势原来的文稿基础上，另起较为详细的三级提纲。之后，在各级提纲之间洋洋洒洒，在"加强领导干部道德素质教育,严禁权色交易"这一小提纲下，我写道：

> 大权在握的高级领导干部一定谨记：权力是一把双刃剑，它可以使你戴上荣誉的光环，也可以将你推下罪恶的深渊。党员领导干部，尤其是手掌大权的领导干部，务必要牢记权力是人民给予的，只能不折不扣地用来全心全意为人民谋利益。否则，必将玩火自焚……

我心潮澎湃，越写越投入。我想到陈成三此类贪官昏官曾经强加给我的委屈与苦难，不禁义愤填膺，时而涕泪横流，时而奋笔疾书，好像此时不是坐在京师党政大学硕士生宿舍里写文章，而是站在万人控诉贪官大会的主席台上作发言一样，就差没有振臂高呼"打倒贪官！——"

........建立与完善执政权力的监督机制，特别是对高层权力、高级干部的监督机制，是消除权力腐败，保持执政廉洁的重要途径........

大概两个小时后，传来轻轻敲门声，起身开门一看，原来是姚趋势。姚趋势走近桌边，拿起文稿认真看起来，随着稿纸一页一页地翻过去，姚趋势绷得如木乃伊般的面孔渐渐绽出了笑容，嘴里不时地发出"好好好"或"啧啧啧"的赞叹。

我看看外边已是暮色苍茫，突然想起秋月还等着我回去照顾，于是起身告辞。姚趋势好像没有听到我的话，依然站着读我的文章，当我开门出去时，他才大梦方醒追至门边拉住我说："你去哪？"我说："我要回学校。"姚趋势把手中的稿子"哗啦啦"挥了一下，大声道："喂，哥们儿，有没搞错，请你做工，不收工钱算了，连饭都不吃，不成！说出去人家笑话不要紧，下回请不动你，那麻烦可大啦。"

我说："我要没事，我会轻易放过你吗，真的有事，下回跟你喝个一醉方休。"

姚趋势急了，又挥了一下手中的文稿，生气道："什么事？跳舞吗？约会吗？总不能这么重色轻友吧？"

不管姚趋势如何激我，我都不能把真正原因告诉他，因为我深知对一个做过小报记者的人说这种事情意味着什么。争执不下时，电话响了，姚趋势接了电话，毕恭毕敬地应着"是、是是……"从他一个劲地哈腰点头的样子判断，对方一定是权势人物。放下电话后，姚趋势背着双手，踱着方步，诡秘地对我说："下雨天，留客天，天留领导亦留！"

在京师党政大学，除了姚趋势外，我再不认识其他人，还能有谁不让我走？我说："这一次我确实事出有因。"

姚趋势听罢，转身回房间把稿子搁到桌子上，拉开抽屉拿出一包未开拆的中华牌香烟，一边拆开，一边笑呵呵地向我走来，到了我面前，抽出一支递给我，自己又叼了一支，点上火后，喷出几圈缥缈的烟雾，笑道："我算什么领导？我如实跟你说吧，刚才来电话的不是别人，而是这篇大作的署名作者——剩副主席！"姚趋势还说，剩副主席打电话来过问作业的事，最迟明天交给他，今晚先请我们一起吃个便饭。

我激动得如怀里揣进了几只兔子，说话都不利索了："喂，哥们儿，这、这玩笑开不得呀。"

姚趋势突然想起了什么，向我挥了挥手，道："走！"

我问去哪儿，姚趋势抬腕看看表，说，我们马上去打印这文稿，还有一个小时，来得及。

我们来到校西门附近一间文印店，打字小姐接过稿子顺手翻了一下，挑起柳眉抬起杏眼说，得明天才成。姚趋势急忙说："双倍钱！""成！"小姐赶紧把桌上的其他稿子归置了一下，即在键盘上"噼噼啪啪"敲打起来。我与姚趋势两人一左一右坐在小姐身边，在屏幕上边看边改。约莫半个钟头后，清样打印出来了。两人又坐在桌前，用红色圆珠笔认真阅改。最后，姚趋势又通读了一遍，两人确认没什么问题后，便让小姐打印一式五份，装订好后就匆匆赶回宿舍。

推门进去，只见一胖子正坐在里边晃荡着二郎腿抽烟。见我们进来，他赶紧起身伸出双臂拥抱着姚趋势，不无夸张地如猪仔吃奶般嘟着嘴在姚趋势脸上啃个不停。

当两人啃了个够后，我才看清，胖子不是别人，正是陈成三！

陈成三这时也看见了我，伸着手径直向我走过来，用力紧紧握着我的手，一个劲地赔着笑脸说："陈某知罪！陈某知罪！来了几天了，也不向你报告。"原来，陈成三来京几天了，只是一直为报考在职读研的事忙着开展公关活动，还来不及跟我联系。

陈成三这时望了一眼我手里拿着的文稿，见扉页上的大标题下面赫然署着"剩××"三个大字，神情一下子变得肃穆起来，看样子他好像准备给这三个字行个大礼。一会儿又抬起头睁大眼睛上下打量着我，好像不认识我一样，半晌，突然伸出双手来，紧紧地握着我双手，道："千军易得，一将难求，兄弟真是难能可贵的人才啊！"

我一时也不知说什么好，站着傻傻地笑着，"水平有限，献丑了。"

陈成三听罢，连连用手拍着我的肩膀，道："兄弟呀，不能这么说，不能这么说，这是剩副主席的文章啊。"姚趋势听罢，也用眼色瞟了我一眼，三人会意笑了笑。

夕阳照着校门前的几棵白杨树，遍地金黄。我们三人在大门外边的一棵白杨树下，边聊天，边恭候剩副主席。姚趋势跟陈成三显得很熟，时而相互拍打着对方的肩膀，时而附着对方的耳朵窃窃私语，言谈举止中不时透出诚恳热情来，我和陈成三早就化敌为友了，两人非但不感到拘束，还其乐融融。

聊了一会儿天，陈成三向校门前边招了一下手，便有一部我不知什么牌子的高级轿车徐徐地开到他面前，司机摇下车窗，陈成三附上去对他小声说了几句，司机于是一边笑着，一边倒车，最后把车泊在路边的树荫下。

姚趋势笑着告诉我，这是西河省驻京办的车。

大概又过了几刻钟，陈成三突然如临大敌，迈着急促的步伐向校门跑去，因为没证件没登记，校门的卫兵拦住不让他进去，他只好站在门外边向门里边伸长脖子张望着，不时傻笑着向里边挥手致意。

我抬头望去，只见一位五十出头的男人，烫着一个波浪头，一边快步向我们走来，一边不停地向我们招手，他一迈出校门后，陈成三即迎上去，笑道："请上车吧，剩副主席。"

原来是剩副主席！我吓了一跳，诚惶诚恐地站着。

剩副主席点点头，上下打量着我，陈成三与姚趋势明白过来后，抢着介绍说："这位是京师文理学院的硕士小石，也是西河人。"剩副主席"哦"了一声，向我伸出手，笑道："小石，你好！你好！"

我受宠若惊，哆哆嗦嗦地伸出手与剩副主席握手，他的手如棉花糖般软绵绵的，我轻声说了一句："剩副主席好！"

剩副主席问陈成三："还有其他人吗？"陈成三说就这么多了，剩副主席笑着对我说："小石呀，今晚一起吃顿便饭吧。"我正想说几句客套话，可司机已经把车开到剩副主席身边，陈成三替剩副主席打开车门，做出请上车的姿势，我不敢再吱声。

替剩副主席关好车门，陈成三又小跑着绕过车子，钻到副驾驶位子上。我以为要同车赴宴，所以就走到剩副主席另外一侧的车门，正要打开，不料姚趋势如临大敌眼疾手快一把拉住我，待车子开走后，姚趋势才拉着我跑到马路边，拦了一部面的。上了车，姚趋势笑着说："你想跟剩副主席一起坐啊？你还是跟我坐吧。"也是，让毫无思想准备的我突然冷不丁地跟这么个大级别的领导同车赴宴，闹不好我会感动得涕泪横流口吐白沫哩。

坐定了，我这才从刚才激动人心的那一幕里清醒过来。真的见到剩副主席了，我好像乞丐突然捡到了一块金子般兴奋得几近发疯，但一想到晚上的饭局，心里不免又有一些紧张，我小心翼翼地问姚趋势："我去……合不合适啊？"

姚趋势看透了我的心思，他安慰我："没事没事，剩副主席来这里学习，身边也没带什么人，领导吃饭没人捧场怎么行呢？再说了，没准在饭局中剩副主席还会提到那篇文章呢，你在场也是个表现的机会呀。"

"请问两位要上哪儿？"

我们这才想起还没告诉司机去哪儿呢，姚趋势从衣袋里掏出一张字条，递给司机说："按纸条上走，要不你跟前边那部豪华车也成，我们一起的。"

师傅是一位理着板寸头的北京小伙子。北京人尤其是开出租车的师傅，都有个最大的特点——神侃，说侃神也行。上至还没咽气的老太太，下到刚会说话的孩子，不管是市井小民，还是高高在上的父母官，只要你没有明确地表示出反对，他（她）就会对着你天南海北天上地下地神侃一通。什么地方好吃好玩、大白菜多少钱一斤、沙尘暴哪天来哪天走，没有他们不懂的，最神奇的就是，连街上捡破烂的都能把中南海的事儿说得如数家珍，好像中央首长都跟他们家沾亲带故似的。今天这位司机别看年纪轻轻，却是一副神通广大的样子，听我们回话后，道："南边来的吧？那地方有饭局，可不是一般人啊，那可是豪华地方呐，一个饭局下来少说也得两三万。"

"有那么贵吗？"我下意识摸了摸贴在臀部那薄薄的几十元钱，他妈的，要是如司机所说的那样之话，我全副身家还抵不上剩副主席牙缝里剔下来的肉屑呢。

司机笑了笑，抬头望了一眼镜子里的我，笑道："人家请你们吧？"

姚趋势听罢，装出一副不高兴的样子，道："嘿，我说哥们儿，这话怎么说？"

"看你们二位模样也不像做大官的，自然是人家请你们。平头百姓有谁敢上那地方消费啊？"

不一会儿，车到了光耀酒家。下车后，只见酒家门口两边一字排着一群青春亮丽香气袭人的迎宾小姐。剩副主席与陈成三已经上楼了，我与姚趋势在大堂里对着镜子整了整衣冠，这才忐忑不安地上了楼。

饭局是由陈成三预订好的。包了一间几乎跟教室一样大小的豪华包房，包房里有高级沙发，有高级的红木茶几，茶几上摆着馥郁芬芳的鲜花，茶几的一边是餐桌，另一边是一个大舞池。

大家在沙发堆里稍坐一会儿，喝了几杯茶，时间差不多了，便分主次落了座。一共四人，每人面前摆了七八重餐具。陈成三赔着小心问剩副主席喝什么酒，剩副主席看看我，露出一副慈祥的笑容，道："小石，你来定吧！"

我真他妈的彻底傻眼了，我能叫得上名来的除了二锅头就是燕京啤酒了，再要么就是老家的几毛钱一斤的双蒸米酒或单蒸米酒。今天跑到这种场合看起来也不像是吃忆苦思甜饭的，所以我决心还是不要现眼为好，我语无伦次地说："还、还、还是请剩副主席定吧。"剩副主席笑笑，又望望陈成三，笑着说："洋酒红酒都各来一些吧，怎么样？"大家听罢，把头点得如小鸡啄米："好好好好……"

我知道红酒就是葡萄酒，但不知洋酒是什么玩意儿。以前在县里工作时，也常沾领导的光在外头撮过几顿，但那种场合全是喝本地出产的每斤七毛六分钱的双蒸米酒。

待小姐用托子捧来一瓶琥珀色的大肚子酒瓶，我这才知道那是外国酒，好像是两斤装的路易十三。

每人身后都规规矩矩地站着一位小姐，每一位都青春亮丽，满脸笑容，芳香沁人。小姐给每人的高跟酒杯小心放入冰块，放入几片生柠檬片，之后给每人倒了一小杯红酒。

洋酒则倒入另一个矮脚酒杯，每次只倒　　　浅浅的一点，没喝过洋酒的我虽为能开此眼界享用这么高档洋酒心花怒放，但心里还是暗暗骂道："都像喝药这么喝，啥时候才喝个够啊！"

吃的是围桌式的自助餐，先给每人上了一碗鱼翅，大伙不敢举筷，都望着剩副主席，剩副主席望着大家，边拿起筷子，边对众人说："来吧来吧，大家都起筷吧。"兴许见我直挺挺地坐着，剩副主席又道："该死吧！该死吧！小石，你怎么还不该死啊！"我吓了一跳，脸色陡地变得如猪肝一样难看。我心想，难道我在什么地方做错了吗？难道是陈成三在车上对他说了我什么坏话？难道我写的文章有原则性错误？可这文章都经过我与姚趋势两人反复校对，还能出现那种让人一看就断定"该死"的错误？绝对不可能！

那么，难道是我根本就不应该来凑这个热闹？

我狼狈不堪，大汗淋漓。但我很快就发觉四周气氛其乐融融，再睁大眼睛对每人察言观色，觉得姚趋势、陈成三两人面部表情都很自然，剩副主席脸上也始终挂着笑容，这种情景让我相信肯定是我误解了他的意思。

正当我不知所措时，剩副主席又一次笑道："小石啊，还不该死啊，死啊！死啊！"

我终于听出剩副主席说的是"开始"和"吃"的意思，还好嘴里没饭，不然我会把它喷出来的。

　　喝了鱼翅汤，又上了几种我叫不出名堂的名菜，当中有用刀的，有用叉的，有用筷子的，每上一个菜，我都不敢先动手，生怕操作不当惹出什么笑话。看清剩副主席或陈成三或姚趋势他们怎么下口后，才照葫芦画瓢般动一下餐具。我心中不断地给自己下命令说："放松放松！镇定镇定！"可越是这样，越是手忙脚乱。剩副主席大概也看出了我的窘境，举起杯子对我照了照："小石啊，随便死（吃）！随便死（吃）！"

　　我以为是敬酒，方寸大乱，忙不迭地把红酒、洋酒、茶水全部倒入口中。

　　其实剩副主席那只是一个下意识的举动。

　　喝完鱼翅汤后，剩副主席用餐巾纸沾了沾油光发亮的嘴角，拿起小巧玲珑的高跟酒杯，陈成三姚趋势触电般颤抖了一下，如临大敌地端起面前的酒杯，姚趋势也给我使了个眼色，我如梦方醒，亢奋得手脚有点哆嗦。我知道，真正的敬酒开始了，赶紧握着杯子站了起来。

　　"来来来，喝喝喝……"众人齐齐举杯给剩副主席敬酒。我发现以后陈成三姚趋势他们每次给剩副主席敬酒时，都站得直挺挺的，敬完酒后，都恭恭敬敬地说："谢谢剩副主席！请剩副主席多多关照！"

　　我也有样学样，每次给剩副主席敬酒，我都规规矩矩地站起来，"祝剩副主席身体健康……感谢剩副主席关怀……请剩副主席栽培……"反正我记得那天除了"万寿无疆"没说之外，其他吉祥喜庆的话儿我基本都说遍了。

　　在剩副主席的多次鼓励下，我决心表现勇敢一些放松一些自然一些。我刚下这个决心，小姐们就给每人上了一只鲍鱼，我不等看别人的示范，就操起叉子戳了下去，手一抬就把整只鲍鱼送入口中。由于鲍鱼太大，我费劲地嚼了几次才勉强咽下肚子，然后端起饮料杯正想再送鲍鱼一程时，我侧眼瞥了剩副主席一眼，从眼角的余光中我突然发觉剩副主席的刀叉僵硬地停在半空中，我顺着刀叉低下眉头瞅他一眼，只见他正用一种哑口无言的神情呆呆地望着我。我又瞅了一眼陈成三，见他左手操刀，右手操叉，将鲍鱼切成四份，用叉子叉住，轻巧地将一块一块往嘴里送，每送完一块，便用餐巾纸轻轻沾了沾嘴角。

　　我有生以来，甭说吃过了，就算是在梦里也没享受过如此高档的宴席，尤其是跟剩副主席这么大的官同桌共食，我确实毫无思想准备，总生怕出差错。可老是担惊受怕，就越容易出差错。

年轻人啊，到底还是不够稳重，我在内心深处不断地进行自我批评。由于过于紧张不安，送进嘴里的菜、汤、酒，竟尝不出是什么味道。

　　我虽不露声色地吃着喝着，却不断强迫自己镇定！镇定！再镇定！每上一道菜，我都耸起双耳认真倾听服务小姐介绍，琢磨着价钱，暗中计算着多少道菜。

　　闻着房间里淡淡的香水味和小姐身上特有的芳香，喝着杯里琥珀般晶莹剔透的美酒，端看身边着装整洁苗条性感操着原汁原味京腔的小姐……这场合着实令我如梦如幻如痴如醉。

　　又上了一道菜，小姐递给每个人一个薄如蝉翼的袋子，我不明就里地望着姚趋势，姚趋势正欲开口，不料，陈成三已用双手揉开袋子，笑着说："带套带套，安全牢靠。"剩副主席和姚趋势听罢，笑了笑，此时，我才知道这道菜是一道印度名菜，不用筷子，而是直接用手抓着吃的。

　　又吃一会儿后，陈成三凑近剩副主席耳语了一番，剩副主席听罢，说："好啊！带来没有？"陈成三向姚趋势使个眼色，姚趋势起身跑到沙发上拿来陈成三的提包，陈成三接过包拉开拉链，从包里掏出我与姚趋势写的那沓稿子来，双手恭恭敬敬地呈给剩副主席。剩副主席接过稿子后，戴上老花眼镜，拿在手上翻了翻，大约看了几刻钟后，沉思半晌，最后若有所思地道："写得好！写得好！特别是预防高级领导干部腐败的几个举措，可谓是新、准、狠！高瞻远瞩，高屋建瓴，抓住了要害，起到了四两拨千斤的作用，对从源头上遏制领导干部，特别是高级领导干部搞权钱交易、权色交易，对于如何进一步提高高级领导干部的拒腐防变能力，都有很重要的现实指导意义。"

　　听到剩副主席夸奖，我心上的一块大石头终于落了地。姚趋势显然跟我有同感，为了及时交流彼此的喜悦，也为了给剩副主席和陈成三一个空间，两人齐齐起身向卫生间走去。一迈入卫生间，两人忍不住捧腹大笑起来。我一边奋力地撒着尿，一边咂着嘴说："总算交差了，这回是物有所值，我们要敞开肚皮吃！敞开肚皮喝！"正在门边的烘干机旁烘手的姚趋势，听了我的话后批评我："你这样就大错特错了，还是装斯文点吧，别这么快就原形毕露，要是吃不饱喝不足，回头我们到校西门的地摊再接着干。"我表示赞同，又对姚趋势笑道："剩副主席的话特难懂。刚开始，我还以为他骂我呢！"姚趋势笑笑，道："没办法，你得慢慢习惯，否则，以后说不准会闹出什么大笑话呢。"

姚趋势烤干了手，望了一眼门外，见没人进来，便压低嗓子给我讲了剩副主席的一个笑话：有一年八一建军节，剩副主席到一个驻军检阅，部队首长向他报告："准备完毕，请首长检阅！"剩副主席听罢，大手一挥，吼道："该死！"

驻军首长的脸色"刷"地变白了，左右的警卫员也"啪"的一声从腰际掏出手枪，吓得剩副主席的几位随同人员神情慌张，连连向部队首长解释说，误会，误会，是"开始"的意思，是"开始"的意思，剩副主席讲话乡音较重。

好不容易止住了笑后，我突然想起什么似的，兴奋地说："我在报上看过主席的简历，主席十多岁才离开农村，我要跟他讲讲家乡的土话，说不定他听到家乡话会倍感亲切呢！"

姚趋势用手纸抹了一下嘴角，摇摇头，正色道："你可别乱来，剩副主席说他不会讲家乡土话！"

"不可能，他乡音比我还重，还能不会讲？"

"这一点，你千万得听我的。剩副主席他真的不讲家乡话，不仅不讲，就连别人在众人面前用家乡话跟他讲，他都一律把脸孔板得如锅底一样黑，好像觉得别人要揭他老底一样。哥们儿，你听我的没错，只能呆呆地坐着听，别乱出声。"

这下子我有点懵了，他妈的做官还有这么多学问！

我挤出洗手液，一边洗手，一边想："他妈的！总不至于做了副主席就可以这样数典忘祖吧！我不也是十多岁就离家外出求学吗？可每次回到村里，哪一次不用土话跟乡亲们聊天？有时不经意间夹杂一两句普通话或粤语，乡亲们都笑我忘本，若我真敢说不会讲家乡话了，十有八九让乡亲们乱棍赶出村口。"

"'少小离家老大回，乡音无改鬓毛衰。'不知剩副主席读过这句古诗没有？"

"当大官的就得与众不同。"姚趋势笑着骂了我一句。

从卫生间出来，剩副主席脱下老花眼镜，望着刚刚归座的姚趋势笑着说道：

"小姚你辛苦了，这稿子你写得不错嘛。"

"不、不，不完全是我写的，是小石和我共同执笔的，主要是小石的功劳。"姚趋势正往嘴里送茶，好像忽然喝到了一口滚烫的开水一样，蓦地放下茶杯，赶紧声明道。

姚趋势一提到我，我霎时就紧张起来，脸红得如打架的大公鸡，心口"怦怦怦"直跳，热血上涌，头晕目眩，有一种垂死的感觉。

我想，姚趋势之所以不敢向剩副主席邀功，大概是担心剩副主席要就文章提些问题。俗话说，文章千古事，得失寸草心。如非绞尽脑汁写出该篇文章的作者，文章的思想性与艺术性就不会把握得太准，更不会融会贯通。如果在回答剩副主席提问时出了洋相，给剩副主席留个笑柄的话，往后的日子也不好过。

不知剩副主席水平一般，提不出问题，还是初次见面不好意思考考我，他边咧着油光闪闪的两片薄唇，笑盈盈地上下打量着我，边举着杯子向我伸来，我也下意识地举起杯子，当两只杯子碰到一起时，姚趋势又适时地吹捧道："石明雷是个才子，在《西河日报》发表过多篇文章，这篇文章他才总共花不到两个小时就写好了，可谓是一气呵成……"

听了姚趋势的赞美，我感觉到有一种快感掠过全身！在领导面前被表扬的感觉都这么美好，走上领导岗位的滋味那又该是……

我正美着呢，剩副主席用杯子碰了碰我的杯沿，笑道："小石，来来来，辛苦你了。"我激动得泪水在眼眶里直打转，赶紧端着酒杯站起来，毕恭毕敬答了一句："承蒙剩副主席错爱"，说罢便仰起脖子"咕噜噜"一饮而尽。剩副主席却将杯子碰到唇边，象征性地沾了沾杯沿。

"他明年七月份毕业，想回西河建设家乡。"姚趋势说。

"欢迎欢迎啊，西河很需要你这种人才呀！"剩副主席又对我举起酒杯。

这时，陈成三不知什么时候又从包里拿出一架小巧玲珑的照相机，着脸对剩副主席说："剩副主席，在西河见您不易，在京城见您更不易，可否赏个脸跟我们照张相留个念呢？"

不知是酒精作祟，还是生性就爱抛头露面，听说照相，剩副主席就放下碗筷，爽快地道："好啊！好啊！"

陈成三立马将相机递给身后的服务小姐，拿相机的小姐娴熟地围着我们拍来拍去。先是照了好几张同桌吃饭合照的，后又照了好几张共同举杯的，当中有好几张我正举着杯向剩副主席的杯子碰去时，闪光灯"咔嚓""咔嚓"地闪烁后，我心满意足地想，这几张可能角度较好。没想到的是，剩副主席居然意犹未尽地拉起我的手说："小石啊，我单独跟你照几张吧！"

剩副主席的这句话，差点让我当场幸福得四肢抽筋晕过去。

陈成三与姚趋势听剩副主席这么说，微微一惊，但很快就说："好好好。"

陈成三转身从小姐手中接过相机，摆好马步，对着举杯相向的剩副主席与我"咔嚓""咔嚓"照了好几张。

总共大概上了十七八道菜，种类虽然多，但每一样菜都小巧玲珑，分量极少。我虽每样都吃个精光，但肚子里似乎仍然毫无感觉。姚趋势刚才在卫生间悄悄告诉我，这瓶路易十三洋酒上万元，但剩副主席和陈成三对它似乎不太感兴趣，每次都抿一小口意思意思而已。刚开始时，我虽极力告诫自己要斯文，万万不能酒气盖脸说错了话，影响剩副主席对自己的第一印象。可后来我一想，没准剩副主席还喜欢我生龙活虎的样子呢！再说了，他也知道我们这些穷学生肚子里没油水，装大了人家还觉得你虚伪。所以我认定跟这么大的领导坐在这么高级豪华的酒店享用着连做梦也梦不到的山珍海味和洋酒，也不用太矜持，吃饱喝足了回去后也有本钱向李习科王天乐这几匹穷酸毛驴吹嘘吹嘘。

再说，这是我有生以来第一次喝洋酒，可得好好珍惜这次机会，因为下一次再喝就不知道是猴年马月的事了。我这样想着，便常常趁他们举杯目光离开我时，迅速端起酒杯，以极快的速度将酒液抛进嘴里一口喝尽。有时趁剩副主席说话面向别处，我也独自一口一杯。至于菜肴，也是大口大口地吃，尤其是趁剩副主席到外间打手机时，更是敞开肚皮胡吃海塞。

服务员端来水果时，剩副主席用湿纸巾抹了抹手。姚趋势突然拉了一下我的衣袖，示意我起身。陈成三领引着剩副主席向门口走去，快迈出门槛时，陈成三回过头来，掏出一张信用卡与身份证递给姚趋势，说："记得开票。"他又走过来把我拉到一边，紧紧握着我的手说："兄弟，放假回到青翠坡一定给个电话！"说到这里，特意用焦黄色的长指甲在我的手掌心上用力划了两下，道："你要是不找我，就不够朋友了！"说罢，他又用力捏了一下我的手，便一路小跑着下楼追剩副主席去了。

姚趋势拎起还剩有大半瓶的路易十三拍着我的肩膀说："跟大官吃饭真是活受罪，压根儿就没吃饱，待会儿我们回学校西门的小酒馆接着喝。"

服务员推门进来，把信用卡与身份证递给姚趋势，说："开一张发票成不？"

姚趋势说："不成不成，过万元的发票回去不能报销，知道不？"服务员笑着退了出去。不久，服务员又回来了，将几张发票交给姚趋势，说："你数一数吧。"我看姚趋势数了一下，一共五张，我有点不敢相信自己的眼睛，问姚趋势说："有这么贵吗？"

姚趋势笑道："不贵不贵，请剩副主席吃饭，四万多也算贵？你当是我们哥俩在大排档边胡吃瞎喝啊？一顿饭一头牛那都是小儿科了，你想想，一头健壮的大水牯顶多卖两千元，两千元还不够剩副主席打牙祭哩。怎能说顶一顿饭呢？"

我听了，有一种想跳楼的冲动。

我们打出租车到京师党政大学西门一家名为东北骨头馆的小酒店，要了一盘酱猪蹄，一盘拍黄瓜，一盘猪肉芹菜饺子。

回到我们熟悉的环境里，两人这才算彻底放开了。我们每人捧着一大杯洋酒，时而高谈阔论，时而浅唱低吟，时而把酒问天，时而叫爹骂娘，那真叫一个痛快。血液里的酒精冲开思想的樊笼，两人的灵魂犹如脱缰的野马，它们挣脱了肉体，撒开丫子在繁华喧嚣的都市夜空里四处叫嚣冲突。

聊到毕业去向时，姚趋势一字一顿地说："回去吧，回去投奔剩副主席！如果剩副主席重用我们，那我们就能飞黄腾达平步青云，到时我们上管天，下管地，中间还要管空气，要多风光有多风光啊。留在北京，要是没人抬举，最终不也还是外表风光内心沧桑呀，到那时，'人在京城贵三分'都是他妈的自欺欺人的鬼话。回去吧，宁可回西河做鸡头，也不愿在这儿做凤尾。"

"回到地方上有一官半职也不错，只是小地方人际关系复杂，万一跟错了人，站错了队，那就没有出头之日，到那时，甭说做鸡头了，鸡屁股都不如啊！若留在京城做个京官，偶尔到全国各地出巡，下面的也是前呼后拥众星捧月般侍候呀……"我还是有点保留意见。

"宦海沉浮，变幻无常。只要混在官场，你就得拉帮结派，吮痈舐痔，你回去投靠剩副主席，多给他写几篇文章，士为知己者死，那你在西河肯定能成为呼风唤雨的人物。"姚趋势极力怂恿我。

"若能投靠剩副主席，自然是好，只怕高处不胜寒，万一兔死狗烹可就……"

读书人有时候就是这么天真，还不知道能不能顺利毕业，就先为到哪里当官犯起愁来。

我端起大玻璃杯，连喝了几大口，渐渐地舌头僵硬，腹下发胀，于是离座上卫生间。

磕磕绊绊撞出了东北骨头馆，夜风一吹，觉得头重脚轻，踉踉跄跄地扶着墙根向前走了十几步，终于摸进了胡同里一间臭气冲天的公厕，双手刚刚好不容易扶到尿池上边的墙壁，胃里就翻江倒海，一阵阵酒气直蹿喉咙，我双手极力捂住嘴巴，努力控制自己不吐出来。

我不想吐倒不是担心姚趋势笑话，以前我俩醉后常常当街对吐，可那阵子，喝的多半是每瓶三元七角的红星二锅头，而现在我肚子里装的可是上万元一瓶的路易十三啊！这么贵重的东西，一张嘴可就不见几百元上千块钱啊！记得读高中时，有几次回家要菜钱，母亲非但不给（其实她也拿不出来），而且还捶胸顿足抢天呼地号啕大哭训斥我说："有干饭吃还不满足，还得寸进尺想吃菜，甚至还想吃肉？我到底前世作了什么孽啊……"

我的家境除了几条人命不好估价外，全部家当也抵不上我一肚子的下水！甭说让我一口进出几百元，我的老母亲一辈子也没吃过上百元一桌的筵席啊。老家亲戚盖房子娶亲送葬，按八人一桌八海碗菜一碗汤计，每人封三五元的礼金或帛金，也顶多是四十元一桌。即便是这样的筵席，她也不舍得敞开了吃喝，总是把那些菜中的肉撮到旁边的一个空碗里，筵席散去后，才用荷叶打包带回来喂给我们这些小馋猫们吃，这样的饭菜已经是母亲一生中吃过的最丰盛最奢侈的筵席了，足可以让母亲挂在嘴边一年半载的。可红喜白事也不是一年四季都有的，而且像母亲这样的人多半是去帮工，累得骨头散架了，才有资格坐下面对那"八菜一汤"的。平日里她老人家天天在家里省吃俭用，就是不经意间将半截骨头弄到桌底，也立马三刻端起拨火棍跟抢食的家狗拼个死活。

虽然我的主观愿望是打死也不能吐。可客观上我已经无法控制酒精的威力了，我扶着厕所的墙壁刚走出两步，喉咙里"咕咚"一声——酒水和着鲍鱼燕窝猪蹄呼啸着飞流直下。我两手撑地像一只不慎吞食了毒药的疯狗一样，张大嘴巴，狂呕不已。吃饭的时候太紧张没把山珍海味吃透味，吐出来的时候才发觉跟吐青菜豆腐没什么两样——又苦又臭！

望着脚底下价值万元的秽物，我心疼得直掉眼泪。

快十二点时，我才和姚趋势依依惜别。我跌跌撞撞跑到马路边准备打车，夜风吹来，顿时清醒了不少。但清醒后，我不禁吓了一跳，秋月呢？自从下午来了京师党政大学见了剩副主席，只顾得高兴，竟忘记了回去服侍秋月！

路上车辆稀少，司机闻到了一股酒味有点不高兴，"你把窗摇下来，要吐你就往车外吐啊！"我有气无力地摇下了车窗，夜风呼呼地直吹进来，大概半个小时后，车到了菊园。

白天我尚得扶着眼镜逐一仔细辨认门牌号，才能摸到金布丁的出租屋，现在深更半夜，村里没有路灯，只能借着车灯东一头西一头乱找，折腾了半天，终于找到了出租屋。下了车，司机收了钱，便"啪"的一声关上门，油门一踩，兔子般地蹿进了夜幕中。

我一头撞入房间，醉眼迷茫，嘴里不断喷着酒气。我很奇怪门咋没上锁，房里也黑咕隆咚的，我摸着　边的开关拉亮了灯。虽然刚才在京师党政大学吐了一大堆，但回来的路上又被夜风吹着，我张嘴正欲叫声"秋月"时，一股酒气直涌喉咙，我右手捏着喉咙撞到了卫生间，拧开水龙头后就如抽水机一样"哇啦啦"呕个不停，呕得我弯腰捧腹，浑身无力，半晌，借着门外的灯光，拉亮了灶间的灯，我看到案板上盖着一个罩子，揭开一看，是一锅搁好了配料待炖的生鸡肉，我又转身揭开电饭锅盖一看，里面装着米与水，显然还未曾通过电。

"秋月——"我惊恐万分，禁不住冲着里边吼叫一声，见毫无回音，我放下电饭锅的盖子，快步撞进去，拉开了灯，不禁目瞪口呆：床上空空如也，地上一摊血污……

金布丁以为我最迟会在傍晚从京师党政大学赶回来，为了把房子让给我们，出门找朋友去了。秋月流血过度，被房东的儿子用自家的面包车送到海淀区上地妇产医院后一直昏迷不醒。第二天，我匆匆赶回学校，谎称秋月父母来京不慎丢了钱包，求爷爷告奶奶，像一只无头苍蝇般四处借钱。陈进林李习科凡能借的都借了，最后只借到两千多元，离医院的要求还差一大截。没办法，只好又传呼金布丁，让他想办法。虽旧债未还又举新债，金布丁却二话没说，跑遍京城熟人，经过一天的奔波，傍晚时送来了五千元现金，我千恩万谢，差点没跪下抱着他的大腿大声喊"爷——"

交完了住院费，摸着那几张薄薄的收据，我没敢住医院小旅馆。白天守着秋月，困了累了就趴在床沿打个盹，夜里花五元钱在留医部走廊要了个铺位休息。秋月一直昏迷不醒，我看着秋月苍白的脸色，忐忑不安，担心她万一就此长眠不醒，那我大好的政治前程从此暗无天日，跟她一起沉入永恒的暗黑世界。

我日夜守在秋月身旁，请不起陪床护工，也不敢回校叫人来换，更不敢通知秋月的同学来照顾，因为此事一旦传到校方的耳朵里，秋月肯定要被开除，秋月大概不会放过我，我也一样要卷铺盖滚蛋。

不明就里的患者及家属都说我作为丈夫真是难能可贵。了解内情的医生护士却没有受到丝毫感动，他们看我的眼神厌恶而不屑。正处于极度心虚状态的我，没有直面这种眼神的勇气，只能狼狈地躲闪。我每天凌晨空虚地睡去，然后在凌晨疲惫地醒来。

秋月住院后的第四天清晨，我从跟剩副主席同桌共饮的噩梦中惶然醒来。世间的噩梦通常都有美好的开头，我正在与剩副主席勾肩搭背，言笑晏晏地推杯换盏，副主席信誓旦旦，只要我从了他，便许我如何如何，我受宠若惊地敬他，却分明看见他端起的酒杯变成了明晃晃的锁铐，直向我套过来……一惊而醒，冷汗淋漓。

卷好铺盖，推开秋月的病房，里面静悄悄的，原来同室的几位病友昨夜出院了，空荡荡的病室让我的心越发空旷起来。窗外微弱的晨光透进来，秋月脸色如纸，瘦弱伶仃，躺在白色的床上显得纯洁无助。还是没有醒，我叹了口气，忆起噩梦中的场景，那刻的心悸依然真实。我轻手轻脚走到她床前，像往日一样，取出床头的脸盆，准备为她洗脸。那个整天在病房里出出入入的马尾辫护士进来，用一声浓重的鼻音发起挑衅。我装聋作哑，她大约终于被我的懦弱激怒，责问："早干吗去了——"她用这个城市的土著居民特有的含混不清的卷舌音表达着这个城市特有的居高临下的轻视表情，此刻，道德上的优越感更让她显得气势凌厉。

我无力亦无心反击，我已疲乏入骨，我有些怨恨地看着床上无知无觉的秋月。或者我并不是什么好人，但我依然不喜欢面对这种良心拷问。我摇了摇床头的暖水瓶，挺沉，揭开盖子用手指往瓶里探一下，水是凉的。我赶紧一手拿着脸盆，一手提着暖壶轻轻地拉门出去，走向走廊尽头的水房。水房的锅炉冒着"吱吱吱吱"的白雾，那位四十岁左右的水房师傅兼保安好像刚刚加了煤块，正在锅炉边仔细地检查着水管。我礼貌性地招呼："师傅早！"不料，他慢慢转过脸来，怒目注视我半晌，直到我躲开他的目光，他才从牙缝里挤出一句："你是不是男人？"

他两道浓眉下的眼睛里闪烁着愤怒的火焰，我莫名其妙，实在想不起什么地方得罪了他。大概他是开玩笑吧，我赔着笑脸道："这么……简单的问题，难道看不出来吗？"

"呸！"他听罢恶狠狠地啐了我一口，瞪着牛眼一样的眼睛，咬牙切齿骂道："你要算个男人……"

如果有第三者在场，我会认为不是冲我来的，可现在，水房里分明只有我和他在场，而且靠得那么近，他带着火药味的唾沫星子都溅到我的脸上了。

我胸中怒意陡生，怎么一觉醒来，是个人都可以指着我的鼻子骂？"当啷"，我扔下脸盆，卷起袖子，准备操起老拳，狠狠地回了一句"你这人是不是有病？我今天让你看看我是不是男人！"我猛然想起那个梦，于是决定做回一个本分的知识分子，"我要找你们的领导……"

师傅可能没想到我胆敢发飙，愣住，惊讶地看着我。良久，他狠狠地啐我一口："呸！就你这样还找领导？领导没找你，算便宜你了！"他越骂越来精神，骂一句，又啐我一口，"让自己媳妇刮胎，就自个野去，让她流血到昏迷，要不是房东遇见及时把她送来……你现在早待在局里啦！像你这种没有一点责任心的男人，算什么狗屁男人！你口口声声说你是男人……"

我的浩然男人气顿时化为乌有，他的话刺到了我的痛处。我心中难受，一脚踹开地下的脸盆，虚张声势地瞪他一眼，泪流满面地跑到秋月的病房。

秋月已然醒来，我却无半分惊喜。

清晨的医院格外寂静，秋月显然听到了骂声，她头朝着墙壁，双肩耸动。一股内疚惭愧的情绪淹没了我，我呆呆地站了一会儿，泪水止不住"哗啦啦"涌出。我一向有些清高，看不上陈成三那种男人，心底也不大瞧得起老独头，但现在，我再清楚不过地认识到，我也不过就是一个浑蛋，如此而已。我承认，我从未如此自厌过。

然而，作为一个男人，我要做的，是先安慰我的女人。也许用不了多久，我们就两两相厌，各走各的路，但至少，此刻，躺在病床上的这个女人需要我。我走过去，跪到床边，握住她的手说："秋月，你打我，你骂我吧……"

秋月的手心冰凉，我摩挲着，试图用我的手温暖她。她依然抽泣着，没有转身，但也没有把手抽走。我从后面抱住她，用尽我所有的柔情，她终于转过头，眼里没有我想象的恨意，却多了一种我从未见过的荒凉。

那种荒凉让我的心陡然一空，我抱得更紧，"我以后会对你更好，如果你要我的命，我也会毫不犹豫地奉献给你……"秋月的眼神亮了一下，突然伸手捂住了我的嘴。

事后，我有些怀疑，自己是否真的能奉献生命，不过，那一刻，我的确真诚无比！

第 16 章

光阴荏苒。转眼间，一九九四年暑假来临了。秋月大病未愈，出院后为了挣些学费和生活费，一俟放假就病恹恹地跑到位于天坛公园南门附近的一家公司打工去了。原打算假期留校跟秋月一样外出打工的我，觉得无论如何应该趁假期再次回家活动活动，筹措些钱来还债和交学费，否则，下学期总不好面对金布丁和李寿昌。李寿昌每学期初都因我的学费问题，亲自赔着笑脸跟研究生部有关领导沟通协调，但我一拖再拖，再不交那就太为难人家了。除学费外，金布丁也如热锅上的蚂蚁团团转着等我还债。当初，金布丁为了帮我给秋月筹款治病，当着朋友的面把胸膛拍得山响，说什么一两个月连本带息还清。

真他妈的！老子本来就债台高筑，偏偏又撞上秋月住院，真是屋漏偏遭连夜雨。唉，剩副主席啊，老子第一次跟你写文章喝酒，就惹出这么一个大祸事，莫非你不是我命中的贵人？……

暮色四罩时，我回到了家乡。翌日清晨，一觉醒来，窗外天色大亮，左邻右舍鸡犬相闻。

正当我准备起床时，家里的大黄狗上蹿下跳狂吠不止，显然，有生人来访。

"蒿草之下还有兰香，茅茨之屋或有侯王啊！"门外有一生人对着我破旧残败的老屋感慨不已。

正在灶间忙碌的母亲听到狗吠声，赶紧一边吆喝着大黄狗，一边磕磕绊绊迎出门外。

人还未进门，我就听到儿时一起进山掏鸟蛋下鱼塘摸鱼虾的村长何下里亮着嗓子大声道："博士是不是昨晚回来了？"虽然我读的是硕士，但乡下人不知什么是硕士，一概称我为博士。

何下里这几年一直做村长。我闻声赶紧迎出来，见何下里身边还跟着一个干部模样的年轻人。

何下里满脸堆笑，一副谦逊卑微的样子说："兄弟，回来啦？昨夜收工回来晚了，来不及过来看你……"我伸手拍了拍他的肩膀，笑着对他说："我们兄弟俩自幼都是相互巴掌垫着屁股长大的，这么见外干什么？小时候分鸟蛋鱼虾什么的，没见你这么客气过？"两人"哈哈"大笑。

我望了望站在何下里身后那位干部模样的年轻人，虽觉得面熟，但一时又想不起在哪儿见过。何下里赶紧介绍道："这是乡政府的方文书。"

方文书脸上堆出笑容，毕恭毕敬迎上来，握着我的手客套不已，我也打着哈哈，拍着他的肩膀，领他们到正屋让座。何下里并不进来，在屋檐下蹲着，一边卷着喇叭筒，一边跟正在喂鸡的母亲聊着今年的收成。

方文书进来后，站着不肯就座，我也只好站着陪他说话。方文书客套几句后开门见山地说："县政府陈副县长听说你回来了，昨晚连夜打来电话，说是盛情邀请石博士你参加县广播电视局下个月组团到香港澳门考察，特地让我今天来给你办理出境通行证，这次就是来跟你拿身份证和相片，中午我还跑县里让人办去，估计农历七月十四前后就出去。"

上次在京师党政大学跟陈成三分手后，他多次给我打电话，除了催促我帮他写论文外，还催我抓紧找京师党政大学的姚趋势帮他疏通各种关系，帮他摆平报考京师党政大学在职硕士研究生的事儿。有一次，他在电话里问我，暑假想不想到香港澳门潇洒走一回？当时我以为他开玩笑，便笑着说做梦都想去。

陈成三一言九鼎。一俟我放假回来，就派专人来给我办理出境通行证。

港澳游对我一个无权无势的穷书生来说，无疑是天上掉下来的大馅饼，而且还是西餐馅饼（彼时港澳均未回归）。可是，这费用总得两三千元吧，学费还没交一分呢，我哪来这个闲钱去周游香港澳门。

方文书好像看出我的顾虑，看看何下里正蹲着与我母亲聊天，便用手做成喇叭状，附着我的耳畔低声道："陈副县长让我转告你，这次随团出境考察，对外称你自费跟出去，但一切费用包括办证什么的，陈副县长自会帮你搞定，只是若有人问你，你就说是自费，免得有人说陈副县长假公济私。"

"能这样操作吗？"我明知故问道。

"这个你就放心好了，他堂堂一个副县长，分管县广播电视局，不说两三千元了，就算是两三万元也是小菜一碟。嗨，你就别替他操这个心了。"

"天上会有馅饼掉下来？"母亲好像后脑勺长着眼睛一样，突然转过身来嘟哝了一句。

方文书赔着笑脸道："按说天上是不会掉馅饼的，可有时……很难说，总之,该有的总归有吧……"母亲听罢,转着眼睛,显然不明白方文书说什么,半晌，又嘟哝道："你们的头儿肯定有事求雷儿，要不，怎么会无缘无故请石儿游山玩水去？雷儿呀,你自个也摸摸后脑勺,人家求你的事儿能不能办成，若是办不成,就不要跟去,免得日后人家戳你脊梁骨。"

两人相视一笑。

何下里抽完了喇叭筒，站起身来，笑了笑，对方文书说："时辰不早了，司机还在村口等哩。"母亲听罢,也嘟哝了一句,说："可不是吗,何下里他还要下地干活哩,哪有时间陪你们。"

我折回里间床头解开行李，翻出身份证来交给方文书，方文书正准备放进皮夹时，又晃到眼前瞟了一眼，不禁失声道："怎么是北京身份证？"

"我在北京读研究生,自然是北京的啦。"

"这、这、这恐怕不好弄。"显然方文书没有想过这个问题。原来，出境护照要在户口所在地公安机关办理，北京身份证只能在北京办理。

"你、你不是本地户口的吗？怎么没本地身份证？"方文书显然顾虑完成不了任务，回去难向陈成三交差，显得有点惊慌失措。

"本地身份证以前是有一张，但到北京上研究生转移户口时注销了。"

"交回派出所了？"

"交倒没交，可是，户口簿上注销了。"

"户口簿上注销不注销没事，你现在还能不能找出那张旧的？"

"应该可以。"

我到灶间叫母亲，费了不少口舌，向母亲解释了半天，母亲似懂非懂地回到床头翻箱倒柜。母亲在我北上读书后，将我的书籍笔记信封什么的，全一股脑儿锁进她床头那个她出嫁时外公送的梧桐木料做的三斗柜，平时谁要是翻弄一下，准让她骂个狗血淋头："这东西是你动的吗？我儿子用几十年了，说扔就扔吗？急时他还用得上。"被骂的人都笑她老糊涂，想不到今天竟应验了她老人家的话。

母亲很快就翻出那张旧身份证，我接过来瞅了一眼，笑道："有效期二十年，还没过期呢！"

方文书接过去，扶了扶眼镜仔细看了看，我说："放心，不会是假的！这是城关派出所给我办的，要是假的话，那城关派出所就是个造假窝点。"

方文书笑着出门了，可前脚刚迈出门槛又回过头来："差点忘记了，还要五张大一寸脱帽相片呢。"我一听，傻了，道："一时哪有这么多相片？"方文书眉头略为一皱，道："不知博士你现在有没有空？"我说："有，怎么会没有？"方文书于是说："走，到乡集上照。"我说："乡集上有那么快的相片吗？"他说："怎么没有？三分钟快相，就算十分钟吧，那也不误事。"

我洗漱完毕后，到灶间看母亲煮好粥没有，方文书却拉着我说："走吧，你都在农村长大，味淡过水的稀粥还吃不够吗？到集市上再吃吧。"

村子离乡集二十里路，北京吉普在泥泞的路上疾驶，不到二十分钟就到了乡里，司机把车直接开到了街头一家叫"快图美"的照相馆。方文书下车后径直走到照相馆门前，挥拳把门板擂得山响，老板穿着睡衣出来开门，一看是乡政府的人带人来照相，赶紧赔着笑脸，架起机子开照。

八月上旬，通行证就下来了。我提前一天赶到县城，第二天早上，跟随原单位全体人员共十五人，从县城乘县广播电视局的一台中巴到江海，在江海南园饭店下车，转乘旅游公司的大巴到珠海，在珠海住了一晚，翌日早上十点从拱北海关出关。澳门方面一周姓的导游小姐早已在关口那边恭候我们，全体人员过关后，即乘坐澳门方面的旅游车，前往下榻的粤海酒家。

澳门地方不大，据导游周小姐介绍说，整个澳门面积仅四十多平方公里，人口四十多万，从市中心不管向哪个方向步行，不出四十分钟就能走到海边。

在粤海酒家安顿下来后，导游小姐宣布，下午和晚上自由活动。导游小姐安排妥帖后，又返回拱北海关接团，说好明天上午八点整来宾馆接我们到市区景点参观。

大伙中午睡了一觉，起床后纷纷相约外出购物。几位女同志颇想前往周大福金铺购买金首饰，但又担心人生地不熟，纷纷约男同志保驾护航。

物以类聚，人以群分。我与办公室苏主任、支部书记老贾三人平时言语不多，女同志都不愿找我们外出，我们三个自成一伙，下午起床后也结伴步行去市中心。三人到大三巴一带转悠，后来路过一家玩具店的时候，老贾看中了一个电动小马车，花了一百澳元买下，笑说好歹也有件礼物回去向儿子交差了，免得儿子说我压根就没到过澳门。不知不觉两个小时过去了，三个人走得腰酸腿痛，当我们东倒西歪在一个长条椅上休息时，老贾把玩着刚买来的电动小马车，突然发现说明书上写的厂家地址竟是江海郊区某乡镇企业生产的，三人捧腹大笑，老贾委屈地说，本想给澳门人民做点贡献，没想到还是帮了家乡人民。

休息约半个小时后，三人继续往前走，远远看见一座高山，高高的山顶上有一类似电视发射天线的铁塔，从地图上看，翻过此山，即是我们下榻的粤海酒店。三人自信不会迷路，都说前面的高山就是指南针。

华灯初上，弹丸之地的澳门光影璀璨。我们三个不知不觉走到了一处码头，看看方向，离大山远些，又折回原路往山腰上的公路走，孰知越走地势越高，直走到三人筋疲力尽才发现还是错了。此地除了高速奔驰的车辆外，只见房子，却不见人影，小卖部之类就更不用说了。虽望见粤海酒店就在山脚下，却没有路通下去，唯有沿着盘山公路继续往前走，可越走离酒店越远。想想七点钟集体用餐，晚上统一集中前往葡京赌场参观，三人不免有些紧张。

苏主任是复退军人，在对越自卫还击战中立过战功。他很不服气，"他妈的，老子在越南的高山丛林里都犹如无人之境，还走不出这个巴掌大的地方？！"他提议不必走弯路，干脆从山腰上的小路滑下去，直取粤海酒店。说罢停下脚步，伸出右手掌，眯着左眼，目测一下，道："直线距离大概五百米，跟我来，预备——跑步——走！"

随即，他一个飞身，跨过路边一水坑，带我和老贾冲入半山腰。山腰树林茂密，灯光暗淡，越走路越窄。不久，前方突然传来狗吠声。我寻声望去，看见一只正仰头伸舌头龇牙咧嘴狂吠的恶狗被推了个阴阳头，耳毛乱蓬蓬的卷作一团，全身的毛凌乱且脏，我觉得这狗似曾相识，肯定在什么地方见过。这样想着，我又揉了揉眼睛，睁大眼睛细看，终于看清了它左眼上长着一块三角伤痕，我如梦方醒，这就是草根女儿送给我的那只杂种狗，左眼上那一块三角伤痕是草根用木屐击打留下的印记，可它长大了，长得我几乎认不出来。

但我很快又否定了，这儿不是北京，而是澳门，草根送的那只杂种狗虽也长大成狗了，可它分明在京城的李寿昌家里做京城狗享受荣华富贵，而眼前这只狗不过是流浪狗，绝不能同日而语。

开始是一两只，后来是一群，我们低头弯腰掰开树叶仔细看时，远处灌木丛中，有一个用铁栅栏圈成的铁屋子，铁屋子里一群壮如小牛犊的不知名的恶狗，不断用前爪抓着栅栏，龇牙咧嘴向我们狂吠。我仔细察看地形，原来眼前并无路可走，苏主任所谓的半山腰上的小路只延伸几丈远就消失。恶狗们好像被病菌感染一样，吠声一片，越叫越凶，但却不见一个人影。

平素胆小如鼠又患有心脏病的老贾见势不妙，早已后撤数百米，却苦于前方无路灯，生怕林中会冲出恶狗，立在原地，颤声求道："阿——苏——！快——快——撤——退！"

苏主任胆子壮，还在沉着地研究恶狗，我夹在他们两人中间，眼睛却在地上搜寻木棍或石块之类，万一恶狗冲破铁栅栏扑出来，也可以与其对打，但老贾又发出哭声："阿苏，快走，人家若开闸放狗，我们就跑不掉啦！"

话音未落，两条小牛般的恶狗跃出铁栅栏，向苏主任扑来，我举起一条米把长碗口粗的木棍，冲上前去，抡起木棍呼呼作响，苏主任也双手高举起一块摩托车头盔似的怪石，狠狠地向恶狗砸去。

两恶狗也是欺善不欺恶，被木棍击打及石块迎头砸中后，夹着尾巴仓皇逃窜回去，那狗屋顿时乱作一团。一会儿，我们听到有人在狗屋里说话，我们担心他们真正开闸放狗，赶紧后撤。

我抡起木棍殿后，苏主任搀扶着两腿发软的老贾急忙向山上跑去。刚到半山腰公路，正好有一辆出租车驶来，苏主任连忙招手，车停了下来，苏主任将老贾推上车，回头又从路边抓起两块石头，大义凛然地喝一声："快快上车，我来掩护！"不愧是共和国的战斗英雄，此时，苏主任颇有点不减当年的风姿。我铆足了劲将木棍向追来的恶狗掷去，然后头也不回地钻进出租车。恶狗见木棍迎头飞来，又赶紧夹着尾巴逃命，逃出几十米，见并无危险，马上掉头狂吠着反扑过来。这时苏主任以一个标准的投弹动作将两块石头扔了出去，估计是打中了，恶狗们"嗷嗷"叫着逃窜回去，我们关上了车门绝尘而去。

"这地方是黑人黑户的，这群恶狗还不知道是黑社会还是没主人的流浪狗呢，最好还是别招惹它们。"车开了，将恶狗远远摔在后面后，司机边开车边说。"你们内地来的吧？最好别去那种没有路没有灯光的地方，澳门这地方不同内地，这里的支柱产业是吃喝嫖赌，五毒俱全的人大把。"听司机这么说，我想起了中午跟酒店保安聊天的事来了。午饭后，我到酒店大堂告诉前台服务小姐下午三点整叫醒我们，说罢，便打着呵欠回房休息，走廊的一位保安见我睡眼惺忪，嘲笑道："内地来的吧？怎么来这里睡觉，澳门吃喝嫖赌样样有，是名副其实的男人天堂，你来天堂睡觉，靠，是不是男人啊？"

晚饭后，全体人员整装待命。支部书记老贾郑重其事地交代注意事项，他清了清嗓子一身正气嘱咐我们："同志们，我们去葡京赌场，主要是考察资本主义的腐败现象，进一步增强拒腐防变能力，所以进入赌场后，一不要参赌，二不要单独行动……都听清楚了吗？"

"清楚了！"声音整齐划一。

"出发！"老贾一声令下，队伍浩浩荡荡地向葡京赌场进发。

据说，澳门的夜生活从十一点左右才开始，当然，葡京赌场是一天二十四小时都开赌。粤海酒店离葡京酒店不远，步行二十分钟就到了。快十点时，我们从侧门步入葡京赌场。导游周小姐上午在接我们回酒店的车上介绍说，澳门超过五成的收入来自博彩业，葡京赌场这间设计独特的酒店是澳门的地标之一，它的形状像一个鸟笼，据说此乃风水格局，象征金钱有入而无出。而赌客也有其增强财运的办法——在赌场门外的狮子像上涂上猪油，此举象征着无往而不胜。

我们进入赌场门口时，经过了几层红外线安检。进入里边后，全都规规矩矩站在旁边观看。赌老虎机赌大小赌扑克的应有尽有。但完全出乎我们尤其是支部书记老贾的意料，整个赌场，并不像我们从影视里看到的那样乌烟瘴气险象环生，而是安静有序，工作人员都统一制服，小伙子长得文质彬彬格外帅气，小姐们斯斯文文分外清秀，据说，赌场里的工作人员每三小时要换一下岗位，这样可以避免晦气。

进入赌场半小时后，大伙渐渐放松了紧绷的神经。慢慢地三五成群地四处散开，我与苏主任老贾一伙，这里看看，那里瞧瞧。我手头倒是有五六百元，但万万不敢下注，从上次在北京买彩票的教训我就很清楚自己的秉性了，要么就过过眼瘾，要么就一出手输个精光。资本主义不比社会主义，在大陆输光了就跑，在澳门输光了会有人主动借钱给你继续玩，再输光了又借，直到你输得倾家荡产还不算完，黑社会会指点你去偷去抢去挪用公款，一旦到了这一步，你离死也就不远了。我一个受党和政府教育多年的研究生，这个定力还是有的。

约定十二点半在大门口集合回粤海酒店。我们看看表，还有时间，三人便向门口走去。赌场外面的走廊迂回曲折，廊檐上的霓虹灯一闪一闪地传递着纸醉金迷的气息。突然，苏主任猛地拉了拉我的衣袖，好像发现了新大陆，两眼发亮地叫道："放电！放电！"

我还未回过神来，又见苏主任一边躲闪，一边一脸坏笑地说："啧啧，身材高，都一米七以上，啧啧。"末了，又骂道："这些人来澳门混几年，捞个几百万，再回去找个人嫁了，再投资地方经济建设，有兴趣的话，再花钱弄个人大代表或政协委员当当，别看你读到硕士，还真不如这些卖笑的风尘女子呢！得啦，明天到妈祖阁我也烧个香许个愿，来世投胎做个靓女……哈哈哈哈。"

三人在大门边安全地带休息了一会儿，看看时间还早，又在门边转悠了半小时，也不见一个同伴出来，渐渐又觉得有点无聊。苏主任兴许觉得接受小姐们放电也是一种快感吧，怂恿我再进去看看，两人觉得画饼兴许还真能充饥，安置老贾在门边休息后，两人找了个借口又向走廊那头走去。可刚一抬脚，老贾哆哆嗦嗦地追上来抓住我的手，看得出来，老贾有点害怕。我赶紧安慰老贾："别怕！这是什么地方，黑社会的地盘儿啊，黑社会是干什么吃的，那是靠江湖规矩混饭吃的一帮子人啊，你就一百个放心吧，只要你不招他，他绝对不会惹你的！"苏主任也过来凑热闹："放心吧老贾，您是什么人啊，大小也是一个党务工作者，他们敢把你怎么样啊？别忘了，我们的背后有一个强大的祖国！"

好说歹说才把老贾留在了原地，苏主任拉着我又杀了个"回马枪"。两人刚走出十多步就碰到两个花枝招展的女人迎了过来，这两个妆化得太浓太艳，油黑锃亮的眼影、猩红的嘴唇、厚重的粉底，横看竖看都像《画皮》里的女鬼。

苏主任在对越自卫还击战中见过无数裸奔的越南女兵，那些女兵专门诱惑年轻的解放军战士，妄图达到分散注意力瓦解战斗力的目的。而我们苏主任的能耐就是，既能在精神上充分地强奸她们，又能在战斗中不动声色地消灭她们。今天苏主任果然表现出了高度的坦然与镇定。他回头望了我一眼，低声向我发出了警戒："注意，她们是一对一战术。"说罢，伸手拉着我立在原地不动，俨然摆出一副"人不犯我，我不犯人"的架势。不料，对我围追堵截的那位女郎走近我面前，眨了几下魔鬼眼睛，脸上绽开一朵笑靥，见我没有表示出反感，便伸手搭在我肩膀上，笑道："先生，不要这样好不好？我们服务很周到的啦。"

"谢谢，我有事，改、改、改天吧。"我的心一下子提到了嗓子眼，别看我平时挺花花的，但那是在祖国的腹地，真到了阶级斗争的前沿阵地我立马就阳痿了。我拉起苏主任想走，堵截苏主任的那位突然转向我，道："一起去玩吧，看你们是内地来的，也不常做这种事，给你们六折优惠吧。"说罢，她把眼光从苏主任脸上移向我，就在四目相对的那一瞬间，两人突然像触了电一样呆住了——

"你是……"

"周素菊……是你吗?……"

周素菊像个泄了气的皮球，低头望着涂成花花绿绿的脚趾甲，半晌又挤出了一句:"怎么会在这里遇见你……"声音小得如受伤的蚊虫在呻吟，泪水却止不住涌出了眼眶。

听到这熟悉的乡音，我肯定，她就是为给我筹集学费而失去音信的周素菊!

苏主任这次是真的傻了眼，半晌才大梦方醒，指着前面一个环形的茶座哆哆嗦嗦地道:"真、真巧呀，到、到前面坐坐吧!"

周素菊恨不得有条地缝钻进去，脸色由红变紫，又由紫变白，最后变得如刚从冰窟里走出来的僵尸。怔了半天，突然双手掩面，凄厉地一声号啕，然后消失在大门边摩肩接踵的人流里。

俗语说:一日夫妻百日恩。我极力想把周素菊从脑海里抹去，但是我却做不到。尽管我明知自己早已跟她分道扬镳，尽管明知自己已经拥有了秋月，但我无法说服我的情感。夜里，跟周素菊过往的点点滴滴就像是午后绵绵的细雨，缓缓地洇湿了我所有的记忆。

一九七七年冬天，县政府为确保全县在来年七月份全国高考中取得好成绩，特地组织全县十五个公社中学的高二年级进行了一次模拟考，将文理科模拟考成绩优秀的一百位同学选到县中学。作为全县高考重点班，县里组织师资力量对这两个重点班作考前最后一个学期的重点辅导。我和周素菊同时被选入文科重点班。

周素菊长得十分清秀，圆黑的脸庞上嵌着一双明亮的大眼睛。因为她几乎春夏秋冬总是轮流穿着几套漂洗得发白的工作服，班里不知谁给她取了个"贫下中农"这么个绰号。可简朴的着装却无法掩住她那四射的青春魅力。周素菊不但人长得眉目清秀，学习上也格外刻苦，成绩好得令人嫉妒。

为了保护这棵重点大学的苗子，入学后不久，班主任特意安排周素菊住到教工宿舍区水房旁边一间用教工柴房改造成的单人宿舍，这是当时一般学生不敢奢望的。她一人住那里，环境恬静，用电不受限制，晚上可以随意开夜车，饿了还可以偷偷用电炉煮些面条，而我们住在学生宿舍区的集体大宿舍里，每晚熄灯钟敲过许久，吹口哨唱歌打水洗脸等嘈杂声仍此起彼伏，跟农贸市场没啥两样。

在那个刚刚恢复高考的岁月里，高考的竞争几近惨烈。对农家子女来说，脱离农门的唯一跳板就是考上大中专学校，正所谓"自古华山一条路，唯有高考有前途"。不像这些年，考不上正式大学，还可以花些钱读自费或读攒助或读私立什么的，或者干脆下海经商，或到沿海打工，总之，条条道路通城市。那年月，全县十五个公社，每个公社都设有一两所高中，还有一大批受耽搁的老三届也来挤高考这座独木桥，考大学的人太多，而录取的不过是参加高考人数的百分之二三左右，可谓是凤毛麟角。

周素菊本来成绩就好，模拟考时她考了全县文科第一名，再加上她出众的外表，所以她一迈进教室门槛就成了全班的焦点。

我在模拟考中考了第二名，超越周素菊成了我学习的动力。背地里我暗暗观察她的一举一动，期望找到她取得好成绩的一些窍门。

不久，我发觉每晚自习课后，她仍伏案苦读，只有待我走后，她才离开教室。渐渐地，我开始有点纳闷。是啊，她为何不利用她那安静明亮的小柴房呢？后来我才明白她是跟我暗中较劲明里鼓劲。

随着高考逼近，状元和榜眼之间的关系渐渐变得微妙起来。尽管两人都不说，但偶尔四目对望，两人脸庞还是止不住蓦然腾起两朵滚烫的红晕，心底蹿起一股温暖亲切的情思，这种情思化作一股美好纯真的期望，也化作了我奋发向上的强大动力。

有一天晚自习时突然停电，教室里一片哗然，不少人纷纷走动。黑暗中，我觉得一个影子突然从我身边闪过，手还碰了我一下，正当我莫名其妙时，天花板上的灯管启辉器"咯咯咯"地闪了几下，炫目的灯光又亮起来了。

我揉着眼睛，想尽快适应突然而来的灯光。正在这时，同桌的班长不禁惊呼道："这是谁的……"我睁眼一看，发觉摊在我面前的课本上面，摆着一张两寸大的黑白相片。说时迟，那时快，班长抢在我的前面将相片夺了过去，天哦，竟然是周素菊的相片！

相片里，周素菊那双大眼睛含情脉脉地望着我。班长以为是周素菊无意丢下的，正欲扔给坐在前面的周素菊，可定睛一看，相片背面居然还有一行隽秀的钢笔小楷：

雷，让我们比翼双飞，飞向那理想的彼岸！

周素菊的举动不亚于往平静池塘丢了一颗土制的手雷，甜蜜的冲击波虽然并不强大，却足以让我这条情窦初开的小鱼儿幸福得差点翻了肚。20世纪70年代的中国，男女授受不亲的封建主义思想的余毒还未彻底肃清，资产阶级生活情调的帽子又无情地扣在了我们头上。在这两座大山的压迫下，中学时代的男女同学之间压根就不敢说一句话，谁要是跟谁搭讪了几句，就马上被怀疑是有了那种意思，一旦被怀疑有那种意思，轻则通告批评找家长做工作，重则直接开除学籍。

　　不知何故，班长没有将相片还给周素菊，而是悄悄将其塞入抽屉里后，低头默默翻书。我望他一眼，见他脸色严峻，眼睛盯着别处发呆。

　　我心乱如麻，不断望着坐在前边不远的周素菊，看得出她极力作出一副专心致志的样子。真不知她下了多大的决心，鼓起了多大的勇气啊！也许，她真的解脱了，可我却无法平静下来，一想起周素菊大胆的表白我就几乎要窒息过去，书本摊在面前，书上的公式、符号变成一只只挠人心窝的虫子，让人心神不定。

　　班长看在眼里，急在心上。他伏在桌上，把书本翻得"哗啦啦"响，好几次提起笔，刷刷刷地写着什么，又很快地将纸条揉成一团扔到窗外。大概一个小时后，下课的钟声"当当当"地响了，班长突然起身对我说，到外边谈谈吧。

　　两人来到教室后边一棵桉树下，班长劈头就骂："石明雷，你父母节衣缩食，送你来这里干什么？"

　　"……我相信我们都会克制……"我想起了周素菊写在相片背面的那行钢笔小楷，又补充了一句"我相信我们能够比翼双飞……"

　　话没说完，班长便粗暴地打断："当局者迷，旁观者清。你呀你，都什么时候了，居然还敢做这种美梦！你是农村来的，不怕一万，就怕万一，我现在不是以班长的身份来处理这事，而是以好兄弟好朋友的身份来处理，我要对你负责，对你父母负责，明白吗……"

　　班长见我一副难为情的样子，突然一把攥着我的手，说："一定要找周素菊当面锣对面鼓地讲清楚！不把这事讲清楚，你和她两人都得完！"我觉得这样做对我与周素菊来说都太难为情了，可是，班长的语气没有任何商量的余地。

　　我只好随着他一起向教工宿舍区的水池边走去。房里就周素菊一人。一见面，班长就"啪"的一声把相片拍到她桌子上，铁青着脸向周素菊发难：

"周素菊，我问你，你父母含辛茹苦送你来这里图个什么？你知道大伙为什么都叫你贫下中农吗？"周素菊一眼望见那张相片，怔了一下，什么都明白了。

班长并没有饶她的意思。

"你以为石明雷来这里读书很容易吗？这个时候做这种事，害人害己！"班长的话犹如一条碗口粗的棍子，狠狠抽打周素菊那纯真稚嫩的心口。她的脸先是渐渐变红，又渐渐地变紫，最后，又渐渐变成白纸一样苍白。

"相片退还你，高考前休得胡思乱想！"临走班长又丢下一句话，"石明雷是我的好兄弟，如果他高考中有个闪失，我绝不会轻饶你！"

周素菊眼眶里的泪水止不住涌了出来。她好几次抬起头，望了望缩在门角落里的我，嗫动着嘴唇欲言又止。最后，她终于忍不住伏在桌上抽泣起来。看着她那柔弱的肩膀上下抽搐，想想我们还在萌芽里的懵懂初恋，我也无法控制自己，狂奔着跑到足球场整整哭了半夜！

那年夏天，班长考上了西河师院政教系，我考上全国重点大学华东大学新闻系，周素菊却出乎意料地考了省里一所中等师范学校。她这个成绩，大多数师生都不相信，教务主任与班主任曾双双跑到地区招生办要求查卷，可结果还是令他们难以置信……

第二天清晨还未起床，突然传来轻轻的敲门声，我与苏主任同时惊恐道："喂，有没有搞错啊？"

我跳下床，趿着拖鞋，跑到门边从门板上的猫眼向外瞄了一眼，我不禁吓了一跳——来人居然是周素菊！

我转回身来对苏主任说："不好意思，她来找我，你快点起来吧。"苏主任赶紧穿好衣服下了床。周素菊又敲了敲门，叫着我的名字，我把门开一条缝，眼前的她一副良家女子打扮，与昨夜判若两人。

周素菊没有进来，只是笑着问："今天你们有什么安排呢？"

我告诉她说，今天主要是自由购物，也没有其他安排。周素菊便提出今天带我出去转转，我说，那太麻烦你了，哪好意思呢？她吸了一下鼻子，眼圈红了，忍了忍，道："你就给我这个面子吧，好不好。"我脑子一时如一团乱麻，不知该不该跟她出去，但又不忍心看她落泪，终于点了点头。

周素菊显得很高兴，脸上露出了灿烂的笑容。她伸手推我进门，说，你再睡一会儿吧，我在下面大堂等你。

我回了房间，看看时间，已是七点多了。大家昨夜回来太晚，几个房间还是鸦雀无声。我让苏主任转告老贾，我有点私事请假一天。

"去吧去吧，晚上也不用回来了，我保证找个借口帮你骗过去。"

我说，肯定回来，不回来我住哪儿？苏主任诡秘地笑了笑，说："机会难得，别回来了，"我说："他妈的，把我看成什么人了？我一定准时回来的。"

周素菊坐在大厅的沙发上低头看着一张酒店简介，她今天没有化妆，穿一件开领较低的粉红短袖衬衣，下身穿一条洗得灰白的牛仔裤，她这身打扮让我想起了大学校园里的清纯女生。

周素菊问我昨天都去了哪些地方？我一一列举出来，听罢她又用一种恳求的眼光望着我，"用完早餐后，你陪我去妈祖阁烧香，然后我们再四处走走，顺便购物。如果时间允许的话，晚上到我住的地方看看，你看可以吗？"

我对她的安排没表示什么异议，我这个人在吃喝玩乐方面没什么原则，随人家高兴吧，不过对于去她的住处我有点顾虑，"去你住处就太麻烦了，也不太方便吧？"

"我就住凼仔区附近，我一个人租一间房子，很安静，没什么麻烦的，也没什么不方便的。"

我见她态度坚定得脸都涨红了，就不再坚持。

在酒店中餐厅吃过早餐已是八点了，出了门周素菊叫了一部出租车，直奔妈祖阁。在车上，周素菊当起导游来了。她说，妈祖阁俗称天后庙，相传天乃福建莆田人，又名娘妈，能预言吉凶，死后常显灵海上，帮助商人及渔民消灾解难，化险为夷。

一会儿，出租车开到了位于澳门东南方背山面海的妈祖阁。妈祖阁由大殿、石殿、弘仁殿、观音阁等建筑组成。正门并不大，飞檐凌空，"妈祖阁"三个大字金光闪闪，两边对联分别是"德周化宇"和"泽润生民"，两只镇门的石狮，在晨风吹拂下，显得特别的庄重、肃然。

尽管太阳刚刚升起不久，但烧香、敬拜、游览、拍照的人已经摩肩接踵。其中，还夹杂着不少外国人，来的人大都很虔诚，从他们的身上你能体会到一种虔诚的力量。

两人在大殿和石殿里外看了一番，拍了一些照，然后便沿着山麓的小径拾级而上，去最顶端的弘仁殿。这座殿有一个很大的特色，即位于石窟间，是一座掘石窟而成的石殿。殿内壁上，雕刻着许多不知名的神像，中央坛上，供奉着神色端庄秀丽的天后妈祖。殿的四周，古木参天，秀竹婀娜，在晨风中轻摇慢摆。

我不信佛，更重要的是，一炷香要三十多元人民币，我实在舍不得。周素菊下车的时候就径直到士多店请了两炷香，买了两束鲜花。她递给我一份，我只好跟她一起做烧香叩拜的仪式。

我实在不谙习这些繁缛的仪式，平时过年过节家中也时常烧香，有时母亲让我烧，但我一直对这些仪式一窍不通。有一次母亲问我说，你在外头做事逢年过节烧不烧香？我不假思索说，饭菜弄好了就吃，还烧什么香！母亲听罢，伤心得老泪纵横。

周素菊解开香炷往火炉上点，"这段时间每逢初一十五我都来这里烧香。"

"灵验吗？"

她笑笑，没有言语。

我燃着了香，往香炉里插好，装模作样拜了几拜便退了出来。

周素菊就认真多了，她微闭双目，嘴里喃喃自语，每一叩首，额头都深深地贴到地面。做完仪式，周素菊又走到功德箱旁塞了几十元钱，做完这些她才缓缓地走了出来。我看见她两眼红肿，脸上布满了泪痕。

两人向出口走去。周素菊依然沉默不语，我也不好开口说话。我想，大概她还沉浸在向神灵的忏悔与救赎之中。

上了出租车，她吸了一下鼻子，望窗外向后急促掠过的海面，渐渐回复了先前的平静。车轮辗上跨海大桥时，她问我："刚才你许了什么愿呢？"

我一时语塞。烧香的时候我的心思早就开了小差，到底许没许愿或许了什么愿我还真说不出来。倘若佛法真的无边，不知道会怎样处置我这样一个阳奉阴违的人。

入夜，两人打车到氹仔岛，那里食肆林立，驰名港澳的木偶葡国餐厅也在此落脚，专营烤肉、啤酒的露天摊档热闹非凡。

我们在一间食肆买了几样熟菜，又要了几瓶红酒后，两人就步行回周素菊的住处。

周素菊在氹仔湾西堤闹市一幢三十多层高的楼房里租了一间一居室，透过窗户，依稀看到大半个澳门的夜景。房间里没什么特别摆设，一张席梦思床，一张小桌子，还有一张梳妆台，房间里弥漫着淡淡的芳香，壁灯散发出粉红色的光，让人很容易沉浸在梦幻中。

周素菊在小桌子上铺下果菜，打开了一瓶葡萄酒，羞赧地把我按在一小张红色塑料椅子上后，她自己走到床沿，在我对面坐了下来。

两人边喝边聊，酒至微酣处，周素菊断断续续向我道出了她沦落此地的前前后后。原来，我上研究生后，为了给我筹措学费，她就向学校打报告办理了停薪留职，跟乡集上一位韦姓的同乡前往海城打工，但到海城后才发觉，像她这样仅仅拥有函授大专文凭的特别难找工作，找到的工作每个月也只有五百多元，这个数目除了租房和伙食，根本就不可能有余钱。后来又被两家公司以交服装押金为名骗去最后的五百元钱，由于身无分文，心情极度焦虑。她也不敢写信告诉我，生怕我过于担心而影响学业。走投无路之际，听说传销很能来钱，又跑去参加了传销，通过写信发展了几位中师同学来参加……传销害人，周素菊不仅挣不到一分钱，还差点赔进了性命。

后来，一个偶然机会，看到电线杆上贴着一则招聘广告，说澳门某酒楼招服务员，月薪八千澳元，相当于人民币六千元，周素菊不禁心动了。本着试一试的念头报名面试，不料，面试当天就被录取了，这样就来了澳门。

到澳门后，她发现根本就不是什么酒楼服务员，而纯粹是来做人肉生意。周素菊死活不愿意，可证件什么的都给人家扣起来了，不做满三年，不让回去。起先不管老板如何劝说，周素菊坚决不答应。后来老板恼羞成怒，使出了惯用的"杀鸡儆猴"恶招。他们把周素菊脱得一丝不挂后倒吊起来，老板牵出一只小牛犊一样的恶狗，恶狗看到倒吊的浑身剥得精光的周素菊，一边狂吠着，一边欲挣断铁链向她扑来，嘴里吐出阵阵血腥味。老板说，今天如果再说个"不"字，就开闸放狗。看到一个同伴被恶狗扑上来撕咬着乳房，周素菊双眼一黑，失去了知觉。当她醒过来时，发现自己躺在医院的病床上，一问护士，原来，老板将她们几个全送到医院进行子宫收缩、隆胸。又过了一个月后，就开始接客给老板赚钱。

周素菊说到这里，默默点了一支烟，"大概是命中注定吧，现在我认命了，为了赚钱，我像一台机器，日夜不停运转……"

我也听说过，在澳门像周素菊这样的妓女，每接一个客人可得几百元，到赌场揽客收入还更多些，可是，这些钱的三分之二都落入了所谓的担保人或中间人手中，真正到妓女手中的所剩无几。

听着周素菊如泣如诉的诉说，我浑身如坐针毡。周素菊误以为我在找烟，便打开银色的坤包，掏出一包洋烟递给我，我抽出一支后，她又拿出打火机给我点上，凑着她手上的打火机点烟时，我看到她的手微微颤抖。

我深深吸了一口烟。窗外的凼仔湾灯光闪烁，海水轻轻拍打着桥墩。环绕凼仔岛的跨海大桥是一座不夜桥，就如一条金光闪闪的火龙，据说，澳门政府每年都在桥上举行大型赛车活动，不少车手连人带车翻落大海，成为澳人的一大乐事。

　　"也许我们以后很难再有机会见面了。"周素菊突然哽咽着啜泣起来。

　　我递给她一张纸巾。

　　"说不定我哪一天就死在这个岛上的哪个角落里了……"

　　我赶忙安慰她，不会走到那一步的，一切都会好起来的。

　　澳门的治安不错。这可以从大街小巷两旁泊满各种各样车辆看出，不少车根本不用上锁，这在内地是不可想象的。澳门四面是海，偷来的车根本开不出去，这真是一个插翅难飞的地方。

　　周素菊为什么说到死呢？难道她也觉得这孤岛让她成了瓮中之鳖吗？

　　周素菊又开了一瓶酒，两人又喝了几杯。虽然我们不再是夫妻，但曾经的刻骨铭心的爱我是无法抹去的。这么想着，我主动敬了她一杯。

　　周素菊显然又想起了伤心的往事，喝了几杯就伏在床上"嘤嘤"地抽泣起来，眼前的情形我再也熟悉不过了，一如当年她为我们美丽的初恋流泪的样子。我起身走过去挨着她坐了下来，伸手拍打着她的肩膀，替她擦去脸上的泪水，她的哭声更大了，双肩不断抽搐着，脸上、头发上、手臂上全都浸满了泪水。她的哭声饱含着太多的磨难与不幸，蘸满了太多的期望与失望。

　　我到卫生间拿来了湿毛巾，低头给她轻轻抹泪。抹着抹着，她突然坐起来，不容分说张开双臂抱住了我，当我还没反应过来时，她那湿漉漉的脸庞贴上了我的脸，滚烫的双唇紧紧封住了我的嘴唇。我被这突如其来的激情所掳，也伸手将她紧紧搂着向床上倒去……

　　我突然想起了性病，甚至想起了艾滋病。澳门是一个世界著名赌城，追随赌徒而来的有各国浪荡女人，大概全世界上任何一个角落能发生的性病，都有可能传染到这里来。我不禁有点担心起来。到后来，我越想越后悔，终于坐不住了，跳下床向卫生间奔去，用洗浴液将下身洗了一遍又一遍，直到周素菊过来敲门时，我才光着身子出来。

　　"台风"过后，海面一片寂静。周素菊坐在梳妆台前，默默地梳理瀑布般的秀发，我穿好衣服走到她的身后，她轻轻放下梳子，转过身来，双手紧紧地搂住我，"今晚就住这里吧。"

"不行！不行！"我回答得近乎残酷。

"这会影响……"我本欲说，会影响我的政治前途，但话到嘴边，又改口道，"会影响你的身体……"

周素菊抬腕看了一下表，差不多十二点。"那……让我送送你吧……"她的声音哽咽了。出门前，周素菊递给我一个信封，里边是一些钱，她把信封塞进我的怀里，说："一旦给你挣够了学费，我就马上给你寄去。"

门外一阵夜风吹来，我浑身打了一个哆嗦，一股酒气直冲我的喉咙，我强行将酒气压了下去。周素菊见我欲吐不吐，欲咳不咳，泪水溢出眼圈，赶紧返身回房间拿了一沓纸巾递给我，我接过来后，别过身去拭泪时，目光越过窗户，泪光中看到了远处山顶上静静伫立在夜色与路灯中巍峨而沧桑的大三巴牌坊，一股沧桑感霎时迎面扑来，耳际仿佛有人在如泣如诉地吟唱着《七子歌》：

> 你可知"Macau"不是我的真名姓？
> 我离开你的襁褓太久了，母亲！
> 但是他们掳去的是我的肉体，你依然保管着我内心的灵魂。
> 三百年来梦寐不忘的生母啊！
> 请叫儿的乳名，叫我一声"澳门"！
> 母亲！
> 我要回来，母亲！

第二天早上，我们离开澳门乘客轮前往香港，在驶往香港维多利亚港的途中，我毫无心情欣赏海景，我伏在桌上，心情沉重，澳门陆地海岸线的繁华喧嚣在海面氤氲的水汽里渐渐远去直至消逝……

"博士！博士！你这是怎么了？你这样做梦也未免太夸张了吧？该不是发羊痫风吧？"船快到维多利亚港时，苏主任使劲摇醒我，我醒过来后，发觉自己气喘吁吁，几近虚脱。

苏主任见我脸色苍白，头发湿漉漉的如刚从水中捞上来一样，伸手摸了摸我的额头，关切道："你刚才浑身颤抖，似乎挣扎着，想叫又叫不出来，是不是做噩梦了？"我抹着头上的汗水，觉得刚才的梦境实在太恐怖了，简直令我不敢相信是在做梦。梦里，我与周素菊同床共眠，突然，一只凶恶的大狼狗狂奔而来，它一跃就扑上床来，我怒吼一声，定睛一看，狼狗并不是咬我，而是两只前爪搭在周素菊胸前那两只丰乳，那锋利的尖牙正在向周素菊两只经过多次隆胸而膨胀得有点变形的乳房咬去……我怒不可遏抓起床头的台灯向狗头砸去，不料，那狗的利爪竟然变成了我的双手……

从港澳回到家里，村长何下里就屁颠屁颠地跑来对我说："前几天，那牛乡神泉村的草根听说你放假回来了，特地托我们村赶集的人回来捎话给你，叫你入学前务必抽时间去他家一趟。"我问有什么事，何下里却说，草根也没有细说，只是告诉你要去一趟。

提起草根，我不由想起了他女儿招弟送给我的那只杂种狗。李寿昌之所以对我这么好，多次出面找研究生部领导协调，一再想办法帮我缓交学费，显而易见，那只杂种狗立下了汗马功劳。

我绞尽脑汁冥思苦想，也想不出草根会有什么紧要的事找我。我本不想去草根的家，毕竟那牛乡离我家也有六十多公里，虽有长途班车，但道路崎岖不平，来回一趟也得一天时间。转而一想，每天待在家里也无所事事，到草根家喝点酒也不是坏事。于是，在开学前几天的一天中午，我在乡集公路边坐上了开往那牛乡的长途班车。

掌灯时分，我来到草根家门外。由于事先没有告诉草根哪一天来，草根并不在家。我独自一人站在门外看着草根那间百年的老屋，墙上泥土风蚀雨淋，斑驳的屋檐伸出的匣子大部分已经腐烂，几片长满青苔的瓦片随时都有掉下来的可能。墙壁四周喷着横七竖八颠三倒四的猩红标语：

> 谁不实行计划生育，就叫他家破人亡。
> 该扎不扎，房倒屋塌；该流不流，扒房牵牛。
> 喝药不夺瓶，上吊就给绳。
> 能引的引出来，能流的流出来，坚决不能生下来。
> 宁添十座坟，不添一个人。
> 一胎环，二胎扎，三胎四胎杀杀杀！
> ……

显而易见，乡计生人员对三代单传的草根的超生行为肯定气得快发疯了。

站了一会儿，草根的女儿招男、招弟和邻居好几个小孩闻讯后纷纷跑来。开门进去，我诧异地发现草根家除了院子里两个硕大无比崭新得刺眼的大水缸外，其他一概空空如也。

我拿出糖果分给孩子们，招弟怀里还抱着一个约莫一岁的小弟，他瘦骨嶙峋的，眼角挂着几滴清泪。我拿一包饼干递给招男，招男很快拿出一个饼递给小弟，他怯怯地望了望我，张开仅有两颗乳牙的嘴巴狼吞虎咽。招男连忙对他说："这是石叔叔，快谢谢石叔叔！"

小弟得了几块饼干，坐在地上独自玩着。招男招弟趁机争先恐后向我汇报乡间逸事。

"乡长现在最怕石叔叔了。"招弟说。

"他们怕我干吗？"我好奇地问。

"真的，不信，你连夜叫他来，他不敢不来，还要跑步来呢。"招男道。

我有点莫名其妙，招男看出了我的疑惑，说："乡长都知道陈成三对石叔叔最好。"

"陈成三对我最好？"我越发摸不着头脑。

"你去北京前，陈成三在大酒店请你吃饭，一桌吃了两千元，是不是？你不记得了，可全村人都知道。全村人还知道你上了电视台的新闻呢！"

赴京读研前的一个晚上，我在清水江酒楼摆两桌酒席，不请自来的陈成三给我封了一个五百元大红包，埋单时，又让办公室苏主任帮我埋了单。这两样加上来，大概也有两千元。这事我从来没对谁说，想不到连村童也这么清楚。

说到上电视台新闻节目，那纯属偶然。上学期快放寒假前，一位2领导在作国际形势与全国经济形势报告，当时上面有关部门送给京师文理学院党政部十张票，记得那天大雪纷飞，教学秘书小安考虑到上了年纪的教授们行动不便，便自作主张派研究生们去充数，因为上面交代每票一人，确保到会，不到会的要追究政治责任。能免费到出席中央领导的报告会对我来说无疑是千载难逢的良机。拿到票后，我特意到魏公村剪了个看来还比较顺眼的发型。

那天，金碧辉煌的会堂里座无虚席，我的位置刚好在中间的通道旁边。我把笔记本整整齐齐地摆在前面，全神贯注地记录着领导的报告，后来，我一抬头，发现左前方不远处的一摄影机镜头正对着我。

当天晚饭后，我正在水房里擦洗碗筷，李习科突然从电视房冲出来，一边跑，一边如救命一样叫嚷："石明雷！石明雷！你上电视了！你上电视新闻了！快点来！"

听到李习科叫嚷声，我以为是恶作剧，仍然不紧不慢地洗碗筷，待李习科救火般冲进水房把我拉到电视机前的时候，我还真的见到了我执笔记录的伟岸形象，可惜只是一闪而过。王天乐安慰我说："别急别急，肯定还有你的镜头。"可是到了国际新闻，再也不见有我的镜头出现。李习科丈二和尚摸不着头脑，半天，突然双手一摊，笑着骂了一句："叫你半天你都不来，你以为你是什么大人物啊？人家李修平等你？"

我傻傻地笑着问："有半分钟吗？"

众人"嘻嘻哈哈"笑着说，有有有，你这么重要人物，怎么会没有呢。

想不到这事竟然在家乡引起了轰动。

"乡长派人抬来两个水缸还我爸啦，还派人修了门，不信，你看看，水缸比原来大好几倍呢！"

"抬水缸来的人都说，石叔叔你不单跟陈成三好，还跟省里的剩副主席是好朋友哩。"

"乡长上星期还给我爸送来三百元，说是民政救济款。"

正在这时，草根的老婆回来了，她抱起正在地上玩泥巴的小儿子，吩咐招弟快快到地里叫爸爸回来。

我问，孩子多大了？

"快一岁了。能坐了。这回生了个传宗接代的，总算老天有眼。"

"罚三千元。"招弟说。

"交清了吗？"

"我们长年躲超生，地里都撂荒了，哪来的钱交罚款，外家卖了两头水牯，交了两千，计生还常来催。我生下小弟后，第三天回到家，就给计生抓去结扎。坐月子时又开了刀，又没钱买吃的，结果身体弄坏了，只能做些轻活，做起重活来就气喘吁吁，哪来的钱交罚款？"

"那乡计生办……"

"提起这事，多亏了兄弟你的大恩大德。"

不大一会儿，草根掮着一支犁架牵着水牯从外边回来，远远见到我，就"当啷"一声把犁架扔到地上，三步并做两步跑到我面前"扑通"一声跪下了。

"兄弟，你是我们家的大恩人，你对我们一家老少这么宽厚仁慈，你是我们全家的再生父母呀！"说罢，在地上磕了三个响头。

"不敢当，不敢当，快快起身……"

草根站起来后，边用手背不断抹着泪，边四处找凳子给我。两人都坐下后，我接着刚才的话题道："你不交超生罚款，计生放过你吗？"

"这事真是多亏了你。计生人员来势汹汹，喊打喊杀，说是要拆我的屋子，都已经把钢丝绳绑到屋子的大梁上，只要一开动拖拉机，这百年老屋顷刻就变成一堆瓦砾了。"

草根一边卷着喇叭筒，一边绘声绘色地向我诉说乡长拆屋的奇遇。

"乡长在堂屋拆镜框时，突然发现了你寄给招男招弟姐妹俩的那几张相片，那几张相片嵌在镜框里，乡长拿着相框大声呵斥：'草根你好大的胆子，竟敢偷人家的相片，这可是罪上加罪！'我连忙解释说，这是我拜把兄弟送给我的，不信，可以看看相片背后我兄弟写的字。"

我想起来了。我把招弟送给的那只杂种狗送给李寿昌，李寿昌欢天喜地。为了感谢草根他们一家，我特地给他两个女儿寄了几张相片，其中一张是站在天安门城楼前照的，一张在人民大会堂开会时照的，其他几张是跟剩副主席吃饭时照的。我特地在相片背面写了几句"好好学习，天天向上"诸如此类祝愿的话。

我对草根把我跟他的关系提升为"拜把兄弟"有点不高兴，不过，在外人看来，我们两人关系确实不错。

"后来乡长怎么了？"

"俗话说得好，三十年河东，三十年河西。以前，乡长把我当作专政对象，可这回乡长当时就他妈的傻了眼，先是规规矩矩把拆下来的相片摆放好，然后对我点头哈腰地赔礼道歉。自那以后，再也不见计生人员来催款，后来，我总算悟出一个大道理来了，你这些相片能够庇护我们全家老少平平安安，我就拿到街上请照相馆的师傅放大后装入镜框，挂在大门上，哦哟，这可比张飞和秦叔宝那两位门神还管用呐，绝对能驱鬼避邪。"

我听了忍不住哈哈大笑。笑过了我又问草根，刚才我进门时可没看到门板上挂有照片呀？草根一脸认真地说："这么珍贵的东西挂在那里万一让人家偷去，损失可就大了。平时我们不轻易挂出来，乡政府有人来催款催粮或派工什么的，我们才把它挂出去，他们一走，我们就收起来，放到衣柜里锁起来，这可是镇宅之宝啊！你想想，像我们这种祖辈十八代都是泥腿子的平头百姓还有什么比你的相片更值钱？"

我在草根家住了一晚，草根烧了好几串鞭炮，全家大小过年般欢天喜地，家门前围观了不少人，村民纷纷说，好久没见草根一家这么高兴过了。

第二天早上我跟草根一家告别时，夫妇俩特地把我拉到一边说："兄弟，我们知道你在京城读书用钱，这次请你上我们家来，主要是表表心意。"说罢，草根就塞给我一沓钱，"这是二千元，今年收了三车半甘蔗，收入也近三千元。"

我本想只拿一千元，但草根夫妇坚决不肯。想到欧阳师傅反复写的"石明雷，一分也还没有交"的那句话，我觉得，对于正在仕途上艰难跋涉的我再也没有什么比金钱更重要的了，我半推半就收了钱，紧紧握住草根的双手："哥哥，嫂子，这算是我借你们的，将来一定加倍偿还！加倍偿还！"

"一家人不说两家话。"草根夫妇俩顿时眉开眼笑。

第 17 章

一九九四年暑假显得格外短暂。我怀揣老独头"赞助"的三千元和草根夫妇"进贡"的二千元，屁颠屁颠地踏入研究生宿舍楼大门槛，在门卫室守候多时的欧阳师傅即拖着清脆的木屐声尾随来到宿舍。欧阳师傅一边剧烈咳嗽着，一边断断续续告诉我说：研究生部领导吩咐他专门来向我追缴学费，说我学费一拖就是两年了，目前还是一分也没有交，如果再拖下去，拿不到课时费的老师们就要罢我的课了。欧阳师傅告诫我说，千万别得罪老师，否则，到时吃不了兜着走……

我正想告诉欧阳师傅说，我这次可以先交三五千元，可话还没讲出口，门顶的传呼器发出"吱吱"的电流声，随即有人喊我的名字，我赶紧应了一声，扔下欧阳师傅跑下楼去。

原来是金布丁的电话，金布丁说，上次秋月住院借给我的五千元全是他兼职的文化公司的公款，公司催促多次了，若再不归还，公司就报警了。

妈的，金布丁比欧阳师傅还急！算准了我返校日子即立即追债。

我愤愤地摔下电话，垂头丧气地向楼上走去，一阵清脆的木屐声又来到我面前，"怎么着，你到底有没有钱交啊？"

"钱没有，要命有一条！"

"反了是不是？"欧阳师傅吼道。

秋月虽然通过暑假工挣了几百元钱，但得不偿失，她的身体却因此垮下去了。秋月来找我的时候，我简直不敢相信眼前的这个人就是我朝思暮想的那个清纯可人的美人胚子。秋月明显瘦了，比以前黑了，眼睛里满是疲惫与憔悴，脸上也平添了几颗雀斑，整个人都枯萎了。更要命的是，秋月还带来了一个令人无比沮丧的消息——由于省吃俭用，在街上吃了不卫生的东西，秋月染上了肝炎，学校责令她回老家治疗两个月。

周末，学校舞厅装修，舞会暂停。我无处可去，总觉得心里憋得慌。

突然想起伊小菲曾提起过公主坟立交桥附近有一家名叫"君再来"的宾馆，每逢周末都有一场由数家婚介所联合举办的舞会，那儿不但不收门票，还有舞娘倾情表演，各种饮料免费敞开供应。

我提起这一新发现，李习科和王天乐两头毛驴当即亢奋起来。三人赶紧向"君再来"开拔。

到舞厅时，里面已开跳了，三人在里边坐了半天，发觉这儿的舞会跟高校里的截然不同。来这儿参加舞会的全是备受独身折磨的男女们，他们大都毫无遮掩，一俟舞曲响起，双双起舞后就直奔主题，询问起工作单位年龄户口房子婚姻状况甚至性功能是否健全等等诸如此类的问题，就如农人们到牲口市场买牲口一样，一旦相中了牲口，便径直走过去提起牲口的笼头，撬开嘴巴仔细数一数有多少颗门牙，磨损程度如何。甚至有几对男女舞到黑暗角落里时，竟然边舞边讨价还价似的谈判着，当中竟有一句"能否结合，前提条件是你的性功能是否满足我的正常生理需求"。

刚开始时，我们也尝试着请几位年纪比我们大的女人跳舞，可她们都不愿把宝贵时间浪费在她们看来一副玩世不恭的黄毛小子身上。一旦见我们向她们伸手邀舞，她们就故意用手扇着面孔，喘着粗气摆出一副很累的样子说："歇会儿吧。"可没待我们转过身来，她们就如老鹰扑小鸡一样扑向几位门牙剥落的秃顶男人，一阵狂风似的卷入舞池。这样几个回合，我们开始有点心灰意冷，干脆埋头喝免费敞开供应的饮料。喝了他们的饮料再折腾他们的卫生间，谁怕谁呀，气死他们！

王天乐和李习科纷纷指责我不该领他们上这种地方来，今晚这事儿要是传出去让班上女同学知道了，还不知道惹来什么样麻烦呢。我有点不高兴了，不就是没舞伴吗，看把你俩急得乱咬人，我给你们做个示范，管她老的小的，通杀！

我举目向舞场四周望去，想在纷乱的人群中发现一些年纪与我相当的女性，可是舞厅灯光很暗，老板设计这么暗的灯光大概是便于双方亲密接触。我一连几支舞曲都请不到一位，有点紧张了，在一支舞曲刚响起时，即站起来向一位中年女子走去，不由分说地向她伸出手，拉起她就向舞池舞去。

暗淡的灯光下，我没有看清对方的脸孔，可从她的轮廓举止来看，这是一位身材丰满、善解人意的女人，着装打扮都可称得上是完美，舞跳得也非常不错。

舞曲结束时，两人恰好舞到王天乐李习科两人身旁。我放下她的手，说声谢谢后，两人便在一张小圆桌旁坐了下来，显然两人都期望再续下一曲。可刚坐下来，便有一道月光般的灯光转到我们两人身上，两人不禁愕然。原来，那中年女人不是别人，正是我去年秋天打工的那家文化公司的老总赵兰春！

"是你啊，小石？"

"是你啊，赵总？"

两人不约而同诧异道。

"你怎么来这地方跳舞？"赵兰春问。

"他呀，不来这种地方能去哪儿？"

"为什么呀？"赵兰春困惑地看了一眼李习科。

"他呀，书呆子一个，只会埋头读书，在大学里跳舞谁会理他？你看看，个人问题还没解决呢！"李习科还是蛮机灵的。

"唔，小石你还没成家呐？"赵兰春半信半疑地问道。

"成家？跟我成吧。"王天乐见我于无声处中突然跟一女人驳上火，也凑过来哼了一句。凭良心说，李习科王天乐这两匹毛驴平时还挺够哥们儿的。每次在陌生女人面前都故意摆出一副咬牙切齿的样子来"损"我，当然，这种"损"是一种明抑暗扬。谁都知道，除了自己的老婆外，其他女人都喜欢听这样的话，尽管她们一惊一乍的，其实，那不过是想掩饰内心兴奋罢了。

见赵兰春没带舞伴，我一连请她跳了好几曲，李习科与王天乐两人见我钓到了一条大鱼，估计我一时也走不了，两人便先行告辞了。

舞会结束时，赵兰春执意要开车送我回去。我也不推托，她身上那种成熟女人特有的气息，对我也颇有诱惑。

上学期，我虽在赵兰春公司打过工，但见到她的机会不多，尤其是像今晚这样跟她近距离接触，更是想都不敢想。

像久别重逢的故人，两人在车上聊得很投缘。

赵兰春一边开车，一边询问我一些校园琐事，我极力装出一副天真的样子，专捡些饭堂饭菜分量太少澡堂锅炉三头两日就维修之类的闲事说给她听，赵兰春听了很开心。

快到校门时，赵兰春突然委婉地询问上次我为什么一声不吭就离开了公司，我想起了编辑部主任终日板得如锅底般黑的脸孔，叹了一口气，道："一言难尽呀！"

赵兰春又笑着问我，现在是不是另有高就的地方了？我双手一摊，苦笑道："什么呀？在北京找一份像样的兼职工作，比登天还要难呀！"

　　赵兰春听罢，试探着问我："有没有兴趣来我们公司做策划总监？"这话一下子让我来了精神，但旋即又冷静下来。赵兰春显然猜透了我的心思，她笑着说："上学期你刚来我公司时，有些关系我没替你理顺，让你受委屈了……"

　　快下车时，赵兰春请我认真考虑策划总监这个职位。她说，你认真考虑，我也认真考虑，双方考虑好了，我们再约个时间详谈。

　　学校舞厅装修提前竣工，地下室周末舞会在热切的盼望中如期而至。舞会上摩肩接踵的人们跳了一曲又一曲，舞会高潮时，随着舞步节奏的加快，全场同学都进入了一种无我的境界——有的抖落了头上的帽子，有的跳飞了脖子上的丝巾，有的女同学的发夹搭住了男同学衣袖上的扣子，有的男同学手腕上的表链铰住了女同学的头发，有的绊住了差点倒地，这一切都没有人去理会，这更使大家的舞姿别具特色，给人一种热烈癫狂的幻觉。有的女同学跳晕了，同伴扶住休息一下又继续上场，有些男同学跳得满身是汗，到走廊那里敞开衣领用手当扇，歇一会儿后又继续上场。

　　正当人们如痴似醉地舞着时，突然音响室前面的电管亮了起来，扩音器里传来一位女孩甜润的声音："女士们，先生们，晚上好！"

　　败兴！真是败兴！众人不禁喝起了倒彩，也不知道主持人闷葫芦里边卖的是什么药。

　　"现在，我们占用大家一点点时间，举行一个小小的活动，我相信，这个小小的活动肯定会给诸位今晚的舞会留下美好的回忆……对呀，究竟是什么活动呢？——这就是拍卖今晚舞会的第一枝玫瑰！"这时人们才看到一位打扮得有点夸张的小姐一手持着麦克风，一手拿着一枝用粉红色塑料纸包装得极为精美的玫瑰花。一听说拍卖今夜舞会的第一枝玫瑰花，大家的兴致都被调动起来了，纷纷拢到前面来。

　　拍卖开始了，小姐身旁的一位男同学接过玫瑰花，大声道："起价十元，请报——价——！"

　　声音还未落地，便有人举手应道："十五元！"

　　"二十元……"

　　"好，那位英俊的先生出到二十元了……"

伊小菲呆呆地望着那枝玫瑰，看得出她极渴望得到这枝热烈绽放的玫瑰。

我忽发奇想，把这枝玫瑰竞拍下来送给伊小菲。但这一念头刚一闪现，我就心生愧疚，我不能做出对不起秋月的任何事情，她不仅把初夜献给我，还因我承受着莫大的肉体与心灵的创伤。我深深叹息，正准备放弃竞拍玫瑰的念头时，我突然想到了欧阳师傅前段时间天天都在大门边的小黑板上写的"石明雷，一分都没有交"那一句令人垂头丧气的话。不就是为了钱吗？秋月为了钱，不也曾到藏污纳垢的色情场所找工作吗？我今夜为伊小菲竞拍玫瑰，完完全全是为了让她在她表姨面前美言美言，让我顺利入职她表姨公司，倘能如愿做个策划总监的话，每月少说也有两三千元进账。呵呵，这么合算的投资绝对合算！

秋月，你一定得原谅我！

主意打定后，我决定不惜一切代价为伊小菲竞拍这枝玫瑰。

"五十！"我牵着伊小菲的手，挤到前边后，断喝一声。

这种玫瑰花在魏公村路边四处都有人叫卖，五六毛钱一枝。现在听到有人出价五十元，主持人简直有些不相信自己的耳朵，他略为一怔，指着我："好！好！这位先生，这位风度非凡的先生出到了五十元。"小伙子把玫瑰高高举过头顶，高声道：

"还有哪位先生小姐出更高的价吗？"

他一连问了两遍，觉得这是个最高价了，不会有人竞买了，便有点心满意足地望望众人，清了清嗓子，道：

"女士们！先生们！让我们以热烈的掌声……连带一点点的醋意，欢呼这位勇士……"

"一百元！"

全场一片寂静，几秒钟后，有人鼓起掌来，有人则喝起彩来，有的干脆吹起了口哨。一枝五毛钱的玫瑰花，在学校的舞会上被炒到一百元！简直太不可思议了。

出一百元的小伙子显然是本科生，虽穿着不是很入时，但他一脸的固执表明他极希望得到这一枝玫瑰，尽管他的女友正使劲地扯着他的衣袖示意他不要浪费这无谓的钱财。

显然缺乏拍卖经验的小伙子已经认定不会有人再出更高的价钱了，出于害怕别人反悔的心理，他一反常态，变得毫无风度，跑到那男同学面前，不知说什么好，正欲把花递过去。

"慢……"我突然镇静地吼了一声，众人先是面面相觑，当证实没有听错后才一齐回过头来。

我见众人的目光都齐刷刷地落在我身上，便故意干咳了两声，故作镇静道，

"二百元……"

跟我结伴来的王天乐和李习科闻声后不约而同从后边狠狠地踢了我一脚，王天乐低声骂道："你给谁竞拍啊？当心人家砍了你……"王天乐显然是提醒我不要做对不起秋月的事。兴许见伊小菲站在我身边，他没有明白说出来。"你懂个屁，别乱放毒！"我狠狠瞪了他一眼。

见我执意要竞拍，王天乐又骂道："傻驴！跟这生瓜蛋子斗个啥啊，这种烂花破草每天傍晚时候魏公村路边到处都有，多得扎眼，顶多卖五毛钱。"

李习科也扯着我的衣袖道：

"石明雷！明天我给你买，要不，给我一百元，我现在马上跑步去魏公村给你买。"

见我不理睬，李习科又自言自语道："你这不是疯了吗？二百元啊，可够我们到新疆街撮一顿了！"

二百元这个数目确实不小。本科生每个月的助学金不足九十元，硕士研究生不足二百五十元。大家都是穷学生，虽然这些年来大学校园里出现了一些款爷学生，但今晚的舞会，也许没有款爷光临。对大伙来说，二百元的价钱差不多是天文数字了。

全场鸦雀无声，众人都疑惑地望望我，又望望拍卖先生。

拍卖小伙子此时似乎清醒了过来，赶紧压偏嗓子道："这位先生出到二百元，玫瑰有价，爱情无价，这枝玫瑰就是爱情的象征，是有价，但又可以说是无价的……小姐们！先生们！这玫瑰多鲜艳啊……"

"我、我出五百元！不要让别人碰我的玫瑰花！"随着一声歇斯底里的断喝，全场如闪过一道雷电，众人都吓得浑身毛骨悚然。当众人从惊吓声中清醒过来明白怎么回事后，人们看到那个跟我竞买的本科生攥紧拳头，气得面部都变了形，他正一步一顿地隔开众人，像要斗架的公牛一样，向玫瑰花走去。

拿麦克风呆了半天的女主持人此时幡然醒悟过来，赶紧连珠炮般帮腔道："那么，今夜舞会的第一枝代表爱情的玫瑰花就被这位先生以五百元的

高价买下来了，请这位先生上来……"

众人一个劲地鼓掌，整个舞厅沸腾起来了。

我气得浑身颤抖，我清楚地知道我身上仅带有上周刚刚从金布丁那儿借来的二百多元。

"驴！绝对是十足标准的驴！"京师文理学院研究生部的男同学骂人的时候，总是把人当驴骂。驴们冤啊！可又听西北同学说，他们家乡有时也有人把驴当人骂。说是什么赶驴进城的时候，驴闯红灯偷吃路边菜摊青菜或随地拉屎撒尿时，主人也常常冷不防的抽一顿鞭子，骂道："你是什么东西！你以为你是警察你是领导你是城管吗？这红灯是您能闯的吗？这青菜是你想吃就能吃的吗……"话又说回来，咱们男人是有点倔强，就当驴骂吧，也没人反对。

站在我身旁的王天乐手舞足蹈地骂着那个本科生。李习科则望着我嘲弄道："哥们儿，五百元也不多啊，不过是我们两个月的伙食费。你咋不吱声了？你身上没带够钱，王天乐昨天才领了汇款单，他现在身上有的是钱啊……"

我一把抓过身旁的王天乐，用一种歇斯底里的口吻低声道："驴！快把你身上的钱全借给我，下周我连本带息还你！快！快！"

李习科本想揶揄我一下，没想到我真的要借钱，这小子双腿一软差点瘫坐在地上。

"请拍卖先生放明白点，你可没问过我要不要竞拍……"

全场的人都听出我的声音明显在颤抖，就在那位本科生伸手接过玫瑰花的时候，我跺着脚大喝一声："一千！我出一千元！"

漫说别人是不是傻了眼，喊出这个数的时候我自己的大脑也是一片空白。一千元意味着什么？赌博！我赌能够征服伊小菲的芳心，赌她能够帮我进入她表姨的公司做策划总监，赌她的家人会为我解决学费问题帮我留在北京，当然也是赌一口气。

李习科倒吸了一口冷气，摊开双手道："疯了！都疯了！都疯了！"

正伸开双手接过玫瑰花的那位本科生，冷不防听到我的一声怒吼，如突然被一颗子弹射中心脏失去知觉一般，慢慢地回过头来看仇恨的子弹来自何方。

整个舞池彻底哑火了！整个大厅只有我轻盈的脚步声。我走到玫瑰花前，伸手接过小姐递过来的玫瑰，瞠目结舌的拍卖小姐这才记起伸过麦克风，双眼饱含激动的泪水道："祝贺你……请问，你将把这枝玫瑰献给哪一位小姐呢？"

话音刚落，鼓掌声，口哨声，甚至用脚板顿地板声、拍打着椅子的响声混成一片。我回头一看，不由分说，一把抓住躲在人群中的伊小菲的手，把她拉到面前。伊小菲想不到我是为她竞买的，当她被推到众人面前时，脸红得如熟透的苹果。

我不由分说地往她手心塞着那枝玫瑰。

舞曲又响起来了，我又邀伊小菲，在跳探戈舞那往前一探的当儿，伊小菲就势把头深深埋进了我怀里……

过后的情况证实，我那夜倾家荡产为伊小菲竞拍那一枝玫瑰起到了立竿见影的效果，不仅是伊小菲主动投怀送抱，而且她还费尽心思地说服她表姨让我重返文化公司。

到赵春兰公司上班半个月后的一天，伊小菲约我下午到她表姨办公室一趟。下午起床后，我拿了个公文包，提前来到总经理办公室。门敞开着，但里边却空无一人。见客厅的摆设有些乱，我便将桌椅茶杯一一摆好，又沏了一壶茶。

正当我一样一样地忙开时，觉得门外好像有一双眼睛热辣辣地望着我，我回头一看，原是赵兰春。

我连忙迎上去跟她打招呼，她笑着向我点点头，让我到她的办公室去，我跟她进了办公室，她给我倒了一杯茶，笑着问："你也来一段时间了，感觉怎么样？还习惯吧？"我连忙点头道，"挺好挺好。"这话确实出于内心，虽然还没领到工资，但重新入职后，赵兰春以方便开展业务为由，给我配了一部摩托罗拉汉显呼机。可别小看了这个汉显呼机，在当时这可是仅次于手机的高端通信工具，这么说吧，当时全国高校里能用手机的学生非常少，而能用上汉显呼机的人估计也不超过省部级干部的总人数。那年头，不管寒风凛冽，北京街头总有些哥们宁愿冒着感冒中风之险，在众人面前敞开衣襟，让人们清晰地看见腰间别着一个呼机，我能用上汉显呼机连做梦都梦不到。

来公司后，我跟赵兰春见面的机会并不多，偶尔碰到，她总是笑着对我问长问短。后来我渐渐发觉，每一次见面，她问工作上的话很少，倒是问家常多。刚开始，我还以为这就是现代公司以人为本的管理方式。

赵兰春任命我为策划总监，也是努力做到人尽其才物尽其用。在她的文化公司里，大概也只有我这个具有较出色的写作天赋的硕士才胜任此职。伊小菲私下跟我说，在我来公司之前，也都招了四五位策划总监，工资不菲，可他们总过不了三个月的试用期，倒不是赵兰春从中作梗，实在是这份活儿丝毫来不得滥竽充数。

被任命为策划总监后，我组织召开了几次选题策划会议，刚开始，基本是出于熟悉了解情况，但好几次我略加分析，偶提几点建议，想不到竟然马上得到中层干部的一致认可。

两人坐下后，赵兰春告诉我说，这一次专程约我到办公室来，主要是想听听我对一个重要选题的意见。

赵兰春边呷着香茗，边一五一十地把事情经过向我道来。前段时间，熟人介绍认识了一位从广州来的李老板。李老板带来了一个据说是极好的选题——一部八开本的将近五百张左右的黑白相片集，里面全是毛泽东的相片。据李老板说，当中不少照片是从港澳高价购买的，还没公开面世。赵兰春表现出少有的兴奋，当即召开了选题研讨会。那天刚好导师约我谈毕业论文的事，我请了假。会上，编辑部主任、原策划总监都极力怂恿赵兰春购买并出版这一画册。他们两人向赵兰春这样分析：从这本相集中选出一部分相片，配上图片说明，用二百克铜版纸印成一本《伟人毛泽东》，请国内著名的毛研专家作序，在毛泽东诞生一百周年时，到韶山冲举行首发式，免费赠送给韶山冲村民每户一本。如果首印一万本，每本定价一千元，按百分之二十打折销售，稳有八百万销售码洋，纯利润应该不低于四百万元。李老板也多次说，广州、香港好几个朋友都想以高价购买，但考虑到这种政治书还是在政治中心北京操作好一些，再说，赵兰春也是好朋友。

在原策划总监和编辑部主任的怂恿下，赵兰春摩拳擦掌跃跃欲试，极想花巨款购买这份书稿。这次单独把我叫到办公室就是想征求我的意见，我是京师文理学院党政管理方向的研究生，曾在好几种政治理论刊物发表过研究毛泽东的论文，赵兰春认为我这个"毛研"专家的意见非常重要。

赵兰春从茶几上拿起那本相册递给我。我略为翻看了一下，觉得确实有不少图片从未发表，确实有一定的史料价值。赵兰春又拿出准备签字的合同给我看，我接过合同时候余光瞥见她静静地注视着我，目光里闪烁着女性的温情与期待。

我开门见山道："这稿子不能买，您千万别上当。"

"啊？上当？"

"这不同一般的书，不是说有书号就可以出的，还必须得到中央有关部门的许可才可以出版，否则，不仅要罚款，而且还要……"

"要哪种部门来批呢？"

"中央文献资料中心之类的机构。"

"我们可以找人……"

"不成。你想想，市面上领袖人物的画册都是什么出版社出的？不会是一般出版社的……"

"李老板为什么不提这一点？"

"李老板肯定知道这一点的，肯定联系过不少人，至于他为何不提醒你，我就不得而知。"

"不可能。"

"另外，这本书的不少图片应该说是真的，但图片下面的文字说明有不少是错的，比如有好几张是在庐山会议时候照的，可却弄成香山，有几张是土地革命时期的，可却弄成抗战时期的。我的意思是，不少相片搞不清摄影的时间、地点，搞不清背景，这样也不能出，否则会惹大祸的。"

"还有这些问题？"

"赵总，你就信我一回吧。"

赵兰春此时已清醒了一半，望了望我，最后下决心似的说："成。我听你的。"

过了几天，李老板不辞而别。再到了月底，原策划总监跟编辑部主任领了工资后也双双失踪。赵兰春打电话到广州，让熟人帮忙打探李老板究竟开的是个什么样的公司，熟人很快回复说，李老板所谓的文化公司，仅是摆在街头的一个书摊。原策划总监和编辑部主任也到了广州，眼下正在找工作，暂时寄宿在李老板家里。

第 18 章

一九九四年十一月，一年一度的全国硕士研究生招生考试报名工作开始了。陈成三前一年因文凭偏低而不能报考，为了能顺利报考明年的研究生考试，陈成三一有时间就飞来北京，到京师党政大学找姚趋势四处活动。

十一月中旬，陈成三又飞来北京开展公关活动，办完所办的事后，他约我到白石桥附近的阿静粤菜馆吃晚饭。酒足饭饱，陈成三把我带到五棵松附近的一家夜总会 Happy。

一周后的一天早上，我起床后，上卫生间小便，突然感觉下身有点不适，心里惶惶然。赶紧锁上卫生间的门，低头翻弄辨认了半天，又觉得看起来没什么异样。于是心里暗骂自己疑心生暗鬼："不至于吧？第一次偷吃就沾上了？不可能！要真是这样，这些年嫖娼卖淫这行当怎么还能创造那么多的 GDP 呢？"

话是如此，心里终是隐隐不安。

接下来的几天，仍然时不时感觉有些异样。这样想着时，我就躲到卫生间，反反复复翻弄查看，最终好像又找不出什么不正常。我天天如此，王天乐和李习科渐渐觉察出不对，每每见我从卫生间出来，便用探究的眼神看我。

知识分子的八卦敏感度与大字不识的居委会老太太并无本质区别，只不过前者不会凑上来诡异地一笑，故作关心地问长问短，拿到口供后四处散播罢了。

尿道前部的烧灼感越来越明显，排尿时疼痛加剧。我越发怀疑自己正处于某种性病的潜伏期。至于是哪种，暂时不得而知。心理的焦灼，生理的不适，双重折磨让我坐立不安。

这天早上起床后，我又拿水桶内裤跑进卫生间，正蒙头大睡的李习科被响声弄醒，他欠起身子，望着我的表情有些玩味的意思，然后一边揉着惺忪的眼睛，一边骂："癫佬，天天一大早就洗短裤，莫非你……"

"你"字后拖着长长的尾音，咂摸一下，意味很深！要不怎么古人总是云：言有尽而意无穷。

我心里发虚，连忙赔着笑脸胡诌道："前几天上新疆街吃了一把炒羊腰，就惹了这麻烦。"

李习科的想象力果然被我拉向了另一个方向："喂，你真能这样立竿见影，有没搞错？我吃了多少，咋没这么见效？"

满足了好奇心的李习科没有纠缠下去，笑了一下，翻身睡去。我有点疑心，总觉得他那个笑容暗含着"解释就是掩饰"的深意。

夜里躺在床上，我又止不住去想，总觉得就是有点异样，一时又觉得肯定是自己想多了，不过是心理作用罢了。翻一个身，看到睡在对面的李习科和王天乐，又想，这两厮是不是已经怀疑了，这事传出去该怎么办呢？忽地坐起，暗暗咬牙："陈成三，你这狗日的！"

那晚在夜总会，陈成三拍着胸脯保证，放开手脚，保管没事。他声称征战南北多年，换过无数战场，县城的，省城的，从没出过问题。

陈成三常在河边走都不怕沾病，难道我偶然湿湿鞋就真的中招啦……不过，他是这方面的老手，肯定早有防范意识，自有一套行之有效的保护措施。

我总抱着一丝侥幸，希望自己不过是杞人忧天。说不定只是天气问题，又或许是心理暗示效应，抑或是饮食问题，对了，这段时间老是吃辣的，排泄出来的东西自然也有些辣了。我找种种理由自我安慰着。

到了后来，即使是毫无医学常识的我也知道任何侥幸都成了泡影。我肯定自己已经染上了性病。虽不是奇痒难耐，但每隔几个小时，那玩意儿上面便结有一层如霜茄一样的颗粒。我到药店买了一瓶肤阴洁，每过几个小时，就躲到卫生间涂涂抹抹。涂抹过后，有些凉爽，便觉得好受一些，可几个钟头过后，又开始搔痒起来。

我心情渐渐低沉颓废。上课或吃饭，都专捡僻静之径走，遇见熟人，实在躲不过，只好侧着脸装作没看见。

秋月回老家去了。但伊小菲还是频频约我周末上她出租屋去。为了伊小菲的健康着想，我一连几个星期，都以学业紧张为由躲着她。

有一次，我送一本京师文理学院往年硕士研究生入学试题到伊小菲出租屋。放下试题我就拔腿后撤，可她突然从身后紧紧抱住我，哭着问：

"你好久没碰我了……你是不是不喜欢我了？"

"你想到哪儿去了？这段时间忙着写论文，累……"

"以前你从没说累啊？今天我给你煲鸡汤了，还不行吗？……"

"……我确实累，很累……"我竭力挣脱她。

走到胡同的拐弯处，不经意地回首，伊小菲站在原地呆呆地望着我，脸上隐约挂着两行清泪。我急走两步，落荒而逃。

会是艾滋病吗？我惶恐地想。一想到有可能是这种病，我的整个身体就像被人抽走骨架一样，几乎要瘫倒在地。剩副主席盛情邀请我回去建设家乡，风烛残年的母亲盼我回去养老送终，草根夫妇眼巴巴地等我毕业回去关照他们的招男招弟小弟呢，我还计划写几本书，我还有很多事要做。若我是无牵无挂的一介村夫或仍在深山老林看管泉水出头无望，那我也许可以毫不在意地用一瓶安眠药悄无声息地从这个世界消失。可如今的我，不是村夫，不是深山老林里管水的，而是在中央电视台露过脸，又深得剩副主席赏识的硕士生……我不甘……不甘啊……

我无法入睡，披了件衣服，独自一人踱到露台。

月亮很圆，大概是农历十六七吧，在京城里往来奔波，汲汲营营于名利，好久没有抬头看过月亮。今晚的夜色很好，对面的八号女生楼早已熄灯，那些正在肆意挥霍花季的女生们已经进入甜美的梦境了吧，清冷的月光下，夜风送来阵阵女孩身上特有的芳香。可这一切，都不再如往日那般令我心猿意马。

我决定趁秋月回来之前，到医院做一番彻底检查。伸脖是一刀，缩脖也是一刀。说不定，一切只是误会，即便有问题，可能也只是打一两针就万事大吉。老子不相信，唯一的一次，就碰上个不治之症，我才没那种命！

决心已下，我开始骑着自行车到郊外瞎转，观察哪家医院写着性病防治，哪处电线杆子有相关的小广告信息。这事得保密，万一被人看出端倪，传扬出去，轻则被处分，重则开除学籍，前途尽毁。而秋月伊小菲她们追线索，查源头，断然不会与我善罢甘休！

我决定到苹果园去物色一家隐蔽的医院检查，那地方远，肯定不会遇上熟人。

周三上午没有课，我向陈进林借了五百元钱，加上自己有的，一共八百多元。这个数目应该够了。我独自悄悄地乘公交车到木樨地，又倒地铁到了苹果园。

经事先踩点，认准了泗海公园西边那家挂着武警牌子的性病防治专科医院。我想，这是正儿八经的人民子弟兵，不是江湖游医，应该不至于被骗和挨宰。

两个穿着白大褂草绿色裤子的男医生正坐在门边闲聊。我在医院外装作若无其事地转悠了一会儿，左瞄右看，确定无人注意我，把心一横，向医院大门走去。

"喂，你，看病吗？"两人不约而同地抬头盯了我两分钟，其中一个漫不经心地问。我觉得他俩的眼神透着阴险，既像在为待宰的羔羊沽价，又像是在揣测我的隐私拿来娱乐他们乏味的生活。我汗毛直竖，心生警惕，但一想起他们是子弟兵，人民的大救星，便又放下顾虑。

"我……我想检查一下。"

"哪儿不舒服？"

"下身有点不舒服，想检查一下……多少钱？"我担心费用太高，先打听一下价钱。

"单检查五元，要治疗另计。你查吗？"

我点了点头，心想，不查我来干吗。

进了门，我才发现这间号称武警性病防治专科医院的所谓接诊室，不过是一个十多平方米的小房间，里边摆着一张看病用的小铁床，一张桌子，一张椅子。门卫兼军医叫我躺到床上。我乖乖躺上去。

他等了半天，看我并无动静，不耐烦地说："脱！"

"啊？"我有些惊慌，没有听清楚。

"快点脱裤子，啊什么，你以为你来看牙啊……"

我慌里慌张地动手解裤子，他伸手在床头扭亮了一盏灯，灯光很亮，刺得我几乎睁不开眼，幸亏他马上把灯头扭转了方向。

军医借着灯光，看了看我的下身，转身拿了双乳胶手套戴上，便开始低头翻看我那玩意儿。他脸色一沉，我一直悬着的心猛地跌落，震撼地一痛，心想，完了。果然，他吼道："你怎么搞的？这么严重了不早点来？想死啊！"

尽管已猜到结果，我还是被吓了一跳，哆哆嗦嗦地欠起身，看了看近段时间不知被翻弄辨别了多少次的那玩意儿。军医见状，又厉声骂道："你看看，这是什么东西？再不治就化脓腐烂了。"

"是什么病……"我怯怯地问。

"梅毒花柳疱疹……好几种呢！你是不是在外边乱搞女人啊？"

"……那……能不能治？"我用几近哀求的语气问。我实在担心军医的吼声传到马路上让警察们听到，但我不敢阻止他，因为他看起来像一头暴怒的狮子，一副哀其不幸、怒其不争的样子。我只想快快治好，逃离此地。

"得打一针进口药。"

我听说打针，且是进口的，心中惶恐更甚："大概多少钱？"

"三百吧。治不治？"军医吼得更大声了。

"成吧。"我心想，三百元也太贵了，不过，身上有八百多元，长痛不如短痛吧。

军医见我同意，回头冲着药房兼收费室大声嚷着拿针端药，我躺在床上，心恨这厮如此粗暴，害我斯文扫地，尊严丧尽。转念又想，人民子弟兵，疾恶如仇，对此类丑陋的事肯定深恶痛绝，没有把我当作斯文败类扫地出门已经很客气了，难道还会对我笑脸相迎？这样一想，便觉得不必跟他计较，越加悔不当初。

药房那里当即传来开药柜取药瓶剪碎针剂的响声，很快，一阵急促的脚步声由远而近，来到床边。我认命地躺在那里，像个木偶任人摆布，心想，快点吧，趁现在没有其他人来就诊，快快扎一针，爱怎么着就怎么着了。

我的心里正煎熬着，军医已接过针管，高声嚷道，"把屁股给我"。我翻身趴着，他利索地拉下我的裤子，用棉签在屁股上擦拭着酒精，边擦边骂："你哪里人啊？啊？你不要命了？万一染上艾滋病，你不就毁了吗？"话音刚落，"噗"的一声，我疼得全身一抖。从小到大，我挨针也不下上百次了，可从来没这么疼过，这是扎针还是钻孔啊？！莫非这军医是双手高举针管，以百米冲刺的速度将针头扎进我的屁股吗？我虽然一时糊涂，可是并没有堕落为阶级敌人啊！

我呻吟了一下，军医厉声喝道："别动——"说时迟，那时快，针管已拔离了我的屁股。

扎完针，我以为完事了，正欲起身穿裤子，不料，军医又吼一声："别动！"

在炽热的灯光下，军医低头弯腰摆弄着我下身那玩意儿，边摆弄边骂道："看你年纪也不小了，也得为老婆小孩想想，你看你，你看你，你真够牛，连命都不要了是不是？"

我又欠起身来偷偷望了一眼，见他手上拿着一支小手电筒一样的仪器，光柱射出一线红色光柱，射到哪儿，哪儿就如用炭火烤着一样灼热刺痛。

刚开始我还能咬牙忍痛，几分钟后，军医并没有停下来的意思。我实在无法忍受，不禁痛楚呻吟起来，那人非但没有半点同情，反而狠狠骂道："你这人，竟还知道痛，我以为你就知道抽！你要晚来半个月，激光也不管用了，就等着烂掉吧！你这种人，这玩意儿烂掉最好，省得我们做医生的见了恶心！"原来，那小手电般的仪器是激光治疗器。

"你这病一针还不成，容易反复，得再扎一针才能断根。"治病当然要断根，现在不断根以后反复发作只怕我整个人儿真的要断根。现在省三百元，以后再治只怕不止三百元，再说，一针三百元，两针六百元，钱也是够的，便默认了。军医见我没有作声，对着药房高喊："再来一针！"药房那里好像早就等着上菜似的，话音一落，针已送到。我浑身僵硬，撅起另一瓣屁股等着惨绝人寰的那一刻。军医再不废话，"噗"的一下，屁股上像炸了一个小炮仗，虽然已有了思想准备，但还是疼得我全身一阵抽搐。

我躺在床上，一时恶意横生。想起那个按摩小姐言词凿凿地说，"我们做这一行的也是讲究职业道德的，见钱眼开的事不干，谋财害命的事不做"，心里愤愤。等老子病好了非得找个机会把她骗到郊外废了她。

大概一刻钟后，军医叫我起来。我知道结束了，便起身穿衣服，在穿衣服的时候，军医将脱下的手套扔到床头的垃圾桶后，低头弯腰在床头的一洗手池那里抹着肥皂洗手，边洗边骂道："你回去后把所有的内裤全扔了，这段时间千万别碰你老婆。"

我苦笑着问："不是说治好了吗？"

军医恶狠狠地瞪了一眼，道："这段时间正排毒，你忍一个月就要你的命了？"见我已经穿好衣服，他便从洗手池上面的柜子里拿出一个小瓶子递过来，让我回去装点尿液来化验。又说，这段时间不要吃生辣东西，还要戒酒戒烟。

说着话，我已跟着军医来到门边的药房，一满脸横肉的白大褂从药房里探头出来，递给我一本病历夹叫我登记，我翻开一看，上面密密麻麻地写着人名，地址，就诊日期，病因，最后是收费数目。有的人名老长一串，笔画扭曲，完全认不出写的是什么。我有些惊讶，不由得生出些敬意，"你们……你们这里还有老外来？"军医不屑地撇撇嘴，"老外？老外下面不是那玩意儿啊？管他是谁，乱来都会得脏病！艾滋不就那外国进口的！"那个"脏"字被他咬得极重，恶狠狠地，砸得我立刻低头，继续去看那病历，再不敢多言。

人名后都附上了"二度梅毒"、"疱疹"、"尖锐湿疣"等等各种各样令人骇然的名词，再看写在后面的价格，我不禁吓了一跳，少则三千五千，多则上万。心里暗自庆幸，亏得是来得早，治疗及时，费用还算便宜。

我低头登记，假姓名假地址假年龄，前几晚在宿舍的床上辗转时早已打好腹稿，此刻信手而来，一气呵成。我心里一时有些苍凉，我心怀作家梦，早已为自己拟好几十个笔名，随时准备变换不同面目以文字戏弄红尘中芸芸众生。不曾想有朝一日卖弄假名，竟是此情此景。填完自己应填写的栏目后，我将夹子递给里面的白大褂，白大褂胡乱在算盘上拨了几下，就低头在价格栏那里"嚓嚓嚓"地写着，写完后又递出来给我交钱。

我接过夹子一看，吓了一跳，以为看错，扶了扶眼镜，不是我以为的六百零五元，而是三千五百元。

我脑子"嗡"的一下有些发懵，望着站在一边的门卫兼军医，问："你不说一针三百吗？怎么……"

门卫兼军医似乎早已知道我有些疑问，一边从烟盒里掏烟，一边漫不经心地回答："两针六百，激光治疗能免费吗？收你三千五百元算便宜你了。"

"太贵了，能不能少点？我、我是外地民工，哪来这多钱啊？"

"你这四眼狗是民工吗？就算是民工，也该是搞技术的白领民工！我明白告诉你，这个钱一分也不能少！"里边的白大褂隔着窗骂起来了。

我知道自己必是进了黑店，今日这事只怕不能善罢了。我瞄了瞄门口，那门卫军医仿若无意地站在我与门之间。我又看了看药房里一脸横肉、气势汹汹的那位，敌我力量悬殊，硬拼是不可能的。我抖抖索索地从屁股后面掏出钱包，带着哭腔说："我、我……我没带够钱啊！……"

里面的白大褂霍地站起来，盯着我的钱包道："还差多少？"说着，趁我不留神，隔着窗把我的钱包一把抓过去。我正想发作，门卫兼军医冲过来，迅速从我腰间摘下呼机，一扬手扔给了里边的白大褂。

白大褂将钱包和呼机放进抽屉，说："钱不够没关系，你回去拿吧。"

见我不动，白大褂又拉开抽屉，把我的钱包打开，从里层的夹缝里掏出我的身份证，仔细察验，又抬眼看了看我，对照着身份证上的照片，显然又在验明正身。

"你还是北京的？真他妈的丢尽了咱北京人的脸！"他把身份证扔进抽屉，骂了一句。

我明白自己已经没有退路。身份证上的名字地址绝对真实无误，死撑着不给钱，难保军医们不会恼羞成怒，直接揭了我的老底。我能怎么办？找警察么？我比他们更怕见警察。警察管不管得了这档事还难说呢！纵是武功盖世的大侠，给人拿捏住了死穴，也要服软讨饶吧！色字头上刀一把，忍字心上一把刀，前途、面子比钱重要，我唯有低头！骗了我的钱，让你们得艾滋，你们全家都艾滋，我在心里恶毒诅咒着。面上却堆出笑脸，说了软话："哥们儿，你得留些钱让我打车回家取钱啊？"

白大褂仿佛又想起什么，拉开抽屉，拿起身份证看看，抬头向门卫兼军医摆了一下头，说："他住海淀。"

门卫兼军医一抬下巴，道："你不会是海淀哪所大学的学生吧？海淀那一带都是大学。"

我被击中软肋，差点瘫倒在地，"你、你……看我这年纪还像大学生吗？"

"……倒也是。那你是大学老师？"

"唔，哥们儿，别、别……别净往那方面瞎蒙，大学教师也会干这个吗？大学校园遍地都是处、处女哩，老实说罢，我不过是在海淀开出租车的。"我极力打消他的怀疑。

"给他五十元打车回去吧。"军医将信将疑地看了看我，撂下一句给那白大褂后，坐回门口的椅子上，二郎腿一跷，拿起半张报纸看了起来。

白大褂答应一声，翻捡着我的钱包，悻悻地发现里面的零钞只有几张毛票，其余的就是那几张寥寥可数的百元大钞。他抽出一张百元面额的扔到柜台上，颇有不甘，想了想，又有些不放心，威胁我说："快去快回。放老实点，千万别跟我们玩猫腻，这可不是闹着玩的。"

我当然知道这绝不是闹着玩的。这两位身材悍猛、性情粗暴，倘若是拿不到钱，说不定按着身份证的地址杀上门来，代表北京人民把我这"给北京人丢脸"的家伙直接阉了。我既然不想付钱，人家把货毁了也说得过去。就算我能躲得开身败之祸，也绝逃不掉名裂之痛。那个呼机随时可以引爆我的一切。我在北京结交的熟人中，除了那位给我惹祸的按摩小姐外，谁人不知我的呼机号码？赵兰春、伊小菲、持实导师、李寿昌教授……他们之中只要有人呼了我，我的债主"好心"地回电话，我的秘密就将无所遁形。

名声、前程、爱情，一切的一切，都有可能因为那个火柴盒般的玩意儿发出几声"B，B，B"，就烟消云散。

向地铁口走去时，我万念俱灰，脑子里一片空白，恨不得一头撞向飞奔而来的火车来个一了百了。然而转念一想，即便了结了性命，那两位军医拿不到钱，见不到人，愤恨之下，一样会把我见不得人的丑事抖出来，有心之人再添枝加叶以讹传讹，我到了阴间也是一身骚。

火车到公主坟站，我跳下车，一路小跑。出了地铁口，急急拦了一部面的，直奔京师文理学院。一路上，我把自己认识的人在脑子里过了一遍，不知道谁肯当我的债主，心下惴惴。金布丁、陈进林、王天乐、李习科、阿松、阿方……名字倒是有一长串，可惜我分析了一下，有能力有意愿借钱给我的只有寥寥几人而已。唉，相识满天下，借钱能几人？

回到学校，冲进宿舍楼的传达室，紧急传呼金布丁，留言不好直接说借钱，只说有急事找。他是我最大的指望。我不敢回宿舍，一直待在传达室里等。等了半天，电话铃响了几次，却都不是找我的。我心急如焚，坐立难安。总算等到复机，他一开口就问我有啥急事。我有些讪讪地问，可否见面详谈，结果他说出差上海明晚才能回来。我的心一下子凉透了，看来指望不上他了。

接下来的时间里，我像一只急红眼的兔子在整座宿舍楼里上蹿下跳，陈进林李习科王天乐阿松阿方这帮毛驴好像知道我要找他们借钱一样，个个踪影全无。问了几位同学，原来国际展览馆今天召开人才交流会，全班同学倾巢出动，到国际展览馆演练找工作去了。我近些日子过于焦虑，转移了对下半生的注意力，所以根本没留意到这一信息。

感叹一声，看来是天要亡我！想死之心再度萌发，正在挣扎之时，欧阳师傅赤膊上阵气喘吁吁地推着一部人力车从外边回来，显然，他刚刚到外边卖了废纸空酒瓶牙膏壳回来。

欧阳师傅看我神情不对，以为又有什么交代，在门前放下车，笑道："怎么？这阵子还有电话找你呀？我全给你挡回去了。是不是导师找你啊？"

"导师找我？"导师真要找我，打电话没找到，自然要呼我，呼机一响，万一那两个军医真的复机了，那我就露馅了。

"傻，我问你呐！"见我呆呆傻傻地不理他，欧阳师傅爆了粗口。

毫无主张的我决定蹲在楼门口守株待兔，没想到逮到的是王天乐。他刚从外边回来，正在门边存车处低头锁车，我明知这瘦毛驴身上不会有什么钱，但病急乱投医的我还是忍不住问了一句："哥们儿，有点急事，借我点钱。"

"你损不损啊？……"王天乐勃然大怒。显然，他肯定以为我嘲笑他。前几天他低声下气跟陈进林借钱，但因旧债未清又举新债，陈进林推说没钱，王天乐因此碰了一鼻子灰。

被王天乐呛了一下，我更加灰心，长吁短叹地想，到京读书也快两年多了，倒是认识了一批女孩，可个个都不是省油的灯，她们只有烧我的油，何来钱借我？

我的心情随着时间的推移越发焦灼。时间就是金钱，金钱就是我的命，几个小时已经过去，我时时担心那两位军医已经在来海淀的路上，又或者某个熟人呼了我，他们借着回电话的机会，早已把我的私隐广而告之。如果那两位军医经由此位熟人知道我是京师文理学院的硕士研究生，进而把我当作一块肥肉敲诈勒索，价格由三千五百元涨到八千五百元，我又该如何。各种各样的可能性让我无比纠结。人最大的恐惧果然来自未知的结果。

我对着正在收发室里两手扯着毛巾上下两角，反弹琵琶般拉锯式地擦汗的欧阳师傅大声道："欧阳师傅，几点了？"

"石哥，你等电话吗？"

背后突然有人叫我，我抬头一看，来人竟是秋月！

"……你怎么了？病了？"我神色里的惊惶大约太过明显，还未等我问话，秋月就关切地追问。

"你、你……什么时候回来的，怎么也不告诉我一声？"连我自己也吓了一跳，我何曾如此粗暴地呵斥她。我对她的出现极为不满，错误的时间，错误的地方，除了添乱外，对我的困境毫无帮助。最要命的是，万一这前因后果让她知道了，以她的性格，只怕当场就要在研究生楼前撕破脸，闹个天翻地覆，那样的话，一头撞死对于我来说，恐怕都有点过于奢侈了。

"我的身体已经恢复了，回来都好几天了，打了很多次电话都没有找到你。对了，你脸色这么苍白，满头大汗的……让我看看……"秋月伸手摸了一下我的额头，委屈的泪水就涌出来了："你啊，都病成这个样子了，也不打电话告诉我一声……心里还有没有我啊？……"秋月说罢，又止不住抹起泪来。自那次人流后，秋月越加缠人，只怕是把我在病房里的誓言当了真。她原先细皮嫩肉的脸上起了一层麻雀斑，不仅有点人老珠黄，还变得老妇人一样唠唠叨叨。

此刻，我无意与她多作纠缠，脑海里只有那两个凶神恶煞的军医。我知道女人要哄，只要你会哄，哪怕是百炼成钢的女强人也一样化为绕指柔。

可惜，我现在既无哄女人的时间，亦无哄女人的心情。秋月爱哭，眼泪说来就来，两情缱绻时，我觉得梨花带雨真是迷人，现在这泪只让我觉得厌烦。我必须摆脱她，立刻，马上。

"我有急事，马上要走，你自个上宿舍去吧，自个打饭回来吃吧……"说话时，我掏出宿舍钥匙扔给她，她没有接，独自呆呆地站在原地泪眼婆娑。

有几位低年级的女同学恰好从外边回来，她们正好奇地朝这边望。我突然意识到，四处筹钱归还治性病拖欠的巨债固然是当务之急，但让一帮女生看到我光天化日之下在研究生宿舍楼的大门口跟一位哭哭啼啼的女孩纠缠不清绝对是后患无穷，且不说这事儿会不会影响到领导和导师对我的评价，就是传到伊小菲的耳朵里去，对我来说也绝对是一件祸事。

好汉不吃眼前亏。我赶紧对秋月一边好言相劝，一边连推带搡着她上楼，殊不料，我一碰着她的身体，她就一甩手，尖声嚷道："你为什么不问问我回来干什么！……"

对呀，分别这么久，她冒着被纪律处分的危险这么大老远赶来看我，我再忙也得敷衍塞责般装出样子来陪她一下。

上楼进了宿舍，我故意敞着门。陈进林李习科都不在，我明显地暗示她，我现在不想跟她亲热。

"我没钱了……"她抹了一把泪水，愤愤道。

我从门板后面拿毛巾递给她，听她说没钱，心里又烦又恼，虽然她平时从没有主动开口向我要钱，但自从不许她到桑拿按摩场所挣钱后，偶尔也给她一二百元，现在回来找我，肯定也是讨钱来了。

"可是，我现在也没有啊……"

"烦死了，你坐下来再说行不？"

我坐了下来，心里还是焦急地盘算着如何能早点脱身。但想不到她瞅了我一眼，突然破涕为笑道："谁向你要钱了？告诉你吧，我刚从邮局取钱回来，顺便过来看看你。"

"哪儿来的钱？"我的眼睛顿时一亮。

"我家寄来了不少钱。"我一听，胸口如被扎了一针兴奋剂一样，忙问："多少？"

"五千多呢！家里人让我在毕业前把欠同学们的债全部还清。"

我心定了。我哪儿都不去了，我只需在她面前精心编个谎言。

我起身给她续了水，在她低头喝水的当儿，我清了清嗓子，道：

"秋月，我有件急事，本来我正四处找人借钱，既然你手头刚好有钱，我就跟你商量一下，能否把钱借给我来解燃眉之急。"

"什么事？"

"省里的剩副主席有一位远房亲戚来西三环海军总医院那儿治病，钱不够，正等钱动手术呢，你先给我三千元吧。"

"剩副主席的远房亲戚？"

"对呀，他不知从哪儿知道我的电话，刚才打电话找我来了，你想想，剩副主席的亲戚有急事找到我了，我能无动于衷吗？"

"你要弄清楚了，可别给人家骗了。"

"我刚才也这么想过，后来我打电话问过京师党政大学的姚趋势了，姚趋势证实那人确实是剩副主席的远房亲戚。"

秋月对我所编的谎言深信无疑，二话没说从身上拿出三千元塞到我手里，跟我握手洒泪而别后，独自回学校去了。

两个钟头后，我取回钱包和呼机，坐在回公主坟的地铁列车上，恍若隔世重生，就像妓女赎了身，心中升腾起终于从良的快意。回头再想自己在这半天里经历的种种煎熬，心中既好笑又心酸。因女人而生的祸事又因女人而化解。那位按摩小姐让我体会到了刻骨铭心的恨意，而想起秋月，她的眼泪在我心里温柔地漾开，胸中只余融融暖意……

周末，金布丁从上海出差回京后打电话给我，我问他有什么特别的事没有？金布丁说，也没别的事，只是嘴里又淡出个鸟来了。我刚逃过人生浩劫，如妓女刚刚赎了身，神清气爽，豪情满怀，正处于压抑之后的躁动状态。看看水房边的布告栏，没有舞会海报，又到澡堂门边溜达了一会儿，发觉澡堂门前冷冷清清。我终于确信今晚校园里无舞会。凭经验判断，校内若有舞会，澡堂大门边的售票处便会排起长队，女同学洗完澡披着长发挎着五颜六色的面盆或小篮子，散发着浴后的清香和妖媚，满面光鲜地走出来。

没舞会，我不去金布丁那儿，我还能上哪儿？

金布丁请我到菊园东边的一家酒店。我记得军医关于这段时间严禁喝酒的话，点菜时，声称身体不适，随便吃点饭或面条即可，金布丁听罢，笑而不答。

点菜后，金布丁走到柜台前磨磨蹭蹭。起先我还以为他跟柜台小姐套近乎，可不一会儿，金布丁却提着一瓶红星二锅头过来，我赶紧起身道："我说我不喝，你退了吧。"

金布丁哪里肯退。叫小姐开了瓶盖，端起酒瓶就往两只大玻璃杯里倒酒。

"我真不能喝。真的。"

"太阳从西边出来了？"

"身体不适……"

"高度酒，杀菌消炎，你说什么病吧，总不会是性病吧？"

我苦笑不言。

金布丁瞪大眼睛，不认识我似的上下打量着，半晌，一脸诡笑，道："真还是假的？要有这事，你一定如实跟我说，我有一个哥们儿专治这种病，你千万别顾虑面子，耽搁了可要酿出大祸来的。"

反正这事过去了。再说金布丁也不是外人，说不准也是过来人呢。我苦笑道："还真他妈的给你言中了。"

出乎我意料，金布丁并没有抓住这难得的机会把我当落水狗痛批。只是沉默地看了我一会，轻轻放下酒杯，从桌上拿上烟盒，掏出两支烟来，自己叼了一支，摆出一副见惯风月的样子："要真是这样，那这一瓶酒就拿回去做料酒罢。"说罢，他吐出几圈烟雾，低头用筷子搛菜，把菜快送到嘴边时，忽然猛地笑开，越笑越不可抑制，全然不顾我幽怨的眼神。笑够了，缓过气便问我怎么沾上的。我如实将跟陈成三去桑拿及跟按摩小姐乱来全都向他坦白交代了。

金布丁听罢，又是一阵狂笑。道："你不说我还真不敢相信，去年冬天你在苹果园跟一个香喷喷的处女同床共寝一夜都不出事，这回怎么连暗娼也不放过了？"

这厮总是能直指本质，一语道破。想起去年冬天自己跟秋月在苹果园的那个雪夜，我对自己一年来的变化不禁骇然。我下意识地摸着胸口扪心自问："我什么时候变成了这副模样？我可是怀着做人上人做官上官的强烈欲望来京读研究生的，为何临毕业的现在，我变成了这么个下三烂的玩意儿？呸！呸！知我爱我恨我的周素菊无怨无悔地离我而去了，她无怨无悔，莫非她先知先觉我将会堕落得不可救药……"

"饱暖思淫欲，饥寒起盗心。我说呢，你这三年学费一分都没交，欠了一屁股的债，按说温饱问题应算还没解决，可你在这方面却已经小荷初露尖尖角了。"金布丁说到这里，独自喝了一口酒，不无揶揄地说："哥们儿，我代百姓求你了，毕业后可千万别到官场去，求求你啦，啊？"

我一脸苦笑，心想，平心而论，在这方面，若跟陈成三他们比起来，我不过是小巫见大巫罢了。

问及病治得如何，我便将被两个军医宰了一刀的事说了，金布丁听罢，拍案而起，愤愤道："明天找几个哥们儿找他们算账，让他们全都吐出来！真是欺人太甚了！"

"算了算了，他们是武警。"我想，横竖病都治好了，就算花钱买教训吧。

"什么狗屁武警？压根就是挂羊头卖狗肉！退一万步来说，武警又怎么样？武警就可以胡作非为啦？武警就可以欺负平头百姓啦？再说，他有武警，我还有解放军！东风吹，战鼓擂，现在世界上究竟谁怕谁？这口气非出不可！"

我知道金布丁有一位硕士师兄分在北京市公安局，还有一位在北京郊区某驻军做个上校。我相信他有这个能耐。但我担心这事万一闹大了会殃及池鱼，我的那点破事一旦被抖搂出来，这三年的所有努力将可能付诸东流了。我极力劝金布丁大事化小，小事化了。金布丁沉思一会，愤愤道："这算什么挂靠！"说罢低头喝了一口酒，又揿了几筷子菜，边咀嚼边说，"这段时间离女人远一点，什么秋月呀，兰春呀，还有你那几个情儿，你都别碰，这事可不是闹着玩的，害人终归要害己，要是她们沾上了，肯定能轻而易举查到你这个罪魁祸首的……"这家伙喝得有点高，声音渐大，我吓得赶紧制止他说下去。

"喂，哥们儿，我都治好了，这些天我都没什么不舒适感觉了。"

"感冒还有反复期呢！何况这风流病，我马上帮你问一下。"

金布丁的这番话着实吓了我一大跳，妈的，秋月前几天还和我亲热了一次，该不会有什么事吧？

金布丁在身上掏出一个小本子，边翻看边向柜台走去，打通电话后聊了半天才回来，坐下后，笑着安慰我："我问那个做医生的哥们儿了，他说没什么不舒适，基本上没问题了，不过，最好再服些西药巩固一下，另外，这段时间千万别同女人同床，一来也真怕病没断根传染给别人，二来你有必要休整一段时间，回复元气，提高提高自身免疫力，这样才能做到标本兼治。"金布丁还关切地提醒我，这段时间少吃燥热东西，建议我干脆烟也别抽了。又说，以后遇这事，就找他，他那当医生的哥们儿信得过。

回校的路上，我回想着金布丁的话，对这家伙心生感激，金布丁平时虽然牢骚满腹，但还是挺够哥们儿的。

　　军医虽然狠狠宰了我一刀，但那疼入骨髓的两针和激光还是很有效的。回到学校，我感到下身确实没什么异样。但那种痛和心理煎熬，我这辈子绝对不想再经历第二次。我没有再去怨恨陈成三，分明是我自己半推半就，怪不得旁人。金布丁提到反复期，我心里始终不踏实，第二天就听从金布丁的忠告，特意到北图查阅了性病的防治方法。从北图回来路过魏公村，如惊弓之鸟的我，鬼鬼祟祟地溜进路边一间药店，用手指着喉咙"咿咿呀呀"地问售货员有什么抗生素，最后花了近一百多元买了十盒"先锋四"，直服得我舌头又麻又涩。

第 19 章

赵兰春公司打工虽是权宜之计，但这里的工作环境比较宽松，每月两千多元的进账虽解决不了学费和沉重的债务，但好歹部分解决了为毕业工作去向开展公关活动的经费。

下午，赵兰春主持召开员工大会。会前，赵兰春又约我到她办公室，我以为是有关选题策划方面的事，可坐了半天，却不见她提一句跟公司有关的事。

"毕业论文快写完了吧？"

我渐渐发觉，她喜欢询问我学业和生活上的事，这让我觉得两人之间的距离拉近了，我笑道："快完了。"

"让公司打字员帮你录入吧。"

"这……这不好，还是在外头弄算了。"我十分感激她的好意。论文打印费每人四百元，我是自费生，只能自己掏腰包。现在她主动提出让公司打字员帮忙，从她的口气及表情看，她是认真的，但我不敢。

"没事，免得你整天在外头转。"她把我个人的论文与公司的工作联系起来，显然是给我一个台阶，我赶紧说："那就恭敬不如从命了，谢谢赵总。"

这时候，大家都到齐了，见我从她的办公室与她双双步入会议室，众人有点惊讶，我也有点沾沾自喜。

今天的会议其实也没有什么实质性内容，原来是通报近来公司发生的一件违章的事。公司财务部经理没有经过赵兰春的批准，擅自将一万元借给发行部经理，钱已经借出去一年了，要不是近来查账，还没发现呢。财务部经理就是赵兰春的亲弟弟，名叫赵秋三，因为额头上有三道刀痕，公司上下背地里都叫他刀痕三。刀痕三负责到各地收款及公司开支报销等事务，是大权在握的人　物。平时开一辆丰田面包车独来独往，极少有人见到他跟他姐姐在一起说话，倒是常见赵兰春动不动就拿他弟弟来开涮，赵秋三对他姐姐是言听计从，时时处处极力维护他姐姐的声誉。当然，他平时沉默不语。对他姐姐的批评也从不反驳，好像是他姐姐安插在员工内部专做反面警示教育的一名克格勃。

赵兰春通报这一起事件后，倒竖柳眉数落着她的弟弟："赵秋三无视公司制度，擅自做主，今天借了一万给人家，明天可能就拿十万一百万拿去做人情了。再这样下去，公司就会给他毁了。"最后，赵兰春宣布了一个让公司上下震惊的决定，即免去刀痕三财务经理的职务，由我接任。那位借钱的发行部经理虽极力辩解说，待在老家的老婆生病，手头紧张云云，但因犯了严重的错误，赵兰春给了他个调职的处分，调到编辑部做个小编辑。大家都觉得赵兰春的决定有失分寸，但慑于她的威严，也无人敢提出异议。

四点多就散会了，众人默无声息地各自散去。走出赵兰春的视线后，大家彼此对视一眼，然后又默契地一起把视线投向我，交换一个意味不明的笑容。

我突然被委以重任，颇有些受宠若惊的惶惶然。此时看到众人表情，更觉不知所措。散会后，待众人走完，我悄悄敲响了赵兰春办公室的门。

显然是出于压缩开支考虑，她的办公室同时也作为卧室，是一间豪华包间，每天有服务员来收拾，但房间里还有一个女人所特有的各种摆设。她开门时，我发现她已经脱下了外套，穿着一件紧身的毛线衣，胸部高耸，女人味很浓，完全没有刚才在会议室开"批斗会"时的冷酷。

赵兰春似乎早就意料到会后我会来找她，她笑着说："工作上的事，你放开手脚来做，拿不准的事，就直接找我。"她在"直接"两字那里，刻意地顿了顿，有些微妙的暧昧在这不大的空间里蔓延开来。我意识到我与她之间的关系有了些非同一般的意味，因为其他人是不能直接找她的，要经过办公室请示这一程序。

我说："赵总，我是学政治的，对财会一窍不通，恐怕难以胜任，辜负了您的一片好意。"她笑着说："经济是政治的基础，你一个政治硕士，怎么不懂经济呢。"说罢，她自个掩嘴笑了，见她这么说，我只好苦笑着点头。

也没有谈多少工作上的事，谈得更多的还是我毕业去向。我说，想留京，但到什么单位现在还没定。我特意如数家珍般向她列出上几届我们专业的几位同学的毕业去向。他们都留在中央各大部委。我本想炫耀一下自己，不料，她却笑着问了一句："愿不愿意来我们公司？"这个问题提得着实令我难堪。对于一个保险柜里藏有三十多枚假公章的公司，它的前景及命运可想而知，甭说我一个堂堂正正的硕士生了，就算是外地进京打工的农民，如果知道公司的内情，只怕也不会轻易来这儿冒险。但为了讨好她，我只好违心地说："很乐意为赵总效劳。"她听罢，脸上掠过一丝不易觉察的红晕。

快到六点时，见她没什么重要的话了，我抬腕看了看表，正欲告辞时，她却说："对了，今晚有个应酬，你也参加吧。"末了，又道，"你是财务部的负责人，以后常有应酬。怎么样，能喝点吗？"

我笑笑，道："凑合吧。"

"啥叫凑合呀？"她也笑了。

"看你的需要啦。"

"得！在官场待过就是不同。"

六点多，我先到楼下大厅等她，好让她做出发前的化妆。两刻钟后，她盛装而来，从大厅的电梯里走出来时光彩照人，浑身散发着浓郁的高档香水味。她没有叫司机，对我笑了笑，让我在门前等候，她独自到停车场取车。

赵兰春载着我来到位于西三环车道沟附近的香格里拉大酒店的中餐厅，走进包房时，已有两男两女恭候我们多时。赵兰春也没给我介绍是哪里的客户，我也不便问，只陪吃喝，问一句，答一句，铭记着陈进林在官场总结出来的"说多错多"这一训诫。几轮推杯换盏后，我慢慢听出些端倪，这两男两女压根就不是什么客户，不过是赵兰春的几个朋友。她今天是特地把我带出来让他们帮忙打打分。那几位对我很是热情，在嘻嘻哈哈慢吃款饮之间频频向我举杯，好在我也海量，还未待我主动出击，当中就有两人被放倒，其中一个男的端着酒杯，掏出车钥匙拍在桌上说："哥们儿……咱继续喝，今儿我把车停在香格里拉，说好打车回去，啊？"

赵兰春今晚完全没有一点老总的架子，不断地左右开弓频频地给大伙敬酒，后来，她也喝高了，待我从卫生间回来时，发现弥漫着酒味的房间里空无一人。我跑到酒桌边，发觉刚才拍在桌子上的车钥匙也不见了踪影。我正疑惑之际，沙发边传来响声，原来，赵兰春歪着头，靠在沙发上睡着了。而她那两对男女朋友不知是喝高了，还是有意为我们俩制造机会，早就脚底抹油开溜了。

我走过去弯腰把她扶起来，叫大厅的服务员帮忙叫一辆出租车，两人一起将她扶上了车。在车上，她静静地伏在我胸脯上，像个乖巧的小女人，我心里有些愧疚不安，用湿纸巾不断地替她抹着额头。刚刚提为财务经理，第一次陪她出来,就让她被人家放倒了,我分明是失职!她酒醒后怪罪下来,还不知能否保住我财务经理这把交椅呢!这么想着,我对她服侍得更细致了。

对于服侍的尺度,我有些伤脑筋,主要是觉得她的意图不好把握。现在这个场面分明是故意设局,我要不要顺水推船,直接来个以身相报?啧啧,万一她只是性情豪放,根本无此意,我岂不是乘人之危趁火打劫?别人刚给我个财务经理,我就找不着北,急赤白脸地跟人家上床?是不是有些那个……

脑子里正倒海翻江,公司已经到了。下车后,我扶着她上了电梯,从她随身背的坤包里找出钥匙开了房门,把她放到床上,用毛巾替她擦了擦脸部,冲了一杯浓茶,后来,看到她小腿肚上沾有呕吐时不小心溅上去的污物,我把心一横,便硬着头皮打来一盆热水正欲为她洗脚,正在替她脱下鞋袜洗洗脚时,一掀开她的裙子下摆,我不禁惶恐了。她今天穿的是裤袜,我顺着袜子瞄到她腰际美好的线条,便有些口干舌燥。停下还是继续?这确实是个问题。是智商问题、情商问题抑或是道德问题?我一时还难以厘清。我正在低头纠结,她突然欠起身子,伸出双手揽住了我的腰。原来她并没有醉,惊愕之余我不禁一阵窃喜,但还是故意推开她,说:"赵总,您……您醉了。"

她一下就把我扳倒在床上,又伸手到床头柜将所有的灯光熄灭。黑暗中,我翻身骑在她身上,她欠起头,那滚烫的双唇紧紧封住了我的嘴巴。虽然我始终没有对她倾情,但我忍了许久的激情也终于被她引爆了。

云雨过后,赵兰春气喘吁吁地把头埋在我的胸脯上,边抚摸着我的脸庞,边夸赞道:"想不到你这方面也这么出色,我算服了你。"这段时间以来,因为白天上班,晚上写论文,过于紧张焦虑,导致我常常失眠,为改变这一症状,我一连服用了好几盒北京同仁堂生产的安神补脑液,这玩意儿中含有壮阳补肾的中药,我笑道,这算什么,这几天我都没睡好。她说,这星期你别上班了,你的任务是吃好喝好睡好。

天快亮时,赵兰春搂我入怀含笑睡着了。我借着窗外透进来的晨曦,清晰地看到,在她心满意足的笑脸上,纵横交错着许多条沟壑纵横的皱纹,从她鼻孔里呼出的气息,夹杂着些许熟透的气息,昨夜的芳香已被夜风吹散,不见一丝痕迹。忽地想起周素菊,我心里十分荒凉。

赵兰春所做的书，从篇幅来分，可分大书和小书两种。小书一般以比批发市场低一点的折扣批发出去，即三点五折批出去，印刷厂是她自己的，因此，即便以这样低的价格批出去也能赚钱。除了正式版权的书外，公司还有一种特别的业务，即盗印热门书籍。平时逛书市发现畅销的书，都弄回来加以分析研究，一旦确定要盗印，就在圈内安排专人扫描、排版、封面设计、校对，但因是违法乱纪，赵兰春也十分谨慎，不轻易做，一旦做了，就尽力在质量上确保与正版的一模一样。出版社一般是"三校一读"，而赵兰春弄的盗版书是"六校三读"，曾有人拿赵兰春盗印的书去问书的作者，作者竟然认为是正版。赵兰春把这些盗版书渗进正版书中一起发行，盗版书因免了出版社这一环节，少了管理费和稿酬，成本很低，而且市场需要量也大，每年做十多本就足以维持公司正常运转了。

有一天晚上，两人云雨后，赵兰春拧亮床头灯，拿出一本书递给我，我接过来一看，原是我经常研究用的新近出版的《党政理论文选》，我说，我都不知看多少遍了，我还看它干啥。

"你再看看，看看印刷装订排版什么的，有什么特别地方没有？"

我看了看，摇着头说："看不出，看不出。"

赵兰春一副小鸟依人的模样投入我怀中，俯下身来频频地吻着我的脖子。赵兰春这方面应该说炉火纯青，虽徐娘半老，但仍风情万种。

我以为她还要一次，心里不胜恐惧。这段时间，我在海淀王庄那里弄了几张毛片，经常跑到伊小菲出租屋跟她边看边做，伊小菲开始还有点害羞，显得扭扭捏捏，经过这段时间调教，现在风情万种。

在伊小菲那里的透支让今夜的我成了强弩之末。我边看书，边侧过身去躲开她的胸部，但赵兰春又一次用手挽住我的脖子，嗲声嗲气道："答应我一件事，好不好？"

"我实在应付不了啦，知道不？"

"你呀你，想到哪儿去了。"赵兰春嗔怪地擂了我一拳后，指着我手中的《党政理论文选》道："我想跟你商量搞这本书……"

"什么？"我吓了一大跳，简直不敢相信自己的耳朵，用手指着书问道："你要搞这本书？"

赵兰春笑着点点头。

我有点紧张，我知道这事不是开玩笑的，弄不好赔进了我大好的政治前程。

赵兰春起身后，走到床头拧开保险柜，拿来一份文件模样的东西，说："这年头，撑死胆大的，饿死胆小的，你担心个啥啊，你得有这个胆量，你想想看，你如果循规蹈矩，你绝对不能实现你的目标。看你那副穷样，你母亲常常是有上顿没下顿的，你的拜把兄弟草根的几个孩子因为学费的问题快要辍学了，你就忍心吗？"

老底被人这样赤裸裸揭出来是一件很伤自尊的事情，我惊骇之余，还有些恼羞成怒。男人的面子荡然无存，我暴怒地从她手中把那份资料抢过来，一股寒意从背脊"嗖嗖"地冒上来。

这是一份题为"关于石明雷有关问题的调查"。我粗略翻了一下，我的出生年月、婚姻状况、工作学习经历、家庭成员、经济收入等项目全都一目了然。虽说都不是什么了不得的大秘密，可是我不爽，非常不爽！

"不好意思，我重用一个人前必须弄清楚他七大舅八大姨的各种社会背景。"

我看着这张笑得柔情似水的脸，很想一拳擂上去。

"这风险太大了，弄不好要杀头的。"

赵兰春给我冲了一杯咖啡，把杯子递给我，道："我看你呀，放屁都怕砸了脚后跟。我知道风险很大，这么大风险我当然不忍心给你担当。"

赵兰春说到这里，凑近我，小声道："其实，你并没有参加实质性的工作，在这过程中，你的任务只不过帮我看看原文就成。"

"你是说让我校对？"

"说校对通读都成，说研究也成。你必须确保里面的文字和标点符号格式都不出任何差错，因为扫描出来的东西肯定有不少纰漏的。你不是学党政专业吗？难得有这么个机会逐字逐句地认真研读，这对你以后写政治理论文章也大有帮助啊。"

"那……谁来扫描排版发行呢？"

"这你就甭费心了。你这几天就待在我这儿老老实实认认真真研究这本书就成了。全封闭工作，暂时不跟外边联系。"

见我疑虑重重，赵兰春又俯下身，拍着我裸露的胸部，小声道："扫描排版我已经让我弟去弄了，他前几天都弄好了。明儿就送来给我。"

"他知道我也参与这事吗？"

"除非你自个儿跟他说，要不，这事就你我两人知道。再说，这事最容易出事的是在排版印刷发行，最不容易出事的就你这个校对通读的环节。

退一万步来说，就是被抖出去，你可推说不知道这事，因为稿件是一篇篇送来的，你压根就不知道要印成书，至于印多少，如何销，你更无从知道。这样一来，你的风险就会化整为零了。"

"你是说，让你弟一人担当风险？"

"不错。总得有人担当风险的。这几天你就在我房间里校对，白天校，晚上校，反复校它个五遍六遍，弄好后由我亲自送到我的厂子，由我弟开印，万无一失，你想想看，全国几千万党员，我只印个五六十万本，渗入正版书中批出去，我的发行网络比新华书店的还要快，服务态度比他们还要好，给的折扣还要高，何愁销不出去？我们做完这一单，就金盆洗手。"

夜里，我辗转反侧。快到天亮时，我想通了：这年头，假冒伪劣商品多如牛毛，我不就是被假农家肥害得差点毁了前程吗？盗版软件光碟图书不都到处充斥市场吗？走在中关村，不也是有人"毛片毛片"、"文凭文凭""软件软件"这么吆喝吗？赵兰春自己有印刷厂有发行网络，我不过是做做校对，就能拿到这么多钱。钱对一心想在官场出人头地、一心想做个京官的我来说太重要了。人生能有几回搏，更为重要的是，这事成功后，我可以摇身一变，拥有数十万身家，有了钱，这毕业去向的问题，还不是小菜一碟？我写的政论文还愁发表不了？我现在是万事俱备，只欠东风，这东风，就是钱！钱！钱！将来怀揣硕士文凭的我，一旦走上官场这个角斗场，若手中无钱就会寸步难移。

我不是傻子，我很清楚校对这事并不是非我不可。这事高中毕业生都可以做，只要认真仔细地核对就完了。赵兰春让我做，无非是觉得我可靠，同时想给我点甜头，让我继续为她的事业和生活效劳。

第 20 章

  时间一晃就到了一九九五年的四月。最后一个学期，大家都为找工作和学位论文奔忙，春节前我发出去的几十份求职简历十有八九都有了回音。但令我诧异和失望的是，在北京，同意接收我的工作单位中，除一些高校和研究所外，没有一家权力部门。不过，西河省有好几个地级市的组织部长亲自给持老打电话，说是希望我回去建设家乡，其中有一个市答应由我挑选工作单位，承诺让我由股级一步到位直升副处，并答应提供一套一百平方米的周转房。应该说，这些单位开出的条件是十分诱人的，但一想起"人在京城贵三分"这句话，我就无法下定决心跟他们签约。

  后来，剩副主席办公室也终于给我回了信。信上说，我给剩副主席的信收到了，希望我回去建设家乡，至于具体安排到什么部门，信中则没有进一步明确。

  收到剩副主席办公室的回信后，我曾兴奋得一连几个夜晚都无法成眠。我一门心思地想，只要高攀上剩副主席，不论在西河省哪个地方做个"鸡头"，也强过在京城当个教书匠。

  然而，就在我最后下定决心打道回府建设家乡时，却得到了一个无异于晴天霹雳的消息。某日，京师党政大学的姚趋势神神秘秘地来学校找我，在酒桌上他几次欲言又止，引逗得我心中七上八下。酒酣耳热之后，带着几分醉意，他终于鬼祟地凑到我耳边，透露说，剩副主席已经被中纪委盯上了。原因就是剩副主席收受某地产开发商巨额贿赂，同时还包养二奶……

  我感觉自己被人兜头一盆冷水，从云端泼到烂泥坑。

  姚趋势一改素日一谈起官场就慷慨激昂滔滔不绝的模样，像一只刚刚被阉割的公鸡一样垂头丧气，"咕噜噜"倒下几杯闷酒后，自言自语地哽咽："按说，我们是应该回去建设家乡，儿不嫌母丑，狗不嫌家贫嘛，可是，剩副主席现在已经是泥牛过河自身难保了，他一旦落马，那真是落毛的凤凰鸡不如呀……识时务者为俊杰，我们也不要在一棵树上吊死。留京或回去，摸透情况再说，绝不能草率回去……回去后万一站错队跟错人，那就真是万劫不复了。到时我们上哪儿去找后悔药吃啊？"

赵兰春对我的毕业去向表现出莫大的兴趣。留京或回西河她都不反对，她只希望我进入权力部门，诸如中办中组部中宣部等等。若进入了这种权力部门，她经营文化公司遇上什么麻烦，只需我打打电话就轻易摆平了，无须低三下四求人或刻三五十个公章提心吊胆过日子。

我正处在人生的十字路口，何去何从，我有点彷徨，这个路口也不允许我长久地待下去。

我想起了陈成三，兴许他会有主意，我决定晚上给他去个电话。

吃过晚饭，老独头突然来长途电话，不等我开口，电话那头老独头大笑不止，笑得我头皮发麻，半天老独头才得意扬扬地道："陈成三已成落水狗了。"说罢，不等我问，老独头就绘声绘色给我讲述了陈成三落马的经过。

上个月有一天下午，陈成三正在办公室里闭目养神，突然被一阵急促的电话铃声惊醒。陈成三拿起话筒，听筒里传来一个神秘的声音："请问你是陈成三同志吗？我这里是省剩副主席办公室，主席要和你通话。"陈成三吓了一跳，话筒差点从手里滑落，心想，剩副主席怎么想起我这么个小角色了？他怀疑自己被整了，冷冷地暗骂道："不知哪个家伙晚上请我赴饭局，就故意这么戏弄我，下回轮到我做东的话，我也要吓唬他说是联合国秘书长要跟他通话。"

骂归骂，陈成三还是耐着性子接了电话，不听不知道，一听吓一跳。原来，这并不是恶作剧，从话筒里传出来的果然是剩副主席的声音。

陈成三下意识地"啪"一声，两脚并拢呈标准立正姿势，恭恭敬敬地听着。剩副主席说："小陈呀，我是老剩呀，有件私人的事跟你说一声，我有几个搞文艺的朋友，过几天要到你们县转转，想看看你们那里的民间舞蹈，你安排一下……"

陈成三受宠若惊，放下电话兴奋得连连捶胸拍腿。他心想：我跟剩副主席只有在京师党政大学一个饭局的交往，但剩副主席非但记住了我，而且还亲切地称我为小陈，更重要的是，剩副主席还把个人的事托付我办，这说明他觉得我是个可以信任的人。这种事，他完全可以让秘书一个电话打到县委办或县府办，县里即有专人为他安排得妥妥帖帖。这一次，他专程打电话给我，一来说明剩副主席跟他那几位搞文艺的朋友关系非同一般；

二来说明剩副主席心中

有我。剩副主席拔根汗毛比腰粗，随便丢个只言片语就能让我顺风顺水。把握这个机会，把剩副主席的朋友们服侍好，让她们在剩副主席面前替我美言几句，这无疑比送十万八万都强呀！从此，我陈成三就是剩副主席罩住的人……哈哈哈……

主意打定，陈成三决定不向县委县府报告，由他个人出面全程接待，所发生的费用回头找个借口报销就是了。这是剩副主席个人的事嘛，个人替他个人办事，没必要向班子报告。否则，就失去一个向剩副主席献殷勤的千载难逢的机会了。

陈成三推掉手中一切工作，专司筹备接待剩副主席的朋友事宜。

几天后，看到如约前来的剩副主席的几位搞文艺的朋友，陈成三恍然大悟。四个人都是年轻貌美的小姐。

陈成三带着司机开了一部大霸王面包车，带她们到县内各处转转，找了三五个民间艺人跳跳舞唱唱歌给她们看。第三天，又带她们到当地的风景名胜走走，每人送了不少礼物，可她们似乎都不感兴趣，第四天，陈成三主动提出，要带她们到广西的北海走走。陈成三心里打着这样的算盘，到了北海，除了吃喝玩乐外，还可以用公款给她们每人购买一条合浦出产的高档珍珠。都说东珠不如南珠，南珠的家乡就在广西北海的合浦县。"合浦珠还"这一成语有力地佐证了这一说法。

美女们听说要带她们去北海，人人高兴得眉飞色舞。

青翠坡县跟广西的北海市相距数百公里。出发那一天，陈成三因临时有会议走不开，直到下午三点多才出发。

掌灯时分，沿着南下公路行驶的大霸王车来到了那猪村境内，小姐们开始娇滴滴地喊累叫饿。陈成三义不容辞地领着她们到路边一小酒店住下来。小姐们用餐后早早就寝，当晚无话。

翌日，东方刚露鱼肚白，陈成三便唤醒小姐们起床梳洗，吃了早餐后向停在门边的大霸王车走去。路边一小贩笑嘻嘻地凑过来，其颈上手上及腰间均挂着花花绿绿的泳衣泳裤。小姐们看见款式漂亮，一拥而上，纷纷挑拣起来，还在身上比比试试。陈成三担心遇上个假货贩子，问门边的保安："这人常来？"保安一笑："天天都来，专门在店前兜售泳衣，生意还不错。"陈成三想，天天都来，走得了和尚走不了庙，肯定不敢卖假货，便也凑上前，从小贩手中取过一件女泳裤掂量，手感薄如蝉翼，视觉艳若云霞，难怪让见过世面的省级小姐们也心动不已。陈成三装模作样地用手搓了搓，问小贩："哪里出的？"小贩笑着说："一看您就是个见多识广官面上混的人，不怕你笑话，我连中国字都不大认得，这种曲里拐弯的字母更不懂了，不如您帮我看看，这个到底是哪里出的。"陈成三对英文当然一窍不通，被那小贩一捧，晕头巴脑也不好说自己不认得。正犹豫不决时，一小姐仔细看了看印在裤腰处的几行洋文字母，不无得意地说："这个我知道，我家里有好几套呢，夏威夷的'佳丽'嘛。"陈成三心里感慨，剩副主席的朋友，省级小姐，档次就是不一样。那些县级小姐谁有这个见识呀？陈成三本不想买，一来无发票，回去不好入账，二来这儿地处造假闻名远近的那猪村境内，加上不是正规商店，怕是假冒伪劣的那猪村牌"佳丽"。一转头，却看见小姐们每人手上拎了几套。陈成三明白自己没有退路了，乖乖掏钱，同时也为自己购了一条泳裤。

一路上，小姐们取出泳衣相互比试，嬉笑赞叹之声不绝于耳。

下午三点左右，车至北海，在富丽华大酒店安顿后。陈成三遂率小姐们驱车直奔素有"天下第一滩"美誉的银滩。来到海边，只见十里沙滩，沙柔滩阔，银光闪闪，游人如织。小姐们换上泳衣后，欢呼雀跃，争先恐后地奔到岸边，海风阵阵，二三米高的海浪由远及近，轰然作响。

小姐们立于岸边，犹豫不决。换了泳衣的陈成三来到小姐们身边，先以脚探水，后涉水至齐腰深处，回头望岸上的小姐们高声呼道："风急浪高，最能冲浪戏水，吔——！"一个猛子跃入水中，几位省级小姐见陈成三带个头，也昂首阔步走进水中，边走边振臂高呼："不管风吹浪打，胜似闲庭信步，吔——！"陈成三赶紧叮嘱小姐们："你们不识水性，风急浪高，行至齐腰深处即可止步。切莫到齐胸深处，浪一打来，即淹头盖耳，险象环生。"为防不测，陈成三主动充当看护，但男女有别，只能远远视之，不敢近身。

小姐们来到齐腰深处，作蛙蛰伏状，待浪潮涌来，齐喝一声，"吔——！"跃向浪峰，跌入波谷，如此反复，好不惬意。陈成三独自在一旁嬉水，时而鱼跃而起，时而扎入水底，兴奋得如春天池塘里追逐交尾的鱼儿。

直至夜幕降临游人四散后，在市区里转了半天，购得几箱干海味的司机暗觉情况不妙，直接驱车到海边接应他们。看到这幕窘况赶紧买来泳衣，借着夜色的掩护，远远从岸上扔给他们，陈成三这才得以率小姐们上岸。

回到酒店，个个患上寒疾，女子尤甚。陈成三连夜将她们送往北海市人民医院就医，经扎针输液喷喉如此这般治疗，数天后才得以痊愈。

众人悻悻而归。陈成三害怕这事给剩副主席知道，与小姐们分手时，赔着笑脸给每人送了一条三千多元的珍珠，转弯抹角地恳求她们千万别把来北海之事告诉剩副主席。小姐虽人人拍着胸脯答应，可好事不出门，丑事传千里。陈成三回到县里不久，便有人密告剩副主席说："陈成三背着你老人家独自一人偷偷将你那几个蹄子带到北海一起共裸齐泳乐不思归……"剩副主席听罢，圆睁牛眼，倒竖虎须，拍案大骂："陈成三你这匹野毛驴，竟敢太岁头上动土，闯进本副主席的菜园来啦！哼，老子非抽你一顿鞭子不可！"

……

陈成三被削去官职发落到收发室，往日的荣耀不再，单位同事常常对他吆三喝四的，真是墙倒众人推。每每众人问他何以被免去官职？陈成三无不痛哭流涕抱怨道："唉，老虎也有打盹的时候，我一松懈………不过，他娘娘的，这都是省级小姐们惹的祸！"

我听老独头叙说到这里，禁不住"哈哈哈哈"大笑起来，笑得忘形时，我禁不住伸手摸了一把欧阳师傅的光头。正低头看报纸的欧阳师傅，冷不防被我摸了一下光头，猛然伸手将我的手推开，摔下报纸，气咻咻地瞪了我一眼后，推了一下老花镜，骂道："手舞足蹈干啥呢？傻子一个！"

我好不容易止住了笑，陪我笑了半天的老独头也止住了笑。老独头又说："这真是应了古训说的善有善报，恶有恶报，不是不报，时候未到，时候一到，一切都报。甭说老天有眼了，就是大海也长着眼睛哩。"

老独头说罢，又狂笑一阵，突然话锋一转，压低声音说："老弟啊，我顺便请示请示你……"

"别这么难听，什么事？"

"有仇不报非君子，有恩不报是小人。陈成三现在虽然成了落水狗，但我们务必清醒地认识到，只要这只落水的疯狗还没死，乱咬人的本性就不会改，只要有机会，他就会反攻倒算卷土重来，你说对不对？"

"你意思是……"

"我早跟你说过，君子报仇十年未晚。眼下陈成三往日的风光不再，但俗话说，烂船也有三斤铁，他仍是不容忽视的。我们必须以其人之道，还治其人之身，这个时候，不仅要对他落井下石，而且还要迎头痛击，务必打死这只落水的疯狗，免去后患……你说呢？"

我听他这么一说，心头一沉，陷入了沉思。

"老弟，你我跟陈成三是冰炭不同炉。当初你如实向组织部门反映他生活作风问题，何罪之有？眼看你就要提拔了，他竟然制造了假猪粪报道失实案，差点没把你打回老家修理地球。而当你考上研究生，眼看就要飞黄腾达时，他却又机关算尽，开出公函强烈要求校方注销你的入学资格，这些仇不应忘记吧？"

听了老独头的话，我有点未置可否。因为陈成三在我读研后待我不薄，每次都不忘在百忙中抽空来看我，还给我一些钱，去年还动用公款请我到澳门和香港转了一圈。而且，我跟他不是承诺两人相逢一笑泯恩仇了吗？如果我现在对他落井下石，也未免太心毒手辣了吧？

想是这么想，我却没有明白讲出来，我低低地说："他现在到收发室了，料他也不能卷土重来，你还怕他干吗？"

"老弟你这就不对了，剩副主席也不可能永远做副主席，再说，陈成三的活动能力你不能小看，你想想，他从一个集市上看守自行车的小混混，不到十年时间就做了副县长，你不能低估他的能力。这种疯狗你不打死他，有朝一日他反咬你一口，你岂不成了被毒蛇咬死的农夫？"

我知道陈成三以前因在老独头的酒店吃拿卡要不少，却想不到老独头竟然跟陈成三有这么多深仇大恨："你整他也没啥用，难道他还把以前吃你的拿你的吐出来还你？"

"这个当然，不过，他怀疑是我向剩副主席告的密……"

"……到底是不是你啊？"我忍不住笑道。

"我真有那本事，国家安全部门早请我去了，我哪里还用在这里受苦受累受人家白眼。"

"……你打算怎么整他？"

"哎，这个小问题就不敢烦你思虑了。你只说个整与不整，其他没你的事。"

我一时语塞，我觉得这几年进京读书，名义上虽远离官场，但通过陈成三或金布丁结识了西河省一帮官场朋友，也渐渐感受到官场的虚伪与血腥，但现在真要凭我一句话就决定某人的生死予夺大权，我不禁胆寒。

"……哥哥，你这就不对了，我又不是纪检部门，你问我这个干吗呢？"

老独头见我突然这么发牢骚，忙赔笑道："是是是，我知道，我知道。"这时好像有人开门进来，老独头说了几句别的话，就匆匆挂了电话。

放下电话，上楼梯的时候，我反复思量着老独头的话，难道相互倾轧相互算计落井下石才是做官的分内之事吗？陈成三都没官职了，专做收发了，按说虽没什么水平，但做收发还是胜任的吧？何苦连出路都不给呢？他上有父母下有老婆子女啊。对了，又怎么整他呢？你老独头难道有这个能耐吗？想到这里，不禁迷惘交加。

第 21 章

几场春雨纷至沓来。校园里满眼桃红李白，碧绿生青。杜鹃花映山红，杨梅花星星点点，法国梧桐树也怒放着红蕊，棠梨花结成白色的绣球，生命是多么的旺盛呵！

伊小菲刚到赵兰春公司时，跟录入部一个来自山东烟台的女孩在六必居合租一间民房，录入的活儿发包给录入公司后，烟台那女孩就辞职走人了。这样一来，伊小菲就独居一室。那天晚上，我在舞会上为她竞拍舞会第一枝玫瑰花后，我就常常到她那里过夜。有时赵兰春深夜需要我，我就不得不找个借口说导师有事找我，这样又抽身跑到赵兰春那里。因为两头应付，身体渐渐有点吃不消，伊小菲以为我学业过重，又出来打工，过于劳累，倒是十分体贴，每次我到她住处，她总给我煮一碗牛奶鸡蛋。

公司是化整为零。总部设在黄庄，发行部设在海淀书城附近，编辑部则设在上地公园东边的马连洼。这原本是考虑到避免新闻出版局、工商局等部门查处而作的精心布局，却想不到这种组织形式为我同时与赵兰春和伊小菲保持来往提供了便利。

可惜好景不长，寒假过后不久的一天夜里，我露出了马脚。

那天夜里快十一点时，赵兰春的弟弟刀痕三到天津收款，觉得那边的账目有可疑之处，便传呼作为公司会计的伊小菲，伊小菲听罢，赶紧连夜到宾馆找她表姨。

当时，赵兰春坐在沙发上看着公司季度销售报表，我则坐在一旁审阅稿子。两人静静地做各人的事。突然传来轻轻的敲门声，两人对视了一下，本不打算开门，但来人好像明知里面有人，敲门声越来越急促。

赵兰春向我摆了一下头，我匆忙将案上所有的稿子归置好，蹑手蹑脚躲到卫生间里去。

赵兰春轻轻把门开了一条缝，问："谁呀？"她并不想将门开大，可门外的人用力推着门，"表姨，是我，没睡吧？"

赵兰春见我进了卫生间，便开门把伊小菲让了进来。伊小菲迎着夜风跑得急，忍不住剧烈咳嗽起来，咳着咳着，她忽然毫无征兆地一头冲进卫生间。

我躲进卫生间时，以为伊小菲不过说几句话就走，断不会进来，何况还有赵兰春拦着，因此并没有反锁卫生间的门。

"……怎么会是你！"伊小菲见我深夜一身睡衣地出现在她表姨房间，面色刷地变得苍白。半晌，突然掩面号啕大哭，夺路狂奔。

这一幕被赵兰春尽收眼底，她有过三次婚姻又混迹商场多年，哪里会看不明白。我开口想解释，她突然一扬手，"啪"的一声脆响，恶狠狠地抽了我一个响亮的耳光："都说兔子不吃窝边草，你竟敢跟老娘来这一套！"

我没有还手，捂着"嗡嗡"响的耳朵夺路而逃。

我并没有回学校，也不敢去找伊小菲，我知道这一天总会降临的，但现实比我想象的还令我痛心。本以为再过几个月我就毕业离开学校，离开公司，离开她们，让时间来冲淡一切。但侥幸心理毕竟只是一厢情愿的……

我逃到了菊园，金布丁还在看电视，见我突然不请自到，望着我，给我倒了杯水，见我满面愁容，便苦笑道："老兄啊，你千万别弄出人命来啊，眼看就毕业了，多年的媳妇都快熬成婆了，大好前程等着你，千万得忍一忍啊！拜托了，老兄！"

我叹了一口气，道："这回果真出大事了，完了！完了！"

"到底怎么回事？你说啊，爷给你做主。"金布丁大声道。

我简短地把同时跟赵兰春和伊小菲的事及刚在赵兰春住处发生的一幕跟金布丁说了，想不到金布丁听罢，捂着肚子哈哈大笑，指着我的鼻子道："我真服你了，看你其貌不扬，自动送上门找你的女人却源源不断，小本科老博士公司小职员，全都抢着上，我服你了，特服你了。"我狠狠瞪了他一眼，金布丁止住了笑，点了一支烟，板着面孔道："不过兄弟，我得提醒你，布里丹那匹饥饿的驴在面对两堆有着同样诱惑力的干草时，由于它不能决定去吃哪一堆，结果活活饿死了。人要是欲壑难填，到头来恐怕也成了布里丹那匹饿死的蠢驴。"

"看你说的，我就那么不可救药？当初我跟一个处女同床共寝一夜，也没动过人家一根毫毛呢！谁能做到这一点？"

正捧着杯子喝水的金布丁，听了这话，不禁"噗"的一声向桌子上喷了出来，放下水杯，倒在床上打滚起来，半晌才坐起来说："你还自吹为柳下惠哩，高！高！高！我总算明白了，这是你老兄欲擒故纵的战术，先让女人放松警惕再回过头来收拾她们，对吧？哎，不过，你在苹果园那一夜，真有那么回事？以前我将信将疑，现在就算打死我，我也不敢相信。你呀你，本来是怀着重新做人的希望来京读研的，想不到三年快过去了，你他妈的也快变成魔鬼了！服！服！真他妈的服死了！"

"成了成了成了，现在讲这些有屁用呀，我们谈点正经的。"

金布丁安静下来后，两人吞云吐雾。沉默良久，各人都在想着心事。

"总之，你这回可倒霉了，你这回可谓是偷鸡不成蚀了一把米啊。"金布丁说。

"我亏啥了？我一样都没亏！"

"我是说煮熟的鸭子又飞了，你的学费还没到手呢，还有毕业找工作的活动经费也没到手呢。再说，赵兰春也绝不是省油的灯，说不准她会到研究生部闹个天翻地覆，到时你吃不了兜着走……"

"她敢？她不怕我抖出她的老底？她正盗印……"我本想说，赵兰春正在盗印《党政理论文选》，但觉得这事关重大，万一传出去，影响到我的毕业可就麻烦了。于是赶紧改口道，"她正盗印盗版书呢，我手中掌握着她不少铁证据哩。她敢弄我不能毕业？成,我让她破产,我料她不敢下这个注。"

"真不敢相信你这几年混得胆子越来越大了。我在北京混的时间比你长，可很多事我只是过过嘴瘾，从来就没那个胆。"金布丁起身惮了惮烟灰低声说，"不过，她在京城混到这种地步，保险柜里有三十多枚公章，肯定也不是省油的灯。"金布丁突然想起了什么似的，扯了一下我的衣襟，小声提醒道："你以前不常跟我说，她有个弟弟特黑吗？不说赵兰春常说他弟弟认准了目标，就连杀人放火的事也敢做吗？你还告诉过我，若有什么人跟我过不去可让他去修理修理吗？只怕这一回啊，修理到你自个儿头上可就麻烦了。"

"怕他个鸟，料他不敢。红黑两条道我也有人。我只要向公安工商新闻出版部门告个状，他们当天就来端她的老巢。"

"这个，我信！我信！打击盗版和偷税漏税的事儿是政府的分内事，可是，他弟要跟你急，你怎么办？你不说，他弟是个杀人不眨眼的魔王吗？"

"赵兰春她有人，我也回西河找人。我有一个叫罗大牛的死党，他手下有好几十个兄弟，他多次托老独头给我捎话，说是若我在仕途上有啥摆不平的事，尽管找他吱声。"

"我真他妈的服你了。我说啊，甭说一般良民百姓了，就他妈的那些江湖老手也斗不过你了，求求你行个好了，毕业后还是做学问吧，你要到官场去，天下可大乱了。"金布丁边说边向卫生间走去，伴随着母猪撒尿的声响，他打了一个听起来似乎混着粪便的响屁。

金布丁从卫生间出来，抖着裤裆挖苦我："你啥都能摆平，你半夜跑来找我商量干啥啊？你回去睡个大觉啊。"

我听罢也苦笑道："我是想请你出个万全之策啊。"

金布丁在床沿坐下后，又点了一支烟，"依我看哪，赵兰春是过来人，都离过三次婚了，也不至于对此事耿耿于怀，至于伊小菲嘛，人家才二十出头，她可是玩真的。不过话又说回来，伊小菲人那么年轻貌美，又会体贴人，你放着她不要，口口声声嫌她助不了你升官……不要老想升什么鸟官了，过得去就成了，你留京，她也在北京，有房子，家底也厚，你上哪儿找这么个好情儿，要是我啊，早搂着她闭上眼睛死去了。"

"我也这么想，可是，我就怕赵兰春不依。"

"我不是说了吗？赵兰春是过来人，再说，这事，听你说，也不是你主动的，对不？这就成。是赵兰春那天借着醉酒之机糟蹋你的……"听到"糟蹋"这个字眼，两人不禁又浪笑一场。止住笑后，金布丁继续说，"你跟伊小菲在先，是赵兰春耐不住寂寞从中插一腿，这怪不了你。你还可以向她追讨青春补偿费呢！"

我听到这里，觉得有道理，于是说："成，我给她打个电话。"

金布丁说，别别别，现在她俩正在气头上，你怎么说都没用，只会火上浇油。根据生理学原理，人激动的时间一般不超过四十八个小时，你这样吧，这几天就住我这儿，也甭回学校了，过两天，四十八个小时过去了，打个电话向她们赔罪，看她们如何反应，再作计议。

夜里，我睡在沙发，金布丁睡床上，快三点了才迷迷糊糊入睡。

第二天早上我醒来时，金布丁上班去了。太阳晒到窗台前，窗外射进几条光柱，房里一片空白。

我起床后，想到院子里的公用水池边洗漱。水池边有一个女孩正在洗衣服，听到了我的开门声，似乎身后也长着眼睛似的，赶紧把水龙头底下的水桶移走，做出"请你用吧"的姿态，我提着桶走过去，将桶放到水龙头底下接水。"刷刷刷"的水声很响，两人都定定站着。我低着头瞅了她一眼，只见她高卷裤管，两条长腿似秋天的藕条般嫩白，再看看她窈窕的身材，跟舞蹈学院的学生没啥二样。

不知不觉，我把目光移到她脸上，没想到这个女孩也正在打量我，四目对视，两人都不服输似的，足足对视了几秒钟。我自觉是这方面的老手，可是这会儿却不禁脸红到脖子根，只好移开目光，看着水桶里的漩涡，她却突然搭讪道："你今儿不上班吗？"

"今天不上，你呢？"

她嫣然一笑，摇了摇头。

"看你还上学吧？"

她一抿小嘴，笑了笑，点了点头。我问她哪所学校的，她很快望了我一眼，道："军艺的。"

我自然不太相信她是解放军艺术学院的，但也不想反驳她，也许是从外地来补习，明年准备考军艺的也说不准。

"我觉得你特面熟，是在附近上班吧？"对她的话，我丈二和尚摸不着头。我极少到附近来，一来就直奔金布丁的出租屋，怎么会觉得我特面熟呢？

眼前的这个女孩确实很迷人，而她似乎对我也生了些许好感。为了讨好她，我故意装出对附近不熟的样子，问她附近哪儿有市场，到中关村坐哪路车。女孩总是有问必答。

我洗漱完毕，回房间随便翻翻金布丁与别人合著的新近出版的一本世贸方面的书，看着看着，突然，门槛前投下一个修长的影子，抬头一看，原是刚刚认识的那女孩。她迎着我目光笑着问道："你要上市场买菜吗？我们一起去吧。"我不打算买菜，可为了跟她走一趟，便违心应允了。

两人出了门，并排着向西边的西北旺村走去，一路上，她很随和，笑着告诉我她叫小李，二十八岁。我笑着说，绝对不信，顶多十八吧，挺像中学生的。她笑了，问我在这住多长时间。我说长住。到了西北旺村公交站南边，那里有一片开阔的苹果树，茂密的青枝绿叶间挂满了青色的果子，树下青草碧绿。小李问我，你们那儿没苹果树吧。我说没有。她便伸手指着树上的青苹果说，那果挺好看的，说罢，伸手牵着我的手一起跳过一条小沟，两人走在田垄上，果树挡住了路人的视线。

她说累了，在草地上坐了下来，我在她身边坐下，刚伸手拍了一下她的肩膀，她便小鸟依人般投进我的怀中，我吓了一跳，显然她比我想象的还要放荡。但转而又想，现在的打工女孩，每天都忙着打工挣钱，对她们来说，时间就是金钱，她们这一代人的谈情说爱不可能像我们那一代人那样，花前月下几年也没什么实质性突破。

两人热烈地接吻起来。最后，我忍不住把她拥倒在草地上，腾出两手绕到她身后想扯开她的裤子，她却用力护着，我问："为什么？"她笑着说："别这么猴急，今晚你找个地方，我陪你睡一宵。"

原来是做这一行的，难怪她白天不上班，真可谓是昼伏夜行。

两人躺在草地上，突然好像远处有四个人急促地向我们跑来，我觉得不对劲，便按住小李，两人躲进长满草丛的一条小沟里，屏住气息。四人急匆匆地跑到离我们不远的地方。此时，我拨开草丛，不禁吓了一跳，他们每人手里有的握着长刀，有的还拎着小砍斧。四人在我们面前停下，四处张望，其中一人说："怪了，明明见他俩往这边走了，难道跑了？"

一个说："肯定跑了，往前追，别让到手的钱又飞了。"四人便往远处跑，听脚步声远去，几乎瘫痪的我突然一跃而起向公路奔去，还躲在草丛里的小李在身后站起身，尖声嚷道："别跑，他们认错人了！"女孩这一嚷，竟又让四个杀手听到了，立刻折回原路气势汹汹追上来，我想这次死定了，想叫小李报警，可这里荒山野岭显然来不及报警。快逃到菊园时，突然看到右边一老农正在苹果园里劳作，路边停着一辆两轮马车，我想看看车里是否有柴刀之类的刀具拿来自卫，刀具倒是没找着，不过车辕边拴着一匹马。我急中生智，跑过去拿起锄头，抡起锄头锄断了捆在车辕边的缰绳，手握着缰绳翻身跃上马背。那马儿受了这突如其来的惊吓，还未待我拉紧缰绳，便长嘶一声，撒开四蹄向南边狂奔而去。公路两边的白杨树呼啦啦地向我的身后闪过，身后传来老农与杀手们的追骂声，杀手们眼看追不上，气急败坏地向我掷石块，拳头大的石块像雨点般纷纷落在我四周，其中有几块砸中了马的臀部，马儿受了惊，扬起前蹄，"啸啸啸"地嘶叫着腾空而起，几乎要把我掀翻在地。我紧紧拉直缰绳，两边的小腿肚用力拍打着马儿的肚皮，马儿蹿出好远，身后追杀的喊声越来越弱。我仍不敢松懈，不断用小腿拍打着马儿的肚皮，马儿驮着我一直跑到了马连洼附近，我才跳下马来。我跑到公路边，拦住一辆出租车狂奔到了西三环，快下车时，又觉得不太放心，便塞给司机一张五十元的钞票，让司机沿着西三环开到紫竹桥。我担心他们也打车追来，下车后便跑上天桥，到另一方向又打一部面的，沿着民族大学西门开去，到了民族大学，我匆匆跑进学校，看到门边站着两位高大威武的保安，我这才松了一口气。

　　我气喘吁吁地坐在民族大学行政办公楼前的草坪上，由于过度惊吓，我浑身哆嗦个不停。报警也许能解决，可临近毕业，若闹得满城风雨的，对我肯定不利。最后，我决定打电话给金布丁。

　　金布丁觉得事态严重，叮嘱道："小不忍则乱大谋。你这几天就住民族大学吧，民大教工宿舍区前面不是有个三高层地下招待所吗？那儿挺安全的，我去找赵兰春谈谈，回头我给你电话。"

第 22 章

周末，快熄灯休息时，老独头突然打来电话，以一种酒醉后抑制不住得意的神情告诉我，他昨天被提为副局长了。末了，又低低地说："喂，兄弟，陈成三走了，你知道吗？"

"走了？……调到哪里？"

"前天晚上死了……"

我瞠目结舌。未待我追问陈成三是怎么死的，老独头清了清嗓子后，绘声绘色地向我津津乐道。

唉，这事真不知从何说起为好。还是从陈成三在超市行窃说起吧。

老独头说，陈成三被免去副县长职务后，被发落到广播电视局专做收发工作，但他并没有放下屠刀立地成佛，而是整日绞尽脑汁想托人向剩副主席解释一下误会。有一天，他特地备了一份厚礼，搭上了开往省城的长途班车。到省城后，他先在小旅馆住了下来。第二天早上，一俟机关上班，陈成三就专程登门造访省里一位老领导。本想让那位领导帮忙约见剩副主席，不料那领导一见陈成三大包小包来找他，竟像躲避瘟神一样，立马打电话让保安将他连人带礼送到单位纪检组。纪检组同志对陈成三进行了一番严厉的批评教育。

从纪检组出来，陈成三气得七窍生烟浑身哆嗦，想想自己数年来抱着的一棵大树，现在见他落魄了非但不帮忙，还落井下石。回到落脚的小旅馆后，他越想越气愤，越想越委屈。到了晚上，独自一人到小旅馆附近一酒楼借酒消愁，一直喝得酩酊大醉，才打着酒嗝，一步三晃地离开了酒楼。

出了酒楼，陈成三摇摇晃晃闯入了酒楼旁边的一家大超市。径直跌跌撞撞来到酒柜前，看见酒柜上摆着琳琅满目的各种各样高级洋酒，就禁不住伸手将两瓶三公升装标价四千八百元的蓝带马爹利洋酒揽入怀中，边打着酒嗝，边跌跌撞撞向门口走去。不承想迈出门槛一刹那，防盗警报器凄厉地响个不停，好几个保安立即如临大敌般将他团团围住。

陈成三听说没付钱，顿时暴跳如雷，回头冲着身后排成长龙的付账人群，卷着僵硬的舌头怒吼道："司机！你干什么吃的，快快付账啊？"怒吼了一声，并不见司机的身影，又吼道："秘书！秘书！你干什么吃的？……"见身后并没有秘书的身影，又吼道："各乡镇的书记乡长镇长呢，都他妈的全跑哪儿去了？各工程项目工头呢，都他妈的全跑哪儿去了？……是不是反了！……"

保安队长瞠目结舌，揉了眼睛半天，却见并无人来替陈成三埋单，当即咬定陈成三不过在装腔作势扮傻装懵，一怒之下，冲上前去，揪住陈成三的衣领当胸一提，厉声喝道："您装啥呀？我一看就知道你是个偷盗成性的骗子！我们超市常不见货物，害得我们弟兄常被扣工资罚款，压根就是你这种人干的，兄弟们，全都给我上！都给我往死里打……"

陈成三年多来未遇到这等羞辱之事，他怒不可遏，振臂高喊道："……反了！反了……你们这帮刁民也不看看我是谁，看我动用公检法收拾你们……"

"竟敢辱骂我们是刁民？兄弟们，给我狠狠地打，打死了我负责……"保安队长话音刚落，保安们如一群野狼围着一只受伤的肥羊一样拳打脚踢，他们有的嫌用拳头打关节疼痛，纷纷举起手中那一尺多长的警棍对着陈成三就抽，陈成三顷刻间被打得鼻青脸肿，连门牙也被打落好几颗。但江山易改本性难移的陈成三，仍然念念不忘近十年来位高权重所带来的种种刻骨铭心的养尊处优，他一边用双手隔开雨点般的棍棒，一边气急败坏怒吼道："……十多年来我都是工资基本不动，今天哪有让我埋单的道理……反了！反了！"

保安们正打得不可开交时，有一位好心的熟人认出了陈成三，觉得再不制止恐怕就会弄出人命来了，他急急冲进保安群的包围圈，冒着拳林棍雨将陈成三拉到一边，小声提醒道："你前段时间已经卸任了……"

陈成三大梦方醒，瘫倒在地上痛哭流涕，一边用拳头狠狠地击打自己的额头，一边向保安赔礼道歉。第二天回到家里后，又大病一场，躺在床上养了半个月的伤。

老独头叙说到这里，突然哈哈大笑，用总结般的口吻道："成者王侯败者寇。陈成三真他妈的是落毛的凤凰鸡不如啊！"

老独头狂笑过后，又低低地继续说："大前天晚上，陈成三领了工资，耐不住酒瘾发作，独自一人到酒店喝酒。陈成三喝得酩酊大醉，左摇右晃走出酒楼门口时，看到对面一家按摩室门前好几个妖艳的女子频频向他招手。俗话说，驴见灰就想打滚。陈成三见了妖艳的女人，也止不住淫心萌动，跟对方对了几下暗号，即尾随人家上了十楼。两人正翻云覆雨时，公安局的人突然破门而入，陈成三黑暗中慌不择路，爬上窗户，本想跳到对面的阳台，哪知窗帘绊住了他的右脚，结果摔到楼下当场摔成个肉饼。全身一丝不挂，真是死也风流啊……"

"公安局的人？"

"就是分管刑警的罗副大队长带人行动的。对了，罗大牛已调到公安局了。"

听到罗大牛的名字，我突然想到老独头前段时间对我说的"要打死陈成三这只落水狗"这些话来，我心里对陈成三的死因大概有一个眉目了。

"怎么？难道你还兔死狐悲啦？你忘了当初他怎么待你的啦？"见我不吱声，老独头追问道。我长长地吁了一口气，陈成三得意的时候，只怕打死也不会相信，有朝一日，他会死在不起眼的老独头手里。你最瞧不上的人，可能会在关键时候，踩上致命的一脚。

夜里，我做了一个噩梦。梦里，我坐在酒店包房的沙发上独自听着音乐，三陪小姐们身上的香味淡淡地萦绕在我身边，突然，房里的灯闪了一下，似乎打了一个晴天霹雳，我从沙发上跌落下地，半晌才站了起来，睁开眼睛时，突然有一个肥嘟嘟的肉团向我扑过来，我定睛一看，原是一丝不挂的陈成三，陈成三双手紧紧抱住我的脖子，一边张嘴不停地啃我咬我的脖子和脸孔，一边涕泪满面地号啕大哭："硕士救命啊！看在同乡同学同事……看在曾经一起去搞女人的份上，救我一命吧……"我奋力挣脱陈成三的双手，正想问他出了什么事，不料，有一人从门外冲了进来，"叭"的一声，来人结结实实地抢了陈成三一个嘴巴，陈成三咧着如被人踩了一脚的熟番茄一样的嘴，欲哭无泪，欲哭无声。但他的嘴巴还是上下左右嚅动着，我低下头，将耳朵贴近他的嘴巴，终于听清楚他在极力求我："硕士，今夜只有你能救我一命了！求你了，你快快告诉他们，省里的剩副主席曾跟你在北京同桌共餐，还有合照，快快拿出来给他们看看……"我下意识低头一摸裤袋，摸出了一沓相片，可拿起来一看，却不是我跟剩副主席的合影，而是陈成三与罗大牛老婆农春花两人在最独一处酒楼的"三级照片"。陈成三正欲收起相片，说时迟，那时快，罗大牛把头往后一扬，身边四名彪形大汉即扑过来拎起陈成三就要往窗外扔，我飞奔过去双手紧紧抓住陈成三的脚，可因为他一丝不挂，终于还是从我的手中滑落。"叭——"只听到楼下传来一声闷响，我吓得"哇哇哇"地大哭起来。

梦醒过后，我发现王天乐李习科两人各拿一条湿毛巾不停地给我抹汗，我摸了一下头，好像刚从水里打捞起来一样。灯光下，一脸焦急的王天乐定定地望着我，关切地问道："做噩梦了？满头大汗的，是不是病了？"

我把梦境跟他俩说了，两人对望一眼，不约而同拍了拍我的心口，王天乐安慰我："梦有啥可怕呢？平生不做亏心事，夜半不怕鬼敲门。没事，睡吧，明儿还得写论文呐。"说罢，他拧熄了灯。

听说我在北京被人追杀，老独头义愤填膺，拍着胸脯嚷道："打狗看主人。谁敢弄你，我就放他的血。"

镇静下来后，我问他会不会是周素彪所为？老独头坚决否认了。他说，我们在这儿看紧他了，他有什么能耐到北京去？追杀你的人，肯定是你在京城结下的仇家。最后，他咬牙切齿地说："量小非君子，无毒不丈夫，我叫罗大牛进京收拾他们……"

"罗大牛？他凭什么听你的？"

"好钢要用在刀刃上。我跟罗大牛是生死与共的兄弟，平时没什么大事，不轻易用到他，这回就让他露两手吧。"

见我不言语，老独头以为我怀疑他与罗大牛之间的交情，便压低嗓子向我道出了关于罗大牛一个不可告人的秘密：

去年罗大牛出差到海湖市，晚上到歌厅 happy，唱完歌后带一小姐回酒店过夜。天亮时，罗大牛醒过来后，发觉自己身边空荡荡的，不禁吓了一跳。他赶紧翻身下床，打开衣柜，发觉小姐昨夜换下来的衣服不见了，跑进卫生间，那里也是毫无人影。一种不祥之感促使他以百米冲刺冲到床头柜，把床头柜所有的抽屉全抽出来一看，脑子里突然一片空白。原来，他昨晚临睡前塞进床头柜抽屉里的手提包也不翼而飞了，而他的手枪正好放在手提包里！这事让县公安局知道，必定被开除无疑。

罗大牛急得如热锅上的蚂蚁团团转，恨不得跑遍大小歌舞厅揪出那个小姐来撕成碎片，但海湖市大小歌舞厅近百间，三陪小姐数万人，再说，那小姐早偷到了这么贵重的东西就跑得无踪无影了。

正手足无措时，罗大牛突然想起了他的老朋友老独头。本着死马当作活马医的念头，罗大牛赶紧打电话给老独头，战战兢兢地请教老独头可有什么办法帮他逃过这一劫。老独头一听，立即明白了一半，当下对他嘱咐了一番。

那天夜里，老独头在夜幕的掩护下，怀揣斧头螺丝刀等工具，悄悄潜入罗大牛家，把罗大牛家的贵重物品一掳而空。第二天下午，当罗大牛从海湖市回到家里时，第一时间报了警。很快，罗大牛家失窃手枪被盗惊动了全县警界。如临大敌的警察们动用了警犬，把守全县各个交通要道，搜查盘问了不少嫌疑人，最后手枪"失窃"案至今仍无法告破。罗大牛虽因"枪械被盗"受了个处分，但好歹还保住了公职。因为这件事，两人遂成了生死之交。

"可追杀我的有好几个人哩。"

"刀快不怕脖子粗。就罗大牛的身手，对付八九个小混混绰绰有余。"

第二天，我打电话给金布丁，把老独头欲请罗大牛进京的事跟他说了。金布丁听罢，不屑一顾，道："鲁莽之辈，有勇无谋，成事不足，败事有余。"

金布丁说，由他出面，绝对可以将这事摆平。

一周后，金布丁出现在赵兰春的办公室。赵兰春把门关实后，两人面对面谈判了半天。

赵兰春给金布丁倒了一杯茶水，便坐到大班师椅上，金布丁坐在对面的沙发上。金布丁开门见山直奔主题："你俩近段时间的事，石明雷全跟我说了。"

"你是我和石明雷爱情的见证人，你说，我哪地方对不住他？你给我评评理，他这样恩将仇报，还是个人吗？"赵兰春越说越激动，说到这里，她站了起来，金布丁知道这时候是不能替我辩解的，他顿了顿，叹了一口气：

"为这事，我这阵子也没少臭骂他。"金布丁察言观色，见赵兰春情绪平静下来后，慢条斯理地说，"俗话说，十年修得同船渡，百年修得共枕眠。你俩能走到一起，确属不容易，应该倍加珍惜。石明雷也认识到这一点，他多次说，他对不住你。不过，他一直也想明明白白地做人，可他也有他的难处，他说，伊小菲那边不敢说，你这边又是老总……"金布丁说到这里，得了灵感似的，撒了个谎，"他说，他爱的是你，但伊小菲那边……伊小菲对他又那么痴情，他实在不忍心说穿……"金布丁见赵兰春没有打断他的话，继续说："他这几天都跟我商量好了，让我找个机会替他来向你赔罪，希望你再给他一个机会……他毕业后留在中央各大部委办，对你的事业肯定有所帮助。不知你知不知道，他跟西河剩副主席的关系还挺不错的，别看他一个书呆子，书呆子自有书呆子的招，他偶尔写点评论文章，听说他老家那个县有一位姓陈的副县长正苦苦求他帮忙联系报考京师党政大学在职研究生，作业全都是他给做的，论文也是他捉刀代笔的……"

"那位副县长不是死了吗？"

金布丁怔了一下，道："不错，那人已经死了。我提到这事不是夸石明雷能耐有多大，我只是想说，他过去吃点苦头，现在对官场的路子也挺熟的，要是你们俩好，甭说你在北京，就是在西河，你要多少个书号，你要哪位领导写个序言，都是小菜一碟，你出版的书让政府下个文让全省党政部门人手一册也不是不可能的，要是这样，你在西河做一本书就强过你在北京小打小闹一年百倍千倍。"金布丁说到这里，又语重心长地说："他很服你，特崇拜你，简直把你当偶像。若你们从此分开，那对他来说，一生就毁了。其实，这事虽然说是丑事，可现在就你知，我知，他知，伊小菲知，其他人一概不知，再说，我听他说，你也有了他……"金布丁说到这里，故意低下头，饮了一口水。

最后，赵兰春平静地说，"看在你的分上，我就原谅他这一回，但你务必严正告诉他，下不为例，老娘也不是好欺负的！"

金布丁听到赵兰春这么表态，心头一块石头落地了，端起杯子，喝了一口茶，道："赵总您大人大量不计小人过，我先替他和他的家人谢您了。"说罢，站起身，深深地向赵兰春鞠了一躬，金布丁也是走南闯北之人，做起戏来惟妙惟肖，弄得赵兰春反倒不好意思了。

"你表侄女方面，还望你多多开导。"金布丁又斗胆说了一句。

"这你放心。我送她到加拿大留学去，同时给她办移民。从明儿起吧，让她回老家待一段时间，护照一办下来就立马走人，以后也别回来。"

金布丁听罢连连说："这样最好，这样最好，时间是最好的消化剂。"讲完这话，他才小心翼翼地说："石明雷现在还躲在外边，你总得让他回来吧？"

"他一个大男人，躲在外边干吗？还怕我吃了他？"

"难道你不知道他前几天差点被人砍死的事？"

赵兰春听罢，吓了一跳，皱着柳眉左思右想半天，最后坚决否认有这事。见金布丁阴险地笑了笑，赵兰春又想了想，半信半疑地给她弟弟拨了个电话。

电话打通后，赵兰春对着话筒暴跳如雷。原来，她弟弟那天从天津收账回来，次日一早就径直找伊小菲入账。他不见伊小菲在办公室，便到出

租屋找　她，见伊小菲哭得如个泪人儿，便再三追问，伊小菲最后道出了真相。刀痕三气急败坏，即刻花钱雇凶，找到几个黑道上的人，说是誓要废了石明雷。

我对赵兰春来说简直就是命根子，赵兰春马上命她弟弟撤回杀手。

晚上，我得到金布丁的电话后，放心乘上公交车回了菊园。晚饭时，金布丁加了几个菜，把他跟赵兰春说的话全说了。我十分生气地说："我只让你跟她谈解决杀手的事，没让你替我表态啊？"

"你难道不想跟她？"

"可……秋月怎么办？"

金布丁听到"秋月"这名字，不禁愣住了，半晌，用拳连连击打自己的头，一副后悔不迭的样子。"这……这……你说该怎么办？"金布丁急促地在房里走来走去，突然一跺脚，狠狠骂道："你还好意思问我，不就是因为秋月去实习了吗？你就利用这空当招惹出这么多是是非非来了。我已经好久没听到你提到秋月了。再说，你交的女人也太多太滥了，我哪儿还替你记住一个叫作秋月的女人？唉，怪谁呢？千错万错都是你的错。秋月为你去堕胎了，你要善待她。可是……眼下，看来你只能跟赵兰春了……人在京城贵三分啊！秋月帮不了你，罢了，罢了，忍痛割爱断尾求生吧……"

第 23 章

班上好几个同学写好学位论文后就到联系好的单位上班了。研究生部领导每隔三岔五就令欧阳师傅在宿舍楼大门边的小黑板上写出催交学费的通知。通知上的内容有点威胁的意味："凡欠学费者，一律不予进行论文答辩！"我看到通知后，颇为诧异，为何欠费人员名单中没有我的大名呢？欧阳师傅何以不再写下那句："石明雷，一分也还没有交！"难道是李寿昌教授从中斡旋帮了我的大忙？抑或是欧阳师傅耳聋眼花而弄出了差错？

一连好几天，我都纳闷不已。有一天，我到传达室打电话，一进门，欧阳师傅以少见的热情走过来拍了拍我的肩膀，故作生气道："小子，发了财就把我这个糟老头忘了？"

我苦笑道："哟，欧阳师傅，您老啥时候也会开这种没边儿的玩笑了？"

"你这小子还装蒜！你担心我这个糟老头跟你借钱呐？"

我更是丈二和尚摸不着头。

半晌，欧阳师傅横眉竖眼地吼道："你把学费欠款一万六千五百元一次性交了，还装穷人？"

我听罢，目瞪口呆半晌，当即拔腿跑到研究生部询问，收发室的人告诉我说，春节前有人从珠海寄来一笔款子给研究生部，汇款人在"汇款人简言"中特别说明"请将此款替石明雷交学费"。开学后，我们根据汇款人的意愿，已经把款子领出来交给校办财务了。对了，交学费的收据还在这里。

收发室的人又翻出"挂号信汇款单登记簿"，我急急地翻到春节期间那几页，很快就看见一行醒目大字："金额：16500 元，收款人：研究生部办公室，汇款邮局：广东珠海拱北，汇款人：周素菊。"

啊，周素菊虽然跟我分手了，但她依然替我交了学费！我不禁百感交集，泪如雨下。

京师文理学院硕士研究生虽讲是三年制，但实际上课的时间仅两年时间而已。搞社会调查及学位论文写作和答辩整整占用了一个学年的时间。社会调查时间是各系部所根据各自的实际自行确定的，社会调查经费每人九百元，这个数字据说差不多保持了十年。十年前，许多研究生走遍整个中国也用不完九百元的经费，而现在，九百元钱可就不是那么一回事了。因此，许多同学鉴于囊中羞涩，都不愿意外出调查。倒也是，三万字以上的学位论文非得到外边转一圈才写得出来的，到北图复印几捆资料回来后躲进房间里一把剪刀一瓶胶水洋洋洒洒拼凑起来也大有其人。

五月初，同屋的李习科和王天乐先后完成了学位论文答辩，我急得如热锅上的蚂蚁团团转。

但持老每次追问论文之事时，我总是骗持老说正在修改之中，不出几天即送来求教云云。持老总是板着面孔说，要按时完成。

每次李寿昌总打着哈哈帮忙说情，在我借口说正在查阅资料时，李寿昌总是这样道："磨刀不误砍柴工，不急不急，慢慢来。"

后来见我说正在修改之中，李寿昌又打着哈哈道："慢工出细活，不急不急，慢慢来。"

我之所以在论文写作进度上向持老撒谎，完全是因为底气不足。要认真写出一篇称得上硕士学位水准的学位论文，那得花我近一年的时间与精力。但我每天都忙着在外头打工，无法安静坐下来认真构思写作。

我哪来那么多时间与精力写论文？但我又不能明白地向持老诉苦。我只能对他撒谎，待离答辩的最后时限来临时再交给导师，这样做的好处就是万一导师对论文不满，让我重写之话，那时间也不允许了。那时毕业在即，生米煮成熟饭，料想持老也不至于让我在答辩最后期限再一稿二稿三稿地修改。这样可省去许多麻烦事。

可是，持实经多次催交论文无果后，他终于忍无可忍地传话给党政部教学秘书小安说，不论何种原因，十天内务必把学位论文交给他，否则，就不让我答辩。

我惊讶得目瞪口呆，几近昏厥。

可是……唉，现实中真有太多的"可是"。可是，导师持实老先生是"长白山的人参——越老越贵"，甭说我这个三年级的研究生了，就算是一校之长，恐怕也未必敢在学术问题上跟持老较劲。现在，我唯一能做的，就是挤出五六天时间，再次背上书包怀揣开水缸和几个馍馍挤上三二〇路车到北石桥路的北京图书馆去。

北图南楼六楼的社科阅览室陈列着国内外各名牌大学及重点高校博士硕士学位毕业论文。我在那里蹲了两天，花一百多元复印了不少资料。第三天，我独自一人锁在学校北主楼研究生教室里闭门造车。天无绝人之路，我以每天九千字的速度开工，仅花一个多星期时间，一篇洋洋洒洒十万字，题为《试论社会分层对我国政治与经济体制的影响》的学位论文便宣告脱稿。我不禁伏案暗笑，是啊，李习科他们花一年时间才写出来的论文还多次受导师退稿，而我一个多星期便大功告成，真乃天才是也！

有一天，我为了对论文进行拾遗补漏又特意跑到北图借阅了一份《港澳内参》，翻开扉页，有一则标题格外醒目：《澳门警方破获一起跨境卖淫集团》，文中写道：

　　……澳门治安警情报厅破获一个专门诱骗内地女子到港澳从事卖淫活动的跨境犯罪集团……去年一月中，一位名叫周素菊的被诱骗的女当事人在内地海湖市认识一名女子，对方表示可以介绍她前往澳门一餐厅任侍应，月薪五千至八千澳元。在对方安排下，女当事人先被安排乘车到珠海拱北，由涉案女子接车，休息数日后，当事人与另十名内地女子被带到澳门。当到达澳门时，两澳门籍男子将周素菊等人安排到一酒店房间供客人挑选，周素菊这时方知受骗，曾拒绝接客，但遭恐吓且因言语不通，求救无门，被迫屈服。随后周素菊被胁迫安排到一些夜总会、桑拿场所和赌场接客，由数名男子找客，但收入全被掠去，并被强迫签下数张欠下办证费、住宿费共近十万澳元的欠单。

　　这位被诱骗来澳门卖淫的女子于上月二十日夜在妈祖阁附近被人暴打至奄奄一息，至清晨被晨练的路人发现，路人立即报警……警方接警后，根据当事人提供的线索，开展侦查，拘捕数人回警局问话，而被暴打的女当事人虽经圣玛丽亚医院全力抢救，但因伤势严重，回天乏术，最终命归黄泉……

我头顶突然响起了一个晴天霹雳，只觉头昏目眩，很快失去了知觉。

自那天起，夜深人静时，我如梦游般踱到露台，禁不住想着跟周素菊相处的日日夜夜和点点滴滴。我以前从来没有觉得我和她是多么恩爱的夫妻，可此刻，我觉得我和她是世界上最最相爱、最最适合做夫妻的男女，要是我和她能够生活一辈子该有多么好啊。我们举案齐眉相敬如宾相濡以沫……我们应该一起老，一起看儿女长大，一起听儿女的儿女喊我们"爷爷、奶奶"，我们彼此相互厮守，握着对方的手慢慢老去直至走进天堂……其实，读研前，虽然两人的生活是清苦一些，但很和谐，很安逸。虽然不怎么浪漫，但感情一直很好。

素菊，你是世界上最爱我的、最懂我的、最愿意为我付出一切包括生命的女人。

我止不住泪水滂沱，在露台那里欲哭不能，但我强迫自己若无其事，我不能让研究生部的人知道我的前妻为给我筹学费而抛尸境外。

相见时难别亦难，东风无力百花残。
春蚕到死丝方尽，蜡炬成灰泪始干。
晓镜但愁云鬓改，夜吟应觉月光寒。
蓬山此去无多路，青鸟殷勤为探看。

一旦独处，我就止不住含泪吟着李商隐怀念亡妻的诗，心里不停地呼唤着素菊。素菊，你短暂的一生为我付出的太多太多，得到的却太少太少。我欠你太多太多，素菊，一路走好！到了天国，你不要再找像我这样只知一门心思出人头地、为名利所累的男人，平平淡淡才是真……素菊，愿你在天国一切都好！

我多次提笔继续修改论文，但我痛不欲生，恍如隔世，神情恍惚。提起笔后，不禁泪眼迷蒙，脑海里净是周素菊的音容。

素菊，为了给我支付学费，你在不得已中踏进泥沼，误入传销，你虽然看不惯春梅她们在海城市做的人肉生意，可最终误入黑道之手，身不由己陷入声色场。春梅她们已回来了，而你，拼尽全身的力气，为我攒够了最后一分学费，却永远做了境外的冤魂，永远不能回你热爱的思念的故土。

素菊，你归来吧，你父母盼着我们回去，他们热盼着有朝一日在我们这棵大树底下好乘凉；周素彪也盼我们回去，他在热盼着通过我们关照，每年能捞上几个学校毕业照的生意。

素菊，你是一个豪爽热情、平和低调、有责任感的人，就这样安静地走了，还没顾及亲人的感受，朋友们的感受，也没有来得及道别就走了。好端端的一个人，就因为一门心思为了我的学费，为了我的荣华富贵出人头地光宗耀宗彻底改写祖宗十八代穷得如马帮进村般叮当响的命运，你在境外一个亲人无法想象的地方毁了自己前程，毁了自己年轻的生命。你的一颦一笑，你的百依百顺，你的任劳任怨，甚至你那每夜因为白天劳累得身架子快散架而晚餐又营养偏少而如牛马一样反刍磨牙通宵……一切的一切，都在屈辱中被风尘湮灭。

上天啊，这是为什么！为什么……

周素菊抛尸境外，我终日以泪洗面肝肠寸断，压根儿就无法静心安神修改论文。这样又过了十多天，眼看最后时限到了，我一咬牙横下一条心，把一团乱麻般的论文交给了导师，爱咋咋的吧。

一九九五年六月十日，我在澡堂对面的布告栏上贴出布告，招来许多同学围观议论，虽然人们知道答辩是不可缺少的环节，但也不过是堂而皇之的形式而已。因为在写作过程中，尤其是在送评委阅过程中，有什么原则性问题，导师或评阅人都给把关了，再说，五名答辩委员全是导师一人指定的，包括自己导师在内，校内三人，校外两人，退一万步来说，如果校外的两位委员不同意，本校的两位委员和自己的导师还有不通过的吗？话虽是这么说，许多同学对于答辩还是如临大敌，心里十分紧张。

赵兰春见我答辩在即，也表示要特地到现场给我助威喝彩，并说答辩结束后为答辩委员们和赶来捧场的同学们安排个饭局。有富婆赵兰春撑腰的我，早早就放出话来说，本班同学谁要是给我捧场，就请谁下馆子。倒不是同学们贪我那一餐馆子，只是这个时候许多同学都已完成了答辩，有不少同学联系了工作单位，个别的甚至已经上了班。哪些入党无望的同学尽量逃避集体活动，终日躲在屋里打扑克下棋，大家都空闲得很。听说我答辩，正如看第一位答辩的一样，人们也乐意看看本年级最后一位研究生答辩。

中主楼是专供大型会议用的楼，一般不外借，按说硕士生的答辩是不可能在那里举行，但我神通广大，花了几个钱收买管理人员，管理人员便把灯光音响及横幅标语全借给我，且帮我布置得妥妥帖帖。人们从布告上看到答辩的地点是在中主楼，不知内情的人误认我是什么有名气的人物，因此，那天到场观看答辩的人格外多。

答辩时间定在上午八点半。八点一过，观众便络绎不绝地入场。人们一迈进三楼会议室，便见讲台上边拉着一巨大的红布做成的横幅标语，红底白字书写一行醒目大字——硕士研究生学位论文答辩。王天乐根据我的吩咐，请瑞发商场的小伙子抬来了七八箱矿泉水，凡来捧场的人手一瓶。同时又请金布丁从外边借来了一部松下摄像机，让金布丁这位本科新闻系的高才生得以在众人面前显露一下身手。总之，相比其他同学在本部系所里举行答辩，我真是堂而皇之了。

上午八点二十分左右，我与金布丁用小轿车接来了校外的两位答辩委员。其中一位是北京大学著名的教授，国际政治关系及共运史的权威人物，中国政治学会的著名专家——高保真教授；另一位是北师大的政治经济学家，哈佛大学的博士后——陈正凯教授。轿车是直接从校大门开进来的，下车后，两位教授在我与金布丁的陪同下，拾级而上。当两位泰斗笑容满脸地步入会场时，一阵雷鸣般的掌声经久不息。

高保真教授和陈正凯教授频频向众人招手致意后，便与迎上前来的答辩委员会主席李寿昌教授及其他两位本校的委员——持实教授与朱广博教授亲切握手问候。稍为坐定后，先是通报一下天气情况，之后又通报一下近段时间各自的学术活动。高保真教授说大前天刚刚从北戴河参加全国研究生统考命题会归来；陈正凯教授也说前天刚从台南大学讲课归来。言下之意，我那一本菜板般厚的论文，他们俩都没有仔细研读过。

我今天依赵兰春的吩咐，西装革履，两颊淡淡地涂了一些胭脂。也许想到马上就要树立自己人生历程中又一个伟大而辉煌的里程碑，言谈举止中处处流露出飘飘然的神情。

大家寒暄一阵后，答辩委员会主席李寿昌教授抬腕看看时间，正欲宣布开始，金布丁起身走到主席身边，耳语几句，大概是说会后在聚美餐厅安排便饭之类的话吧，只见主席满脸堆笑，道："太客气了，太客气了。"

主席宣布答辩开始后，便介绍组成答辩委员会的五位委员。每介绍一位，大家便报以热烈的掌声。当高保真教授站起来时，众人看到了一位头发灰白、挂着拐子的老头。从剑桥归来的他于20世纪50年代创立的经济学上的"木桶理论"曾轰动一时，据说他留洋时的数篇论文至今仍是西方许多大学政治学专业博士生的必修功课。

按答辩程序，主席介绍后，接下来便是导师对学生学业及科研情况进行介绍。持实教授低头读着我给他准备的"学生情况简介，"持老戴着老花镜，面无表情地照本宣科介绍说："石明雷自从考入京师文理学院以来，努力学习，三年来科研成果累累，尤其值得引为重视的是在日本的早稻田大学学报发表了一篇区域经济学方面的论文，引起政治学界的普遍关注。"持老说到这里，便从公文包里拿出一沓复印的文章，道："据石明雷同学本人介绍，近几年来他本人在省级刊物发表过论文八篇，其他报刊的就更多了。"

我暗自庆幸，众教授并没有对我杜撰的"学业及科研情况"提出异议。持老先生说到这里，下面的观众交头接耳窃窃私语，有些同学丈二和尚摸不着头脑了，主席干咳了几声，大家便又安静了下来。

持老先生介绍完毕，便轮到我本人自我介绍学业、科研成果及学位论文的写作过程。在介绍这些之前，我站起身子，向主席毕恭毕敬地鞠了一躬，用非常客气的语调说："主席先生，首先请允许我对我的导师持先生三年来的辛苦栽培，表示最诚挚的感谢！"

我说到这里，起身跑到观众席上赵兰春手里接过一束鲜花并恭恭敬敬地奉献给持老先生，全场顿时响起了热烈的掌声，连不轻易言笑的持实教授及其他几位评委也拍起掌来，似乎很激动。是的，他们参加答辩的次数太多了，但很少接过这么一束鲜花。赵兰春考虑得真他妈的周到。

接下来，我又道："今天出席本次答辩的各位委员，都是政治学领域的泰斗，我感到万分荣幸。这无疑是一个千载难逢的学习机会。对各位专家教授在百忙中光临指导，我表示最真诚的感谢与最崇高的敬意！"说到这里，又转身跑到赵兰春那里接过几束鲜花，分别给评委与主席一一送去。在众人的掌声中，我回到自己的座位上坐定，继续介绍论文的写作情况：

"这篇十万字的论文写作时间长达三年。从入学开始一直到上星期才脱稿……"观众听到我这么说，又不禁窃窃私语，有些甚至嘘嘘有声。当我说该篇论文的成果弥补了国内外政治学某一领域的空白时，几位昏昏欲睡的委员似乎突然当头挨了一个闷棒。是啊，他们留洋多年，回国后又从事多年的研究，但似乎也没有什么成果能够弥补国内国外的某某空白啊，顶多是进一步发展或完善而已。听我这么一说，教授们都"啧啧"赞叹："现时代真是长江后浪推前浪，世上新人超旧人。"他们赶紧用手指蘸着口水，"窸窸窣窣"地翻阅着。说实在话，虽然早在电话里通知他们今天参加硕士生学位论文答辩，但一直到昨天我才将论文及聘金交给他们，他们哪有什么时间来仔细研读我这部"弥补国内外政治学某一领域的空白"的"巨著"呢！

因此，答辩开始时，教授们都显得格外的慎小慎微，谦虚谨慎，不轻易提出什么问题，偶尔提出的一两个问题，都是不痛不痒的，有时甚至仅仅是围绕语法问题慢条斯理地商榷，似乎是语言学专业的学究们于茶余饭后作些无聊的考究。他们都在低着头翻阅着，似乎我是主考官，他们是考生一样。

"论文第二百〇二页倒数第三行正数第九个字……这里提到南太平洋的圣火噜岛，好像是少了一个噜字，应该是圣火噜噜，而不是圣火噜岛。"陈正凯委员似乎受不了难堪的沉默，他一边用手指蘸着吐沫，一边开口道。

屏住呼吸的听众听罢面面相觑，之后低声笑了起来。我也将书翻到那一页，睁大眼睛，果然少了一个"噜"字："陈教授不愧是做学问的楷模，连这么个小地方的纰漏都看到了，可谓是明察秋毫，实在是钦佩之至。这是打印一时疏忽，回头一定修改。"

众教授又沉默了一会儿，间或发出几声干咳，众人又开始窃窃私语。正当众人窃窃私语时，持老清了清嗓子，道："论文第一百〇三页提到企业分化的必然性，请作者解释一下，这里的分化理论与马尔萨斯的人口进化理论是否有必然的联系？"

我顿了顿，道："从社会学的社会分层理论来看，不仅社会上的个体存在着分化，社会上的阶层或集团也存在着分化。本人认为国有企业的分化是必然的，这也是符合让一部分人先富起来的理论……企业上市，也需包装。但千疮百孔的企业花巨资包装并非就一定能上市，就是业绩较好的企业也是难乎其难。如果企业家置生产经营管理不顾，一门心思包装，一味地追求'船大抗风浪'，不顾船体构件是否合理，是否牢固，是否有精通航海知识的船长做舵手。见便宜就拣，想尽一切办法扩大企业规模，把庞大当作强大。这种包装法，实在不知将来是福是祸。如果上不了市，肯定从此背上包袱，甚至被拖入陷阱。诚然，企业能上市自然是好事，毕竟能募集到一笔巨款。不过，企业并非一上市就万事大吉。如果上市后企业家不加以科学经营管理，那有朝一日也可能成为垃圾股，股东们也是血本无归。"

"……关于这个问题，就如输血与治病的关系。人流血过度时候大概要死去，但死的人并非都是流血过度所致。病人来到医院，高明的医家总是先把把脉，听听胸，倘还存疑难，再做个B超或化验什么的，弄清他究竟是害了淋病或三度梅毒，或痨病或肝癌或是偶染小恙，之后才决定采取怎么样的治疗措施。医家如果一见到病人，不问青红皂白，捋起病人的袖子就输血，也不见得就能治好，企业的资金也如人的血液，没有一定数量的资金，企业肯定活不下去。现在好多国有企业四面楚歌，好多人认为是中央收紧银根所致。认为这些企业如果有足够的资金就能起死回生。鉴于此，不少企业成立专门班子，四处跑关系找领导批钱。其实，企业的生死存亡兴衰也不一定就在于资金的有无或多少。企业出现了问题，精明的企业家绝不会一味地给企业注入资金，而是研究研究企业产品的市场、企业的管理人才、企业的产品质量、企业的班子素质、企业周围的投资环境等等问题，最后再研究该采取什么样的措施与对策……"

众教授听罢微微颔首，掌声一阵盖过一阵。

突然，高保真教授发出一阵撕肝裂肺的咳嗽。旁人见状，有的赶紧递水，有的凑过去手忙脚乱地替他捶胸揉背。高保真教授缓过气后，起身走到李寿昌身旁，低低地耳语一番。李寿昌边听边露出满脸的诧异。半晌，李寿昌向持实招了招手，持实教授走到他们两人身旁。高保真教授辅以手势神情激昂地向持老说了半天。持实教授听着听着，脸色渐渐变得苍白，干瘦的脖子上青筋条条直暴；终于，持老突然双手一摔，挣脱周围的人，戴上老花镜，低着头急速地翻着论文，似乎手上的论文突然变成了烫手山芋一样。

持老急速惶惑，双手阵阵哆嗦，眼睛发直。半晌，他跌跌撞撞走至李寿昌主席身旁，用一种低沉悲伤而又坚决的语气对李寿昌说了几句，观众们便发现李寿昌教授的脸色由红变紫，再由紫变得如白纸一样苍白。李寿昌教授目瞪口呆了半天，待持老到自己的座位收拾着自己的东西时，他颤巍巍地站直身子，用一种悲哀的语气宣布暂时中断论文答辩。观众先是面面相觑，当弄清没有听错后，便一片哗然。

主席与各位委员交头接耳了一阵，又走到正欲离去的持老面前用手比画着什么，似乎试图说服持老些什么，但持老越听越气愤，到后来，用柱子狠狠地戳着地板，怒不可遏地骂道："牛不知角弯，驴不知脸长！什么写作时间长达三年，什么弥补了国内外政治学某一领域的空白，呸！剽窃的东西，算什么成果，我决不让其答辩！"说罢，拂袖而去。我见状赶紧从座位上冲过去想将他拦住，无奈持老已气得青筋直暴，唾沫四溅。我只能眼睁睁地看他离去了。持老走后，全场轰然，不久主席站了起来，双手压了压众人的声音，用不自然的语气解释道："因为论文有些问题，经各位委员研究，决定暂时中止答辩……"虽然其他几位委员都显得宽宏大量，但导师持老先生满腔怒气，无论如何也不同意答辩，因为是导师一票否决制，即便其他评委全同意也无济于事。

我以每天九千多字的速度拼凑起来的论文，原来是从北图那里抄录人家论文的精彩部分移花接木而成的。俗话说，自古天下文章一大抄，抄书大有其人，但偏偏我抄的竟是高保真教授三十年前的科研成果！

　　被中止论文答辩后，我多次到校部领导活动。院长办公会专门开会讨论了此事，但因为持老先生是京师文理学院的一块瑰宝，又年过古稀，拄着拐杖颤颤巍巍，一激动起来就浑身哆嗦地吼道："我宁为玉碎，不为瓦全。这种学术败类，我绝不让他得逞！"李寿昌摇头叹气说，甭说他自己了，就算是院长，也未必敢轻易找持老较真，万一持老激动起来，有个三长两短，谁也担不了这个责任，因此，谁也不敢让我答辩，但李寿昌收了我的礼物后多次安慰我，说是"心急吃不了热豆腐"，让我再耐心等一等。

　　楼道里再也听不到我的歌声，舞厅里再也看不到我的身影。五一四号宿舍原是一个快乐的俱乐部，但这段时间以来，一下子变得门前冷落鞍马稀了，宿舍里常常只有我一个人唉声叹气。

　　一天上午，赵兰春突然郑重其事地约我到燕山酒店的咖啡厅，说有要事跟我详谈。

　　呷了几口咖啡后，赵兰春公开向我摊牌：只要我跟她办理婚姻登记，从法律上明确两人的夫妻关系。她就出面帮忙摆平论文答辩之事。

　　被中止论文答辩后，好几个单位听说我明年才能答辩，今年不能派遣，都不敢接收。但有几个单位的领导看了我附在简历后边的十多篇论文及一大沓文学作品后，总觉得我是个难得的人才，便问我对象可否在北京？如果在北京，那晚一点派遣也没关系。现在看来，这个生死攸关的关头，也只有赵兰春才是我的救命稻草了。

　　"如果你现在就愿意从法律上明确我们的婚姻关系，我不仅帮你摆平答辩的事，我还乐意帮您引见老爷子，只要老爷子发话，你毕业分配到北京工作绝对不成问题，而且我还可以保你一步到位做个副处长。"

　　"你空口无凭，我凭什么相信你呢？"

　　"老爷子！"

　　听到老爷子，我眼前一亮。

　　赵兰春所说的老爷子，并不是出版界的人物，而是一位曾经在某重要权力部门任过要职的离休老领导，因他离休前官位显赫，提携了不少部下，现在虽离休赋闲在家，但人走茶不凉。而且与赵兰春他们家竟有亲戚关系，赵兰春伊小菲平时都称他为老爷子，过年过节，总少不了走动。赵兰春跟我上床后，她曾向老爷子提起过我，说我是她的男朋友，希望毕业时能留在北京。老爷子对她说："你不要急着向我推荐他，再过一段时间，若你真的决定跟他了，不妨领他来见见我。"

赵兰春边呷着咖啡，边梦呓般描绘着美好的未来："你毕业后，我要陪你回西河看你母亲她老人家，我要孝敬她几万元钱，将来我们有自己小孩后，就接她来北京住……将来，你做你的官，我开我的公司，咱俩夫贵妻荣……"

赵兰春又呷了一小口咖啡，狡猾地笑道："但你不能空口讲白话，空手套白狼。要是你真愿意，我给你一周时间，让你了结跟京师民族师范学院外语系那个小蹄子的关系，我不愿闹得沸沸扬扬满城风雨，免得别人讲我是破坏人家幸福的第三者。"

我吓了一跳，故作生气道："别这么血口喷人！"

不料，赵兰春却平静地说："哟，都弄得人家刮胎，差点弄出人命了，还这么守口如瓶呀。"

我头脑轰然作响，心想，他妈的，怎么连这事她也知道？这事捅到秋月学校的话，秋月十有八九会被校方扫地出门。

见我默不作声，赵兰春以一种平静的语气道："我不计较这事。毕竟你俩还是老乡，又是在我之前……可话又说回来，眼下你得处理好这事，你总不能再这样脚踏两只船吧？这样吧，我前思后想了，你这几天亲自出面跟她谈谈，把我俩的事明明白白告诉她，让她彻底干净地退出，只要她按我的话去做，我愿意付她一万元青春损失费，否则……"

"否则怎么样……"

"让校方将她开除出校门，让她连毕业证都拿不到，灰溜溜地回乡下去……"

"学校凭什么相信你的话呢？"

"……病历，苹果园和上地医院名为秋香的病历……"

我浑身血液直涌脑门，气得说不出话来，半晌，我拍案而起，怒吼道："你要敢动她一根毫毛，我就跟你急！"说罢，一甩头，气势汹汹跑下楼去。

回到宿舍，我冥思苦想。难道是我们宿舍哪一个吃饱了撑着，把这事儿告诉赵兰春？

赵兰春经常借口车子顺路，特意送我回学校。有时顺便到宿舍坐坐。我们宿舍当然知道赵兰春不过旁敲侧击我是否还跟其他女孩来往。我们哥几个都订下了君子协议：但凡对方的女友打听这方面的事，全拣她爱听的话说。因此，她虽用心良苦，却毫无收获。

李习科说："石明雷呀，书呆子一个，你嫁给他将来可后悔死了。这三年来呀，甭说跟女的来往了，就连男的也不多，压根就不懂男女之间的情爱，前几个月我们还担心他找不到对象给发配回西河呢！"

王天乐抽着烟，摆出打抱不平的模样说："你以后要是还对他这么苛刻，他心理迟早会出问题，要是一见女人在场就吓得浑身哆嗦语无伦次，那还走什么仕途！"

赵兰春心里如灌了蜜一样，嗔怪道："你们几个净瞎掰，他是不是给了你们什么好处呀？"

"呸！他能给我们啥好处？不怕你笑话，他穷得如马帮进村叮当响，除了学习上能给我们提示提示，还能给我们啥好处？可学习的事嘛，咱哥几个现如今都快毕业了，也不需他提示。"

"想打他主意下馆子撮一顿？难！他这段时间压根就没吃过肉，老喊胃出血，整天就知道读书打工挣伙食费，长此以往，胃里都没油水了，夜里开夜车常常用桌沿顶着腹部，都快成当年的焦裕禄了。"

"我们巴不得早点毕业离开他，免得哪天他突然昏倒了，我们又赔上一把。"

每每赵兰春离去后，这几匹驴竞相向我邀功，胡搅蛮缠我要请他们到湖南餐厅撮一顿，因这是协议在先，我只好答应择日安排他们撮一顿。

消息不可能是从我们宿舍传出去的。

突然，刀痕三阴险狰狞的面容在我脑海里一闪而过，我立即如泄气的气球，整个人瘫倒在地。

她的弟弟刀痕三绝不是省油的灯！

我起初认为离过三次婚的赵兰春之所以主动拉我上床，不过是逢场作戏生理需要你情我愿而已。但现在她突然狮口大开，竟然提出名分的问题，而且我深知这半老的徐娘在这件事上绝对是当真的，这真使我手足无措。

城门失火，殃及鱼池。这事若处理不好，势必会殃及秋月，如果秋月因此被开除出校，即便她不怪罪于我，我的良心将永世不得安宁。如果因这事弄得满城风雨的话，我即使经多方打点，最终于毕业前夕如愿进行论文答辩，研究生部也可以认定我行为不检作风败坏，那么，我能否顺利毕业还很玄。

为了达到与我结婚的目的，赵兰春又开出了更诱人更耀眼的条件——

包我能分配到某个炙手可热的部门，并且保我一步到位任副处长。

他妈的，这个胡萝卜，对一心想做京官的我，诱惑力也太大了。

我必须找金布丁商量，兴许他能给个万全之策。

早上，我正想出门去金布丁单位，李寿昌突然满头大汗地跑到宿舍，把我拉到露台，哭丧着脸告诉我说，沙披洛夫斯基不能做北京狗了。

原来，北京市刚刚通过了一个《严格限制养犬规定》。

李寿昌摇头叹气道："我住的海淀区被划为重点限制养犬地区。沙披洛夫斯基的狗身自由受到严格限制。再说，做个北京狗也还真不易，要严格实行养犬许可证制度。要经公安部门批准。每年必须缴纳登记费和年度注册费。这、这费用不少啊，重点限养区内每只犬第一年登记费为五千元，真、真是狗在京城也贵三分呀！再不得携它乘坐公共交通工具和电梯。你知道，我住三十层，每天带它下楼大小便，总不能走楼梯吧？唉，沙披洛夫斯基跟我快三年了，我们都有感情了，可这节骨眼上，不是我不给它出路，不是我不让它做北京狗，我确实是爱莫能助呀！"

李寿昌最后一摊双手，无可奈何地说："想不到沙披洛夫斯基非但成不了北京狗，而且还面临成丧家之犬的厄运。你还是赶紧把它领走吧，送给流浪狗收留中心或什么的吧，要快点领走，要不，公安部门不仅将其没收，还要处以二千元以上五千元以下的罚款。"

送走李寿昌后，我赶紧下楼打电话给金布丁，金布丁叹了一口气，道："你这只杂种狗呀，真是福兮祸所伏，祸兮福所倚。罢了罢了，我们还是快点去取吧。"

过了几天，我和金布丁来到李寿昌家，对李寿昌谎称捐给宠物医院，但出门后，两人两眼一抹黑，把狗弄到西北旺，请一饭店老板给做了。

金布丁边啃着一只狗腿，边咧着油光发亮的嘴笑道："吃！吃！这狗本来就不值钱，杂种的东西还留它干吗？"

我也拿着一只狗腿，边啃边说："杂种虽然不好听，可也不是它的错嘛，它压根就决定不了自己的出身，它是无辜的。"

"要说错，也只能怪它父母乱来，可人都有七情六欲，何况狗呢，要说错呢，完全错在你，你要不是把它带来北京，让它做北京狗，享受荣华富贵，那它现在还在乡下，虽然生活苦一点，时时对付村人的砖头和木棍，有一顿没一顿的，但为小孩舔屁股，看家什么的，也尽了一份职责，哪有这样经历悲欢离合，结果到头来还是逃脱不了被吃的命运。"

"听李寿昌说，它刚到北京时，还能铭记自己的身世，表现还不错，可后来养尊处优慢慢习惯成自然了，不仅渐渐淡薄了忧患意识，而且到后来，居然完完全全把自己见不得人的低微身世抛到九霄云外。在外头蹓弯时，它一见年轻母狗，就龇牙咧嘴，两眼发青光，涎水直流，阴茎勃起，两只前爪猛刨着地面，妄想挣脱颈圈，有时故作老实憨厚做出一副安分守己的样子，可待母狗路过它身旁时，它就趁母狗不备，猛地扑到母狗的身上就狠劲地抽搐下身……真是应了江山易改本性难移这句话。你想想，这种事它能得逞吗？除了母狗的主人一阵棍子砖头劈头盖脸的招呼之外，啥也别想赚。它也不想想，人家可都是名流，不是杜宾就是威尔斯可基或可卡，退一万步来说，就算是随随便便的一只菜狗，人家的出身也没它那么见不得人呀。真是饱暖思淫欲，饥寒起盗心，太不自量力了……"金布丁一边大口大口地啃着狗腿，一边不着边际地骂着已成了锅里肉的沙拉洛夫斯基。

"成也萧何，败也萧何。这只杂种狗当年为助你实现'人在京城贵三分'的伟大梦想立下了汗马功劳，可现如今，又给你添乱了……吃都吃了，别再提它了。"

这段时间以来，每每夜幕降临后，我常常独自一人到校西门的小餐馆喝酒。酩酊大醉后，神思恍惚地自言自语：留在京城当个京官，这选择绝对是正确的。当然，回西河省某个小县城当个鸡头也不错，只是剩副主席那儿自身难保，我回去实在没什么靠山。

不仅做个京官，而且还一步到位做个副处长，这是许多人烧香拜佛也求不来的。至于个人婚姻问题……也只能服务于现实的选择了，忠孝两难全嘛。生活的辩证法就是有得必有失，鱼和熊掌两者不可兼得，甘蔗没有两头甜。

"天上不会掉馅饼吧？"我醉眼迷离，半信半疑。

留得青山在，不怕没柴烧。甭说帮我实现"人在京城贵三分"这一伟大梦想了，更甭说让我到什么权力部门做个京官了，此时此地的我，只要能够答辩，拿到毕业证和学位证，哪怕就算牺牲下半身又何足惜。这样想着，我心里就暗暗地顺从了赵兰春的意思。

虽然醉眼迷离，但我的思路渐渐清晰。为了实现"人在京城贵三分"这一伟大的理想，我决心牺牲跟秋月的爱情，决定跟大我十来岁的赵兰春订下终身。

赵春兰把我拉到沙发上，双手圈着我的脖子，用头一边拱着我的胸部，一边嗲声嗲气道："跟你说个正经事，老爷子已同意推荐你到某权力部门，他们已经答应老爷子了，不仅同意接收，而且一步到位，给你做个副处长。你看看，人家都给老爷子来信了，看我们哪天有空去见见人家，请人家吃个饭，送个礼物，完了签个约就成了……只是，老爷子要我们这几天……"

"要什么？是不是要我们送钱？"

"唉，老爷子还在乎你几个小钱？就是送钱，那也是我分内的事，跟你无关，他是要求你马上……"

我低头瞅了她一眼，见她定定地望着我，正在认真研究我的表情，我有点耐不住了，掰开她的双手，道："有话就说，别这样吞吞吐吐的。"

"他要你马上跟京师民族师范学院外语系那个小蹄子一刀两断，然后跟我办理婚姻登记，生儿育女。你知道，我都四十出头了……"

第 24 章

秋月到回龙观某中学进行教学实习去了。因为又上课,又当班主任,加上从回龙观到京师民族师范学院的交通也不是很方便,实习期间极少回来看我。上个月她还寄来一封她自己动手制作的彩信,信笺上除了贴满了她在野外田垄上采摘的各种各样馥郁芬芳的花瓣外,还饱含深情地抄录了海涅的一首诗:

> 星星们动也不动,高高地悬在天空,千万年彼此相望,怀着
> 爱情的苦痛……

信中说,因为她连年获校级三好学生,争取到了一个留京指标,并已初步联系到北京东城区一所中学当教师。

看完信后,我精神为之一振,但很快又当头被泼了一盆冷水。中学教师对一心做京官的我,不仅丝毫没有帮助,而且还可能拖我的后腿。不行,绝对不行!可是,在这个节骨眼上,如何向她挑明,对她动之以情,晓之以理,让她深明大义而最后成全我,这又深深折磨着我。

我终日郁郁不乐,长吁短叹,内心十分痛苦。估计秋月教学实习已经结束回到学校了,但忙于毕业考试,她还没来得及来看我。虽然已经下定决心,跟赵兰春到民政部门办理婚姻登记手续,先去了某部做了副处长再说。但我却鼓不起勇气向秋月提出分手。倘若她分回西河省,那倒可以让时间来冲淡两人之间的恩爱情仇,可偏偏她又留在了北京!

让时间冲淡一切吧,可是,我并没有时间。

一九九五年六月二十五日,我在赵兰春的威逼下,迈着沉重恐慌的步履向京师民族师范学院走去。与其让赵兰春把秋月的人流病历寄给学校,让校方将其开除并告之于天下,不如我亲自上门掐灭两人的恋情之火。那

样的话，她虽失去我，但却保住学籍，顺利毕业留在北京。

我怀揣赵兰春打算付给秋月的一万元青春损失费，神情惶惑不安地走过京师民族师范学院校部办公楼前面的花园，花园中心英语角那七八棵玉兰树静静地矗立着，错落有致的几十张石桌石凳空荡荡的，仿佛在默默诉说着曾经的热闹和喧哗。

想到我即将亲手摁熄一个来自乡下贫穷家境，历尽屈辱才最终完成了学业的女孩对未来美好的欲望之火，我顿感撕肝裂肺恍如隔世欷歔万千……

我的天啊！人世间何以有这么些种种令人六亲不认利令智昏丧尽天良的官位！

可是，秋月，我最亲爱的人！你应该明白官场对我具有多么大的诱惑，而官场又是那么的残酷……其实，你应该知道，古代皇宫红墙的背后，父杀子、子弑父、兄毒弟的血腥，一刻不曾停止……

秋月宿舍前的公告栏那里人头攒动，人人脸上神色诧异惊骇。

我赶紧挤进去，一抬头，头上炸了一个晴天霹雳。

布告栏上"关于给予秋月开除学籍的通告"赫然醒目。

原来，秋月近来常感身体不适，多次到校医院就诊，后被查出沾上了性病，严重违反校规，已被校方开除……

晚上，我独自一人到校西门喝酒，喝得醉如烂泥，在醉眼朦胧中，我绞尽脑汁回想着秋月沾上性病的种种可能。

难道是我传染给她？

不会吧？应该不会吧？

我惶惶不安地找到秋月宿舍的一位同学，迫不及待地向她打听事情的经过。来到宿舍楼下的一石桌旁坐下后，那位同学断断续续地给我道出了事情的经过。

"……还在回龙观实习的时候，秋月就感觉下身有些不适，只碍于手头拮据，不敢到外边的医院看病。你也知道，外边医院一是贵，二是回校报销手续烦琐不说，还不一定能报销。秋月家境这样困窘，一分钱恨不得掰开两半用，就算打死她 N 次，她也未必就愿意浪费那个钱。

"实习结束回到学校那天，秋月放下行李后本想去看你，可迈出门槛后又想起这个时候你可能正忙于论文写作，也不好打搅你，又转身回宿舍翻箱倒柜找出医疗证，问有没有谁去校医院？我当时正感冒发烧，一连好几天都咳得声音沙哑了，就拿了医疗证跟她结伴去医院。

"她先陪我去拿了感冒治咳药，就让我陪她迫不及待地到校医院妇科看病。她以为是普通的妇科病，却被校医查出她染了性病。

"当医生在诊断书上写下'淋病'、'梅毒'这些字眼时，秋月当头轰了个晴天霹雳，觉得难以置信，几乎瘫倒在走廊。

"校医领导得知后，更是'惊诧万分'，当即向校领导报告了此事。校领导过来后，我们被带到校医院院长办公室，校领导带着同样惊诧的心情，追问究竟是如何染上性病的。

"秋月如实交代跟你有过一年的性关系，校领导即令一校医和保卫处人员到京师文理学院，径直找到党政部……"

后来的经过，是李寿昌私下偷偷告诉我的。李寿昌说，那天，京师民族师范学院学生处的一名负责同志和他们学校医院妇产科一名医生拿着秋月的诊断书找到他们时，党政部领导大为光火，当即表示，如果查出罪魁祸首是石明雷的话，一定从重从严从快处理。

当时李寿昌也在场，他听了大家的意见，突然一拍脑袋，说，你们来得正是时候，我校今天下午研究生做毕业体检，我们不妨趁这个机会让校医详细检查一下石明雷身体，如果属实，就按有关规定处理……大家最后都同意李寿昌的主意。

毕业体检是十分严肃的事情。根据国家教育部有关普通高等学校毕业生就业工作暂行规定，每年的应届毕业生毕业体检，体检表上填写学号、专业、姓名，体检结果将存入本人档案。曾经有女同学被检出怀孕而被严肃处理，若真的检出我染有性病，当然也会毫不犹豫地将我扫地出门。

校医院在党政部有关领导的要求下，安排专人特别对我进行了详尽检查，但结果出来后，我的各项指标均显示正常。

这样，京师民族师范学院的领导认为此事与我无关，最后一口咬定，秋月背着校方跑到色情场所做按摩，百分之百是在那个藏污纳垢的场所染上了性病。而秋月对校方扣在自己头上的这一罪名有口难辩，就算跳进黄河也洗不清了。

对了，那一次安全套出了些问题。

在我遵照医嘱积极治疗性病的那段时间，有一天晚上，秋月又跑来找我，说是即将到外地进行教学实习，意欲要跟我亲热一番作为告别。我因担心自己的病还没痊愈会传染给她，便找借口拒绝她。

但想到她过几天就到外地实习去了，我还是不忍心马上赶她走，郁郁不乐地陪她在校园散步。到后来，天下起雨来了，两人匆匆跑到北主楼。进了电梯，我带她到了十楼党政教研部教研室，部里给我们几个研究生每人配一把钥匙，平时可以来这里看书，但都快毕业了，除偶尔开会外，我也没见有人晚上来这里看书。

迈进无人之境，秋月就迫不及待地拥抱着我，把胸部紧紧贴着我的胸膛。我闻着她被雨水打湿的秀发散发出来的香气，心里很痛苦。秋月自从跟我在金布丁的出租屋发生关系后，就毫无保留地把一切都奉献给我，在她看来，我就是她的一切，就是她的生命，我不敢相信，若她知道我与赵兰春和伊小菲的恋情，知道我到外边拈花惹草沾上了性病，她怎能忍受得这一沉痛打击？

秋月跟我在苹果园同床共眠一宵，她都不越雷池一步……按校方布告的说法，从时间上来看，秋月染上性病之时，恰恰跟我和她做爱时安全套出问题那一次相吻合……秋月因我沾上了性病后，一来竟误认为是一般的皮肤病，二来也心疼几个钱，在外地实习时，虽觉身体不适，也不到医院就医，这样一来，小病变成了大病，最后酿成了大祸。

可怜的秋月，由于她的单纯和无知，由于她对我的痴情，就算打死她一千次，她也绝不相信性病是从我这里染上的。虽然她自始至终只和我一个人保持性关系，但她还是认为可能在色情场所按摩时接触了不洁衣物染上了这种病。那个年代的人大抵都这么幼稚——身体任何部位碰到病毒都可能染病。再说，这种事情再追究下去还有什么意义呢？开除一个已是铁定的事实了，难道还要拉上自己最亲爱的人作为垫背吗？

布告贴出来的第二天，秋月家里无人来校接她，校方为安全起见，派人把她直接送回了老家，她觉得无脸见我，竟一句招呼也没打，就黯然神伤地离开了北京……

赵兰春得知秋月出事后，特地把我叫到她房间里。把门关上后，板着面孔再三追问我是否染上性病？我到医院复查过，早已没事，心里有底，跳起来怒不可遏地回击她。她并没有因此而相信我，而是亲自用车载我到海淀黄庄医院，一直在旁边监督着做完了全套检查。

检查结果出来后，赵兰春吁了一口气，我借题发挥，指责她辱我清白。

对我的指控，赵兰春嗤之以鼻——

"石明雷啊石明雷，再怎么说，你也算个堂堂硕士生，可为啥偏偏跟一个品行不正的货色搭上？我真不知是说你愚蠢还是说你犯贱！好在你还算运气好，要不，染上了性病，你一切就完了。"赵兰春愤愤骂道。

赵兰春并没有骗我。她通过老爷子活动，加上李寿昌教授多方斡旋，研究生部领导想出了一个折中的办法让我顺利答辩。研究生部认为，既然持实这株长白山的老人参以有我这个学生为耻辱，研究生部就顺着他的意图，满足他的要求，给我更换导师。经再三研究，最后，直接指定李寿昌作为我学位论文指导导师。理由很简单，当初招我入学时，我的"指导导师"这一栏上白纸黑字写着"李寿昌教授"。持实教授对于研究生部这一决定，不作任何表态，只是严肃地要求校方，在我毕业档案上，绝不能出现他的名字，就当他没教过我这个败类学生。

好事多磨。我的硕士学位论文一波三折后终于可以答辩了。这对我来说，真是柳暗花明又一村。答辩前一天晚上，我自掏腰包买了几条鱼回宿舍来弄，请大伙喝酒庆贺。

一九九五年六月三十日清晨，我迈着轻盈的步子向学校大礼堂走去。校园姹紫嫣红，花团锦簇。清晨凉爽的夏风伴随着响亮欢快的音乐拂面而来，歌声既是依依惜别，又饱含着无限勉励。校部办公楼前到处飘扬着一条条激动人心的横幅——

> 走进来，我们积淀人生智慧；
> 迈出去，我们创造锦绣前程；
> 我们今天是桃李芬芳，明天是社会的栋梁；
> 到最艰苦的地方去！到祖国最需要的地方去！
> ……

毕业生们穿着崭新的学位服，学位帽上的流苏跳起了欢快的舞蹈，显得整齐而又壮观。不少导师见自己的学生终于毕业了，携全家老幼到校园四处与学生照相留念。校园里到处见一群群身着学位服的同学选景拍照。

在三种学位服中，博士服与硕士服很显眼，博士服外边是黑色，里边是红色，硕士服是浅蓝色的，而学士服则是浅灰色的，几种色彩在校园里穿梭往来，似春天里在鲜花绿叶间翻飞的五颜六色的蝴蝶。晨曦中，一张张年轻的脸庞掩饰不住激动，校园里到处洋溢着欢庆的气氛。不难想象，数年的寒窗生涯终于结束了，就要走上工作岗位了，学子们怎不神采飞扬呢！

答辩后不久，我按老爷子推荐信上给的电话号码，拨通了S部人事处长的电话。我自报家门后，人事处长对我格外客气，听他的口气，我才知道我到S部工作这事，司长都跟他打过招呼了，处长约我哪天有空就去他们单位签约。

我到S部工作，并且一步到位任副处长，这消息对京师文理学院研究生部来说，不逊于炸了一颗土制手雷。都六月份了，可还没有多少同学联系到各大部委，基本上都是联系到高校科研所或出版社，偶尔有几位同学到北京市党政部门的，也被告知说，先参加公务员资格考试，考公务员资格了，才能接收，到单位后，先试用一年，合格的话，就从科员做起……总之，像我这样直接分到某部一步到位做副处长，绝对是破天荒了。李寿昌教授逢人就沾沾自喜地说，石明雷能有今天，多亏他当年伯乐慧眼识才力排众议说服研究生部录取了我。

上午八时整，学位授予仪式暨毕业典礼在庄严的欢快的歌声中拉开帷幕。学院领导和学院学位评定委员会有关领导分别发表热情洋溢的讲话。

仪式正式开始后，一个个身着学位服的毕业生列队依次走上主席台，身着导师服的领导们首先把学位获得者的流苏从右边拨到左边，然后庄重地授予学位证书，学子们双手接过学位证，俯身鞠躬表达谢意，感念母校和恩师的培育之情，台下响起阵阵热烈的掌声。收获时的幸福笑容洋溢在每一个人的脸上。院领导和导师每次都面带微笑主动向毕业生伸出手来表示祝贺。有的毕业生因为紧张，跟随前一批提前走了过去，院领导和导师便一人为两名毕业生授予学位，让每一名毕业生都能留下灿烂的笑容。

李寿昌站起身来，敞开那颗斜撑出来的门牙笑着，双手颤抖地捧着学位证递给我，我接过学位证，李寿昌亲自给整了整硕士帽，伸出右手郑重其事地将帽檐上那一绺穗子轻轻地拨向左边，在一阵阵掌声中，我泪眼迷蒙，我看到李寿昌红光满面，激动异常，喘着热气喷到我的脸上。虽然论文答辩一波三折，但历尽艰难险阻，我终于还是戴上了硕士帽，迈上了"人在京城贵三分"

的金光大道，我为之奋斗了多年的出人头地的伟大梦想即将付诸实践，我不禁激动得手足无措涕泪横流。

赵兰春今天不仅带一拨人来捧场，还特地请人扛着一台松下摄像机左冲右突时时追随着我。接过学位证后，我看到主席台下的赵兰春双手捧着一束鲜红的玫瑰，双眼噙着泪水。她正猫着身，只待我一走下主席台，就跑上前献花，但我并没有那么急地向她走去，我首先要向李寿昌致谢，没有他从中不辞劳苦斡旋，我就没有今天。

啊，双手捧着鲜花眼里噙满泪水的赵兰春向我跑来了，我张开双臂……可是，我突然看到了走廊尽头站着三五个身着警服的人迅速堵住了赵兰春。他们的目光都像一把利箭射向我，让我浑身哆嗦了一下。我正愕然之际，李寿昌从天而降般来到我面前，他身后还紧跟着一位机灵得如猴子一样的小伙子，印象中好像是经常在校门口值班的保安。

我站在李寿昌前面，满脸惊愕的李寿昌愣了一下，突然向我伸出右手，紧紧握着我的手，我感到他的手冰凉而且不断地颤抖，不容我开口，保安便道："请到贵宾室吧！"在我与李寿昌握手的刹那，全场掌声雷动，淹没了一切。

我随李寿昌进了贵宾休息室，保安队长返身把门锁上，外面又掀起一轮高潮，阵阵雷鸣般的掌声潮水一样撞击着门板。

贵宾室里坐着的七八名身穿警服的人见我进来，都不约而同霍地站了起来，我愣住了，我正解释着什么，为首的一位在我面前晃了一下盖着大红印鉴的一张纸，威严地宣布道："石明雷，你涉嫌盗印《党政理论文选》，你被逮捕了！请在上面签字吧！"

我看清逮捕证上确实白纸黑字写着我的名字，我没有立即俯下身去签字，我转身将目光投向正在不断用手纸抹着额头上的汗水的李寿昌，李寿昌与我对视了一阵，终于低下了头，颤声道："早知今日，何必当初……你、你、你是不撞南墙不回头，讲你多少次你都听不进去，这回一失足成千古恨呀……"说罢，他用手捂着嘴，但还是止不住哽咽起来。

"你们一定弄错了，这事跟我无关，这是赵兰春……不，是她弟弟刀痕三做的，我曾极力制止……"

"你是编辑部主任，校对稿上有你的笔迹……你、你……我是恨铁不成钢啊……"李寿昌捶胸顿足，涕泪满面。

警察将我推出门，沿着消防用的小走廊向后门走去，我止不住用手抓住门楣，向阵阵的掌声传来的地方投去无限留恋的目光，主席台上那幅红底白字标语："京师文理学院学位授予仪式暨毕业典礼"显得格外醒目。志愿到青藏高原工作的同学，全戴着大红花坐在前面的几排，李习科正如春天里的一只青蛙般左冲右跳，不断摆着各种姿势嚷着："来一张，笑一笑！茄——子——"他全然不知我被警察从后门带走，更不知道我脸上笼罩着无限的悲伤与无奈。

　　警察终于将我推走。他们没有铐我的双手，不知是不愿在宁静的校园掀起轩然大波还是谅我一介书生无力逃脱，他们前后左右簇拥着我，似乎我是他们头儿，一起向八号楼走去。

　　进了宿舍，他们开始在宿舍里翻箱倒柜。我说："你们没有这种权力！"为首的听罢，"哈哈哈"大笑，之后从皮夹里掏出一张白纸，在我面前一晃，道："别瞎嚷嚷的，我们有搜查证！"

　　我没有言语，在床沿坐了下来，任由他们翻箱倒柜。

　　"这黑乎乎的是啥玩意儿？"小个子警察从我皮箱底里翻出了一白布包，扔到我桌子边。

　　我低下头，拿起白布包，莫名其妙地慢慢剥开，打开到最里边那一层，心头不禁阵阵抽搐，这白布包里不是别的东西，而是三年前来京读研前母亲特别送给我专治水土不服的乡井土！

　　我双眼一下子溢满了泪水，胸部像塞满了湿棉花般疼痛难受，我恨不得纵声痛哭。眼前的这包乡井土无可避免地勾起了我阵阵伤痛的回忆。

　　三年前，在我离家来京读研的那天早上，临近出门的时候，母亲一把抓住我的袖子，磕磕绊绊来到祖宗牌位前，"扑通"一声跪了下来，虔诚至极地磕了三个响头，一边磕头，一边念念有词。

　　我虽听不懂母亲那含泪的话语到底是什么意思，但看母亲那虔诚的神情，也感动得一连鞠了几下躬，磕了几下头。

　　见母亲长跪不起，我伸手欲把她扶起来，不料，母亲却用手轻轻将我推开。我低头看，却见母亲小心翼翼地从神龛下面捧出一包沉甸甸的东西，极为吃力地挺直了她那常年不易挺直的腰杆，把一包东西郑重地捧到我的面前。

　　"这是乡井土，你要时时带在身边……"母亲声泪俱下。

　　我虽然不太相信母亲自幼就灌输给我的有关乡井土具有医治水土不服的神奇功效的说法，但看到母亲皱纹纵横的脸上布满了虔诚与庄重，看她那激动得抖动了半天还说不出一句话的干瘪的嘴唇，看她那从眼眶里"簌簌"

地滚落到乌黑干瘪的两颊上的两行老泪……我那眼镜片后面深陷进去的双眼也止不住有些湿润。我取下眼镜，用手揉了揉视线模糊的双眼，中学时候读过的关于乡井土的描述，就如眼眶里的泪水，止不住翻涌起来：

> 当时离乡别井的人们，都习惯在远行之前，从井里取出一撮泥土，珍重地包藏在身边。他们把这撮泥土叫作"乡井土"。直到现在，海外华侨的床头箱里，还有人藏着这样的乡井土！

据母亲说，一般人不大相信乡井土具有医治水土不服的药用功效，只有那些饱尝离别之苦的人们，才能真正领略其中的药用奥妙。

十四岁那年，我远离家乡到遥远的县城中学念书。临别，母亲特地到村东头的水井里取了一包乡井土给我，叮嘱我到了学校，务必用开水浸泡，沉淀后喝其水。母亲说，喝了乡井水，就能防治水土不服之类的疾病。那时，我年纪很小，不太相信乡井土有这种近乎迷信的神奇功效，但看到母亲一脸的凝重与神圣，我还是半信半疑地把那小包东西塞到了铺盖里。

到了学校，有几位高年级学生替我布置铺盖，在我不经意间，他们竟把这包乡井土当作废物扔到窗外的游泳池里去了。到了冬天，我的臀部竟莫名其妙地生了一大片奇痒无比的湿疹。到校医处抓了不少药，依然没有结果。寒假回家，当我哭丧着脸告诉母亲说屁股长了一大片痔疮时，母亲第一句话便是问服了乡井土没有？我哭着说，都给人家扔到水里去了。母亲长叹一声，泪水便"滴滴答答"滚落下来。我第一次意识到乡井土在母亲的心中，是如此之重要，如此之神圣。

现在我又一次接过乡井土，心里沉甸甸的。虽然这些年来，我四处漂泊，已经习惯了四海为家的生活，乡井土的神奇功效于我来说已经显得有些多余了，但在内心的深处，还是十分希望把这包乡井土带在身边，保持着离乡不离土，离乡不离井这么一种心理，以便时时想起母亲，这或许能缓解对母亲的思念之苦呢！

这包生命之土寄托了母亲的厚望。可这些年来，我却一直将它压在箱底，完全忘记了它的存在。

我的眼睛止不住湿润了。我向警察解释了半天，最后恳求他们给我饮一杯乡井水。警察们听罢，将信将疑，后来，小个子警察从碗柜里取出一个饭碗递给我。我往碗里倒了半碗开水，最后小心翼翼地倒入一些乡井土进去浸泡。泥土遇水渐渐散开，过了一会儿，均匀地沉淀在碗底，我轻轻地将上面的水倒入口盅，捧在手里默默地喝着。

万念俱灰我喝上带有家乡泥土芳香的清水时，似乎走进了一条没有时空之隔的隧道里，沿着隧道，一直走回了故乡那个养育我长大的水井旁，仿佛双手掬着那清澈甘甜的井水尽情享用，似乎见到了母亲，见到了草根，见到了亲人……可是不知怎的，喝着这些散发着泥土芳香的乡井水，我却似乎感到给人抛弃一样的感觉，心情格外的颓丧与悲伤，望着窗外迷茫的天空，冰凉的眼泪悄悄溢出了眼眶，"滴滴答答"地滴落到杯子里，溅起一圈圈的涟漪……

大概一个钟头，搜完我的行李后，警察们就推我出门，匆匆下楼，走到三楼楼梯时，一阵杂乱的脚步声与欢呼声口哨声从楼下传来，我知道，学位授予仪式结束了，班上同学们回来了。我整理了一下哭丧绝望的表情，那位年轻警察刚上卫生间回来，骂道："我还以为研究生特棒呢，没想卫生间也乌烟瘴气，比我们那会儿上的警校还差哩……"

一路纷纷涌上楼来的男女同学，有的频频向我点头，有的诧异地望着我，李习科远远就高兴道："嗨，哥们儿，来这么多朋友？你这是下馆子吗？等等我啊！"见我面无表情，他站在楼梯里怔怔地望着我，良久，恶狠狠骂道："好你个小气鬼！还牛 B 烘烘得跟两个老母牛顶屁股似的。"

走到三楼，楼道里突然响起欧阳师傅熟悉的京腔：

> ……春日才看杨柳绿，秋风又见菊花黄。荣华终是三更梦，富贵还同九月霜……

走过传达室，欧阳师傅正在门槛外一边哼着他酒后常哼的那首《醒世歌》，一边低头整理刚刚捡回来的一堆旧书报。听到门外一阵杂乱的脚步声，抬起头看看浑身冒汗神情沮丧的我，他以为我过于劳累，赶紧放下手里的活儿跑出来挡在我的面前，望望警察们，又望望我。警察见是一位老人，也没有阻止他。半晌，他举起右手，却僵在空中，呆滞的目光落在我身上，翕动了几下嘴唇，却没有言语。警察从后面推了我一下，我向前踉踉跄跄跌去，欧阳师傅愣住半天，突然如梦方醒般，磕磕绊绊追了出来，向我挥着手吼道："小子，你脸色不对啊，你整天都瞎折腾些啥呀？今儿累倒了吧？还不抓紧歇会儿，啊……"

外形像个"凹"字，让我常常无端联想起深山老林里诱捕野兽的陷阱的八号研究生楼在我身后渐去渐远，尾随而来的阵阵风儿，时隐时现送来欧阳师傅呕哑嘲哳的京腔：

>……休得争强来斗胜，百年浑是戏文场。顷刻一声锣鼓歇，不知何处是家乡……